Meinolf Peters und Jo

Zwischen Abschied

Reihe »edition psychosozial«

Meinolf Peters und
Johannes Kipp (Hg.)

Zwischen Abschied und Neubeginn

Entwicklungskrisen im Alter

Psychosozial-Verlag

Bibliografische Information der Deutschen Nationalbibliothek
Die Deutsche Nationalbibliothek verzeichnet diese Publikation in der Deutschen Nationalbibliografie; detaillierte bibliografische Daten sind im Internet über <http://dnb.d-nb.de> abrufbar.

E-Mail: info@psychosozial-verlag.de
www.psychosozial-verlag.de

Umschlagabbildung: Hans Unger: »Das Welken« (1902)
Umschlaggestaltung: Christof Röhl
nach Entwürfen des Ateliers Warminski, Büdingen
Lektorat: Nicole Säger
Satz: Michaela Eibert
Printed in Germany
ISBN 978-3-89806-176-6

Inhalt

Einführende Überlegungen zu einer psychoanalytischen Entwicklungspsychologie des Alters

Meinolf Peters und Johannes Kipp

Für die überwiegende Zahl älterer Menschen war der Alltag bis in das 20. Jahrhundert hinein keineswegs eine Zeit des Rückzugs, der Rückschau und der Muße, viel weniger noch ein selbstgestalteter Lebensabschnitt. Zur Sicherung ihres Lebensunterhaltes mußten sie vielmehr so lange als möglich auf ihre Arbeitskraft vertrauen, bis sie durch zunehmende Gebrechen und Krankheiten endgültig daran gehindert wurden (Borscheid 1999). Trotz der Beschwernisse und Zumutungen, die ihnen die ja meist körperliche Arbeit aufgrund nachlassender Kräfte bereitete, blieben sie immerhin bis zum Eintritt des Todes oder des meist kurzen, eingeschränkten und aufgrund materieller Not auch kärglichen Alters sozial integriert. Das Alter genoß sogar eine gewisse Achtung, wie in den Schriften über diesen Lebensabschnitt – deren es nicht viele gab, spielten Ältere aufgrund ihrer geringen Zahl in der Öffentlichkeit doch keine so große Rolle – zum Ausdruck kommt (Göckenjan 2000). Erst mit der sprunghaft steigenden Lebenserwartung in der ersten Hälfte des vergangenen Jahrhunderts und forciert durch Wirtschaftskrisen, die eine sich entfaltende industrielle Gesellschaft erfaßten, setzte eine massenhafte Freisetzung älterer Arbeitnehmer aus dem Erwerbsleben ein. Verbunden war diese Freisetzung mit der Herstellung eines Mindestmaßes an sozialer Absicherung, die jedoch erst mit der Rentenreform von 1957 allgemein sozial verbindlich wurde. Damit war endgültig eine abgegrenzte Lebensphase Alter, die sich nicht auf eine kurz bemessene Zeit ganz am Ende des Lebens beschränkte, etabliert.

Insbesondere von soziologischer Seite wurde die sich allmählich vollziehende Abgrenzung dieser Lebensphase auch kritisch begleitet und als Funktionsverlust und Marginalisierung des Alters beklagt, bzw. als Bruch in der Biographie, den ein erzwungener Abschied vom Arbeitsleben bedeute, weil er dem fundamentalen Bedürfnis des Menschen nach Kontinuität widerspreche. Dem körperlichen Abbauprozeß trete damit eine soziale Ausgrenzung, verbunden mit einem Sinnverlust, zur Seite, wodurch die Verlusterfahrung allumfassend werde (vgl. Göckejan 2000). Diese defizitäre

Sicht des Alters entsprach auch dem nun vorherrschenden negativen Altersstereotyp sowie dem Defizitmodell des Alters, das im wissenschaftlichen Denken dominierte. Die Älteren selbst genossen derweil – mehr oder weniger – ihren ›wohlverdienten‹ Ruhestand und machten sich auf den Weg, ihr Leben selbst in die Hand zu nehmen; dies wurde spätestens in den 80er Jahren des gerade abgelaufenen Jahrhunderts deutlicher erkennbar, als das Leitbild des ›aktiven‹ Seniors allmählich Konturen gewann. Die heutigen Älteren sind immer weniger bereit, den neu gewonnenen Lebensabschnitt als einen weitgehend passiv sich vollziehenden Ruhestand zu begreifen und sich mit einem Defizitmodell zu identifizieren. Aufgrund zunehmender Kompetenzen, verbesserter materieller Ressourcen und bei länger erhaltener Gesundheit haben Ältere begonnen, sich ihr Leben neu anzueignen. Zunehmend mehr von ihnen begreifen das Alter als Entwicklungschance und begeben sich auf den Weg, diesen Lebensabschnitt aktiv zu gestalten.

Diese Entwicklung hat Laslett (1995) veranlaßt, von der erstmals gegebenen Möglichkeit der Selbstverwirklichung zu sprechen, nachdem die Aufgaben und Pflichten des mittleren Erwachsenenalters abgestreift werden konnten; er postuliert ein neu entstandenes ›drittes Alter‹. Allerdings übersieht er dabei die psychodynamischen Konflikte und Hemmungen, an denen Entwicklungschancen allzu oft scheitern. Vor allem übersieht er, daß diese Zeit ja gleichermaßen bereits von altersbedingten Einschränkungen und den Vorboten des ›vierten Alters‹ – gemeint ist damit die Zeit des hochbetagten, mit zunehmenden Einschränkungen verbundenen Alters – gezeichnet ist. Von einem tieferen Verständnis des heutigen Alterns kann deshalb erst gesprochen werden, wenn die Widersprüche und Konflikte dieser Zeit, die sich einer Weiterentwicklung entgegenstellen, sichtbar gemacht werden. Diese nehmen, beschleunigt durch gesellschaftliche Veränderungsprozesse, in unserer Zeit immer vielfältigere Erscheinungsformen an; das Altern gewinnt an Komplexität, die jeden einzelnen vor die Aufgabe stellt, ›Identitätsarbeit‹ zu leisten (Keupp 1999). Dies wird beispielsweise an der zunehmenden Flexibilisierung des Übergangs in den Ruhestand deutlich, welcher immer weniger als identitätsstiftendes Ereignis wahrgenommen wird, das zu der Selbstwahrnehmung, alt zu sein führt. Ältere Menschen sind i. d. R. erst ab etwa Mitte des 7. Lebensjahrzehnts bereit, sich selbst als alt zu bezeichnen, also dann, wenn die Anzeichen des körperlichen Alterns sichtbarer werden (Kohli/Künemund 2000). Ungleichzeitigkeiten wie diese kennzeichnen das heutige Altern, soziales, körperliches und psychologisches Altern verlaufen nicht paralell. Die

Gerontologie konstatiert eine nachlassende Bedeutung des chronologischen Alterns, wodurch sich die Tür für vielfältigste Einflüsse öffnet. Aus Ungleichzeitigkeiten aber erwachsen immer wieder spannungsreiche Situationen, deren Eigendynamik sich auf höchst unterschiedliche Weise zu entfalten vermag. Die Lebensphase Alter hat sich geöffnet und konfrontiert nicht allein mit Einschränkungen und Verlusten, sondern zunehmend auch mit neuen Lebensperspektiven und Entwicklungsmöglichkeiten. Die besondere Herausforderung des Alters, so Baltes (1996), besteht darin, das latente Potential genauso wie die Schwächen des Alters im Auge zu behalten und diesen dialektischen Gegensatz zu ertragen. Aus diesem ›Doppelgesicht‹ aber bezieht das heutige Altern seine innere Dynamik.

Da Wissenschaft immer auch gesellschaftliche Realität widerspiegelt, kommt der skizzierte Veränderungsprozeß auch in einem Paradigmenwechsel innerhalb der empirischen Entwicklungspsychologie zum Ausdruck, die sich lange Zeit ausschließlich mit der Entwicklung in Kindheit und Jugend befaßt und darauffolgende Lebensphasen nahezu vollständig ausgeklammert hat, schienen sie doch durch ein hohes Maß an Stabilität und Kontinuität gekennzeichnet zu sein. Erst mit der Etablierung der ›life span developmental psychology‹ in den 70er Jahren, im deutschen Sprachraum eng mit dem Namen Baltes verbunden (Baltes 1979), wurde diese Beschränkung überwunden und Entwicklung nunmehr als lebenslanger Prozeß konzipiert. Innerhalb der Psychoanalyse vollzog sich eine ähnliche Erweiterung. Anna Freud hatte noch in einer Arbeit aus dem Jahre 1965 (Freud et al. 1965) die Ansicht vertreten, daß die Entwicklung des Menschen mit der Adoleszenz zum Abschluß komme und der Kliniker es bei Erwachsenen mit einer abgeschlossenen Persönlichkeit zu tun habe. Seither hat eine Öffnung stattgefunden, die zur Aufgabe einer ausschließlichen ›child-centered‹- Position (Lieberman/Peskin 1992) zugunsten einer Sichtweise geführt hat, die auch die Eigendynamik des mittleren und höheren Erwachsenenalters anerkennt. Damit aber wuchs auch das Interesse an Fragen des Alters und des Alterns, so daß eine Voraussetzung geschaffen wurde, jenseits eines reduktionistischen Defizitmodells auch dem gewachsenen Entwicklungspotential und den Entwicklungsmöglichkeiten älterer Menschen Rechnung zu tragen. Die Gefahr neuer Einseitigkeit kann dabei allerdings nicht übersehen werden. N. Friedan (1995) hat in ihrem Bestseller *Mythos Alter* zahlreiche Beispiele geschildert, wie es älteren Frauen scheinbar mühelos gelingt, im höheren Lebensalter noch einmal zu neuen Ufern aufzubrechen. Die Wirklichkeit dürfte jedoch oftmals anders aussehen. Die einzigartige, auf einer mehrjährigen psychoanalytischen Behandlung beruhende Einzelfallstudie, die Radebold zusammen mit einer über 60jährigen Patientin verfaßt und unter dem Titel *Der mühselige Aufbruch* veröffentlicht hat (Radebold/Schweitzer 1996), erlaubt tiefere Einblicke in die Konflikte und inneren Kämpfe, die zu bestehen sind, um sich nach tiefen Einschnitten das Leben im Alter neu anzueignen. Diese Studie entwirft ein Bild, das den älteren Menschen in einen komplexen Erfahrungsprozeß verwickelt sieht, ein Bild, das für uns Ausgangspunkt und Orientierung zugleich ist und als Leitfaden bei der Konzipierung einer psychoanalytischen Entwicklungspsychologie des Alters dient.

Indem die Psychoanalyse sich jetzt auch alten Menschen zuwendet und therapeutische Möglichkeiten aufzeigt, hebt sie sich von dem lange Zeit – auch in psychoanalytischen Arbeiten – vorherrschenden Defizitmodell des Alters ab. Diesem lag ein ›eindimensionales‹ Verständnis des Alterns im Sinne von Verlust, Abbau und Gebrechlichkeit zugrunde, mit der Folge, auch die Pathologie Älterer allein als eine ›Verlustpathologie‹ zu betrachten, wie Gutman et al. (1980) kritisiert haben. Den älteren Menschen eingebunden zu sehen in das Spannungsfeld von einsetzenden Verlusten und Defiziterfahrungen einerseits und neuen Entwicklungschancen andererseits bedeutet, die innere Zwiespältigkeit mit der daraus resultierenden Notwendigkeit, ja dem Zwang, das Leben im Alter selbst zu gestalten, in den Mittelpunkt zu rücken (Peters 1998). Eine von Erikson et al. (1986) interviewte Patientin schilderte das Dilemma so: »Und seit mein Mann tot ist, habe ich keine andere Wahl, als mich daran zu erfreuen, frei zu sein und in der Lage zu sein, für mich selbst zu sorgen«. Da die Psychoanalyse von einem konfliktorientierten Verständnis psychischer Prozesse ausgeht, ja dies den Kern ihres Denkens ausmacht, vermag sie in besonderer Weise einen Beitrag zur Untersuchung der inneren Konflikte des älteren Menschen zu liefern. Eine Konfliktperspektive auch auf das höhere Lebensalter anzuwenden, impliziert die Notwendigkeit, auch die Konfliktfähigkeit als Kompetenz des älteren Menschen anzuerkennen. Dieser hat die Chance, sich das Leben neu anzueignen, läuft aber gleichermaßen Gefahr, an dieser Aufgabe zu scheitern und dadurch den Abbauprozeß zu beschleunigen, psychische oder körperliche Symptome zu entwickeln oder sozialer Desintegration Vorschub zu leisten. Die Vielfalt der Alternsprozesse (›differentielles Altern‹), die heute in der Gerontopsychologie konstatiert werden, verdeutlicht genau diese Tatsache, daß ältere Menschen höchst individuelle Antworten auf die Herausforderungen finden (Kruse 1990;

Heuft et al. 2000). Von Antworten zu sprechen, so wie es Kipp und Jüngling (2000) vorschlagen, erkennt dem älteren Menschen nicht nur eine aktive Rolle zu, sondern fragt auch, über eine Defizitperspektive hinausgehend, nach der Sinnhaftigkeit der Auseinandersetzung mit Alterskonflikten, um diese auch dann als »Selbstheilungsversuche« zu verstehen, wenn sie nicht einer normalen, gesunden Entwicklung entsprechen, sondern mit psychischer Erkrankung einhergehen. Die Grenzen zwischen allgemeiner Entwicklungspsychologie und klinischer Anwendung verwischen sich dabei. Während die empirische Entwicklungspsychologie mit der Etablierung einer klinischen Orientierung – der Begriff der klinischen Entwicklungspsychologie ist inzwischen fest etabliert (Oerter 1999) – die Brücke hin zur klinischen Psychologie geschlagen hat, ist eine psychoanalytisch begründete Entwicklungspsychologie immer bereits klinisch ausgerichtet; sie geht von den klinischen Erfahrungen mit älteren Menschen aus und zielt auf die Erweiterung der Grundlagen für diese Arbeit.

Folgt man einer entwicklungspsychologischen, konfliktorientierten Sicht, so erweitert sich auch die Aufgabenstellung für die psychotherapeutische Arbeit. Diese reduziert sich dann nicht auf die Unterstützung der Verarbeitung von Verlusten und eine Förderung des Trauerprozesses, sondern schließt die Möglichkeit nachfolgender Entwicklungsprozesse mit ein, ja hat diese in besonderer Weise zu fördern. Entwicklungsförderung, wie sie Fürstenau (1992) konzipiert hat, erfordert einen entwicklungspsychologischen Hintergrund; sie orientiert sich nicht an pathologischen Mustern, sondern an der normalen, gesunden Entwicklung des Menschen. Ein entwicklungsorientierter therapeutischer Standpunkt hat immer die Verschränkung von gesunden und pathologischen Strukturanteilen im Blick, wenn es darum geht, älteren Patienten eine angemessene persönliche Weiterentwicklung zu ermöglichen. Es gilt ihn darin zu unterstützen, eine individuelle und für ihn passende Antwort auf die alterspezifischen Konflikte zu finden. Durch eine psychoanalytische Entwicklungspsychologie des Alterns wird eine entwicklungsfördernde Perspektive der Psychotherapie mit Älteren betont. Eine solche Sichtweise ist mit einer veränderten Grundhaltung und Zielsetzung verbunden und geht mit der Notwendigkeit einher, das eigene klinische Handeln im Kontext anderer gerontologischer Zugangsweisen zu reflektieren, zeigen doch nicht nur empirische Befunde, sondern ebenso die klinischen Erfahrungen, wie eng die verschiedenen Aspekte des Alters und des Alterns miteinander verbunden und in einen historischen und soziologischen Kontext eingebettet sind. Auch wenn sich die Autoren dieses Buches in ihrer Mehrheit der Psychoanalyse verpflichtet fühlen, so ist es uns angesichts dieser Tatsache wichtig, andere Autoren zu Wort kommen zu lassen. Wir selbst, d. h. die Herausgeber dieses Buches, sind Psychoanalytiker und verbinden mit diesem Buch die Hoffnung, einen psychoanalytischen Ansatz in einen interdisziplinären Diskurs einbringen zu können, aber auch diejenigen anzusprechen, die keine psychoanalytische Therapie im engeren Sinne durchführen, sondern sich anderen therapeutischen Richtungen verpflichtet fühlen oder in der Beratungsarbeit und anderen Praxisfeldern tätig sind.

Das vorliegende Buch hat seinen Ausgangspunkt in dem Symposium ›Psychoanalyse und Altern‹ genommen, das im Dezember 2000 unter dem Thema: ›Therapie Älterer: Defizitorientierung oder Entwicklungsförderung‹ in Kassel stattfand. Hier entstand die Idee, ein breiter angelegtes Buch zu konzipieren, in dem verschiedene Aspekte zur Entwicklung und Entwicklungsförderung im Alter aus psychoanalytischer Sicht beleuchtet und in einem interdisziplinären Kontext reflektiert werden sollten. Eine Vertiefung der psychoanalytischen Grundlagen der Entwicklungspsychologie des Alters, so wie sie im amerikanischen Sprachraum durch Nemiroff und Colarusso (1985) oder Settlage (1988) erfolgt ist, steht im deutschen Sprachraum jedoch noch weitgehend aus. Das vorliegende Buch soll hierzu einen Beitrag leisten, verbunden mit der Hoffnung, die Skepsis, von der die psychotherapeutische Arbeit mit älteren Menschen immer noch begleitet ist, weiter abzubauen und mehr Kollegen zu ermuntern, sich auf dieses sich ›entwickelnde‹ Arbeitsfeld einzulassen; wir folgen mit unserem Buch somit selbst einer entwicklungsfördernden Absicht.

Literatur

Baltes, P. B. (1979): Entwicklungspsychologie der Lebensspanne. Klett-Cotta (Stuttgart).

Baltes, P. B. (1996): Über die Zukunft des Alterns: Hoffnung mit Trauerflor. In: Baltes, M. & Montada, L. (Hg.): Produktives Leben im Alter. Campus (Frankfurt/M.), S. 29–69.

Borscheid, P. (1999): Alltagsgeschichte. In: Jansen, B.; Karl, F.; Radebold, H. & Schmitz-Scherzer, R. (Hg.): Soziale Gerontologie. Beltz (Weinheim), S. 126–142.

Erikson, E. H.; Eriskon, J. M. & Kivnick, H.Q. (1986): Vital Involvement in Old Age. Norton & Company (New York).

Freud, A.; Nagera, H. & Freud, W. E. (1965): Metapsychological Assessment of the Adult Personality. In: The Psychoanalytic Study of the Child 20, S. 9–14.

Friedan, B. (1995): Mythos Alter. Rowohlt (Reinbeck).
Fürstenau, P. (1992): Entwicklungsförderung durch Therapie. Pfeiffer (München).
Gutman, D.; Griffin, B. & Grunes, J. (1980): The Clinical Psychology of Later Life: Developmental Paradigms. In: Datan, N. & Lohmann, N. (Hg.): Transitions of Aging. Academic Press (New York), S. 119–133.
Göckejan, G. (2000): Das Alter würdigen. Suhrkamp (Frankfurt/M.).
Heuft, G.; Kruse, A. & Radebold, H. (2000). Lehrbuch der Gerontopsychosomatik und Alterspsychotherapie. UTB (Heidelberg).
Keupp, H.; Ahbe, T.; Gmür, W.; Höfer, R.; Mitzscherlich, B.; Kraus, W. & Strauss, F. (1999): Identitätskonstruktionen. Das Patchwork der Identitäten in der Spätmoderne. Rowohlt (Reinbeck).
Kipp, J. & Jüngling, G. (2000): Einführung in die praktische Gerontopsychiatrie. Zum verstehenden Umgang mit alten Menschen. Ernst Reinhardt (München).
Kohli, M. & Künemund, H. (2000): Die Grenzen des Alters – Strukturen und Bedeutungen. In: Perrig-Chiello, P. & Höpflinger, F. (Hg.): Jenseits des Zenits. Haupt (Stuttgart).
Kruse, A. (1990): Die Bedeutung von seelischen Entwicklungsprozessen für die Psychotherapie im Alter. In: Hirsch, R. D. (Hg.), Psychotherapie im Alter. Huber (Göttingen), S. 11–29.
Laslett, P. (1995): Das dritte Alter. Juventa (München).
Lieberman, M. A. & Peskin, H. (1992): Adult Life Crisis. In: Birren, J. E.; Sloane, R. B.; Cohen, G. D.; Hooymann, N. R.; Lebowitz, R. D.; Wykle, M. & Deutchman, D. E. (Hg.): Handbook of Mental Health and Aging. Academic Press (New York), S. 120–147.
Nemiroff, R. A. & Colarusso, C. A. (1985): The Race against Time. Plenum Press (New York).
Oerter, R. (1999): Klinische Entwicklungspsychologie: Zur notwendigen Integration zweier Fächer. In: Oerter, R.; von Hagen, C.; Röper, G. & Noam, G. (Hg.): Klinische Entwicklungspsychologie. Psychologie Verlags Union (Weinheim), S. 1–11.
Peters, M. (1998): Ichidealkonflikte im dritten Lebensalter. In: Zeitschrift für Psychosomatische Medizin und Psychotherapie 453, S. 233–246.
Radebold, H. (1992): Psychodynamik und Psychotherapie Älterer. Springer (Berlin).
Radebold, H. & Schweitzer, R. (1996): Der mühsame Aufbruch. Fischer (Frankfurt/M.).
Settlage, C. F.; Curtis, J.; Lozoff, M.; Lozoff, M.; Silberschatz, G. & Simburg, E.J. (1988): Conceptualizing Adult Development. In: Journal of American Psychoanalytic Association 36, S. 347-369.

Entwicklung, Entwicklungskonflikte und Entwicklungsförderung im Alter

Meinolf Peters

Abschied vom Defizitmodell

Vielgestaltig sind die Formen des Alterns, wie sie der italienische Philosoph Norberto Bobbio in anschaulichen und poetischen Worten beschreibt:

> »Das Alter spiegelt deine Ansicht vom Leben wider, und noch im Alter wird deine Einstellung zum Leben davon geprägt, ob du das Leben wie einen steilen Berg begriffen hast, der bestiegen werden muß, oder wie einen breiten Strom, in den du eintauchst, um langsam zur Mündung zu schwimmen, oder wie einen undurchdringlichen Wald, in dem du herumirrst, ohne je genau zu wissen, welchen Weg du einschlagen mußt, um wieder ins Freie zu kommen. Es gibt den heiteren Alten und den traurigen Alten, den zufriedenen, der gemächlich an das Ende seiner Tage gelangt ist, den unruhigen, der sich vor allem an die Stürze in seinem Leben erinnert und ängstlich auf den letzten wartet, von dem er sich nicht wieder erheben wird; es gibt den, der seinen Sieg auskostet, und den, der seine Niederlagen nicht aus dem Gedächtnis streichen kann. Und es gibt die unzurechnungsfähigen Alten, eine Peinlichkeit nicht für sich selbst, sondern für die anderen, Opfer einer grausamen Strafe, deren Gründe sie und wir nicht kennen.« (Bobbio 1997, S. 37).

Die Lebensphase des Alterns verliert an Klarheit, ihre Konturen verwischen sich, die negative Identität löst sich auf. Altern ist nicht mehr mit dem Abstieg in ein Nirgendwo gleichzusetzen, um noch einmal mit Bobbio zu sprechen, sondern zeigt unterschiedliche Verläufe und Konturen. Neben beschleunigten Abbauprozessen oder einer ›Regression ins Alter‹ sind erstaunliche Entwicklungsprozesse zu beobachten. So gelingt es manchem älteren Menschen, sich aus dem bisherigen, einengenden Lebenskonzept zu lösen und eine höchst individuelle Antwort auf die Anforderungen, die das Alter bereithält, zu finden, ja ein Stück ›eigenes Leben nachzuholen. Die unwürdige Greisin von Brecht, die im hohen Alter zu neuen Ufern aufbricht, hat viele Nachfahren gefunden; N. Friedan (1995) beschreibt in ihrem Buch *Mythos Alter* ältere Frauen, die in fortgeschrittenen Jahren aufbrechen, versäumte Entwicklung nachzuholen. Auch scheint diesen Aufbrüchen, die Friedan beschreibt, keineswegs mehr der Makel des Unwürdigen anzuhaften, wie noch zu Brechts Zeiten. Ich möchte im folgenden einigen Überlegungen nachgehen, die sich mit den Konsequenzen dieser Veränderungen für die psychoanalytisch orientierte therapeutische Arbeit mit Älteren beschäftigen. Dabei soll der Aspekt einer förderlichen Entwicklung im Alter im Vordergrund stehen, ohne die Defizite dieser Zeit aus dem Blick zu verlieren.

Entwicklung und Altern: Implizite Bedeutungen

Die akademische Entwicklungspsychologie befaßt sich seit langem mit der Frage, wie der Entwicklungsbegriff zu definieren ist. Dabei wurde zunächst Entwicklung als ein Reifungs- und Wachstumsprozeß verstanden, d. h. als solche Veränderungen, die auf einen richtungsgebenden Endzustand hinsteuern und eine Bewegung hin zu größerer Differenziertheit und Komplexität beinhalten. Diese Definition wurde jedoch insbesondere mit der Etablierung einer Entwicklungspsychologie der Lebensspanne als zu eng kritisiert, ist das Erwachsenenalter doch durch zahlreiche Veränderungen gekennzeichnet, die diesen Kriterien zufolge nicht als Entwicklung zu betrachten sind. Deshalb wurde eine pluralistische Entwickungskonzeption gefordert, in der alle altersbezogenen Veränderungen im Lebenslauf als Entwicklung bezeichnet werden (Thomae 1978; Baltes/Sowarka 1983). In der psychoanalytischen Entwicklungspsychologie (Nemiroff/ Colarusso 1985) finden sich diese beiden Auffassungen von Entwicklung in ähnlicher Weise wieder. Settlage et al. (1988) definieren Entwicklung wie folgt:

> »Entwicklung ist ein Prozeß des Wachstums, der Differenzierung und der Integration, der von niedrigen und einfachen zu höheren und komplexeren Formen der Organisation und Funktion fortschreitet. Wir nehmen weiter an, daß Funktionen und Strukturen, die aus Entwicklungsprozessen hervorgehen, selbstregulatorische und adaptive Kapazitäten ergänzen oder erweitern.« (S. 349)

Während also Settlage einen enger gefassten Begriff bevorzugt, schließt sich Pollock (1981, S. 552) einer ›pluralistischen‹ Aufassung an. Er schreibt: »Altern ist Entwicklung im Lebenszyklus. Entwicklung ist offensichtlich nicht das gleiche wie Wachstum und kann Fortschritt, Regression, neue Beiträge oder Überarbeitungen und in manchen Fällen auch Abbau bedeuten«. Die Kritik am erweiterten Entwicklungsbegriff bezieht sich auf dessen Ausweitung, weil nunmehr eine Vielzahl von Veränderungen als Entwicklung klassifiziert werden, womit der Begriff jedoch seine Spezifität verliert.

Jenseits der wissenschaftlichen Definitionsbemühungen ist für die klinische Praxis der alltagssprachliche Bedeutungsgehalt der Begriffe maßgeblich, zumal dann, wenn es sich bei dem wissenschaftlichen Terminus gleichzeitig um einen alltagssprachlichen Begriff handelt. Wenn wir in unserem Alltag davon sprechen, jemand habe sich entwickelt, dann tun wir das im allgemeinen dann, wenn uns eine besondere Art der Veränderung auffällt, wenn uns jemand selbstbewußter oder kompetenter erscheint als zuvor, wir den Eindruck haben, jemand habe neue Einsichten, Kenntnisse oder Fähigkeiten erworben. Ulich (1987) hat einen Versuch unternommen, die ›strukturellen Implikate‹ des Alltagsbegriffs Entwicklung herauszuarbeiten und 6 Bestimmungsmerkmale gefunden.

I. Entwicklung impliziert *Dynamik* und Zukunftsbezug, ist also unvereinbar mit der Vorstellung, daß wir uns nicht verändern können.
II. Entwicklung impliziert *Gerichtetheit* und etwas ›Positives‹, ist also ein wertender Begriff, letzlich eine moralische Kategorie.
III. Entwicklung impliziert *normative Erwartungen*, die oft mit dem *Lebensalter* gekoppelt sind. Entwicklung ist ohne ›Älterwerden‹ nicht denkbar.
IV. Entwicklung impliziert *Ausgangsbedingungen und Folgen*, wobei die Folgen als relativ stabil angesehen werden.
V. Entwicklung impliziert die Veränderung von *subjektiv bedeutsamen und zentralen* im Vergleich zu peripheren Merkmalen.
VI. Entwicklung impliziert ›Identität‹ oder ›*Einheit*‹ einer Person (und ihrer Lebensgeschichte), schließt also ›Kontinuität im Wandel‹ ein.

Ulich (1987) kommt zu dem Schluß, daß wir in unserem alltagsprachlichen Gebrauch nur jene Veränderungen als Entwicklung betrachten, die in eine positive Richtung weisen, die relativ stabil sind und zentrale Merkmale der Person umfassen. Ulich plädiert also dafür, nur Verbesserungen, nicht Verschlechterungen als Entwicklung zu kennzeichnen, weil eine solche Auffassung unserem impliziten Verständnis entspricht. Da psychologische Begriffe oft eng mit der Alltagssprache verknüpft sind, sollten die konstituierenden Bedeutungselemente der umgangssprachlichen Begriffe als Gerüst der wissenschaftlichen Definitionen herangezogen werden, eine gänzliche Ablösung der fachlichen Auseinandersetzung vom alltäglichen Sprechen über Entwicklung sei hingegen zu vermeiden, um eine gelingende Kommunikation nicht unnötig zu erschweren.

Eine ähnliche Analyse des Begriffes Alter anhand eines ethymologischen, bzw. eines Wörterbuchs sinn- und sachverwandter Begriffe kommt zu folgender Beschreibung: Alter bezieht sich auf das bereits Bestehende, auf das, was lange Bestand hat, alt sein heißt, bejahrt, betagt zu sein. Alles beim Alten lassen heißt, nichts verändern. Er ist immer der Alte, meint, er ist immer derselbe, er hat sich nicht verändert. Älter werden bedeutet, nicht mehr ganz jung, aus den besten Jahren heraus zu sein, in die Jahre zu kommen; der lat. Begriff Seneszenz bezeichnet einen durch Altern bedingten Leistungsabfall. Die Betrachtung der impliziten Bedeutung des Begriffes legt offen, daß Alter offensichtlich etwas anderes als Entwicklung meint. Insofern verweisen beide Begriffe auf Gegensätzliches, sie stehen in einem polaren Verhältnis zueinander und spannen einen dynamischen Raum auf. Während der Begriff Entwicklung eine positive Konnotation hat und das Angestrebte umfaßt, auf etwas Neues, in der Zukunft liegendes hinweist und das Moment der Selbstgestaltung einschließt, beschreibt der Altersbegriff das Bestehende, das in der Vergangenheit verwurzelt ist, oder etwas, das mit Abfall, Rückzug, Vergehen, also negativen Konnotationen assoziiert wird.

Durch die alltagssprachliche Bedeutung der Begriffe läßt sich eine dynamische Sicht begründen, wie sie auch der Beschreibung von Baltes (1991) zugrundeliegt, der die fundamentale Aufgabe des älteren Menschen darin sieht, einen Umgang mit den dynamischen Polen von Entwicklung und Abbau, von Expansion und Kontraktion zu finden. Auf der einen Seite, so Baltes, führt das Altern zu einer Schwächung des Körpers, auf der anderen Seite ist es ein Spezifikum der menschlichen Kultur und des individuellen Verhaltens, trotz biologischer Grenzen psychologische Weiterentwicklung zu erlangen. Während sich in Kindheit und Jugend Entwicklung auf psychologischer und körperlicher Ebene im Gleichklang vollzieht, muß Entwicklung im Alter gegen die biologischen Grenzen realisiert werden, ist somit in gewisser Weis gegenläufig zum Altern (vgl. auch Rosenmayr 1989). Baltes (1991) schließt sich damit einer bereits in der antiken Philosophie verwurzelten Auffassung an, derzufolge das Leben durch existentielle Widersprüche gekennzeichnet ist. So liegt ein tragischer Konflikt in dem Widerspruch zwischen dem Sein des gelebten Lebens und dem Horizont eines möglichen, idealen Lebens. Der fundamentalste existentielle Widerspruch ist, Erich Fromm (1954) zufolge, jedoch der zwischen Leben und Tod, ist doch der Tod der absolute Gegensatz zum Leben, ihm ein fundamental Fremdes, das sich mit keiner Lebenserfahrung vereinen läßt. Die

Polarität zwischen Entwicklung und Altern kann letzendlich auf diesen Grundwiderspruch zurückgeführt werden. Es sind diese Widersprüche, so Fromm, die den ›Drang nach Fortschritt‹ begründen und ›den Menschen auf der begonnenen Bahn fortschreiten lassen‹ (Fromm 1954, S. 56). Das Werden ist immer eingespannt in Gegensätze, und sie sind es, die Bewegung in Fluß bringen, hieß es bereits bei Heraklit (vgl. Hirschberger 1980). Im höheren Lebensalter aber verschärfen sich die Widersprüche, ja werden vielleicht erst jetzt in existentieller Weise erfahren. Indem Abbauprozesse und Verlusterfahrungen zunehmen, ja überhand zu nehmen drohen, verengen sich Entwicklungsräume, und es wird mühevoller, die verbleibenden zu erhalten und immer wieder neu zu öffnen. Baltes (1991) zeigt, daß mit fortschreitendem Alter immer mehr Energie und vorhandene Ressourcen dafür aufgewandt werden müssen, Funktionen zu erhalten und Abbauprozesse zu verhindern oder zu verlangsamen. Die Entwicklungsmöglichkeiten aber schmelzen allmählich dahin.

Entwicklungsaufgaben und Entwicklungskonflikte

Bei der Frage, wie innerhalb der Psychoanalyse Entwicklungsprozesse im höheren Lebensalter konzeptualisiert werden, ist zu berücksichtigen, daß die Psychoanalyse erst spät begonnen hat, sich mit diesem Thema zu befassen, war doch die lange dominierende Triebpsychologie eine Psychologie der Kindheit und Entwicklung damit früh abgeschlossen. Anna Freud stellte noch 1965 fest, daß die Entwicklung des Menschen mit dem Ende der Adoleszenz beendet ist und wir es bei der Diagnostik Erwachsener mit einer abgeschlossenen Persönlichkeit zu tun haben (Freud et al. 1965), eine Position, die heute allerdings als reduktionistisch zurückgewiesen werden muß. Die zeitgenössische Psychoanalyse sieht die Ursprünge des Erwachsenenlebens nicht allein in frühen Kindheitserlebnissen begründet, sondern schenkt auch den späteren Einflüssen mehr Beachtung, wie dies insbesondere in englischsprachigen Arbeiten zum Ausdruck kommt (Oldham/Liebert 1989; Nemiroff/Colarusso 1985; Settlage 1992).

Bei dem Versuch der Konzeptualisierung einer entwicklungspsychologischen Herangehensweise wird auch in psychoanalytischen Arbeiten häufig der Begriff der Entwicklungsaufgabe herangezogen; von diesem geht offensichtlich eine große Attraktivität aus, verspricht er doch eine lebensnahe und damit klinisch relevante Perspektive. Dennoch empfiehlt sich eine genauere Prüfung des Konzeptes. Ausgehend von dem Entwicklungsmodell Eriksons wurde es bereits in den 40er Jahren von dem Pädagogen Havighurst formuliert (Oerter 1978). Größere Popularität erlangte es in den 70er Jahren im Zusammenhang mit der Etablierung einer Entwicklungspsychologie der Lebensspanne; es wird dazu verwendet, die Anforderungen zu beschreiben, die der Mensch in einem bestimmten Abschnitt seines Lebens zu bewältigen hat. Havighurst versteht unter Entwicklungsaufgaben jene

> »Aufgaben, die in einer bestimmten Lebensperiode des Individuums hervortreten und deren erfolgreiche Bewältigung zu seinem Wohlbefinden und zum Gelingen späterer Aufgaben führt, während ein Mißlingen zur Unzufriedenheit im Individuum, zu Mißbilligung durch die Gesellschaft und zu Schwierigkeiten bei späteren Aufgaben beiträgt« (Havighurst 1972, S. 2, zit. nach Faltermeier et al. 1992, S. 46).

Die jeweils charakteristischen Entwicklungsaufgaben in einer jeden Phase des Lebens bestimmen gewissermaßen die allgemeine Struktur des Lebenslaufs. Gerade darin aber liegt auch der klinische Wert des Konzeptes, erlaubt es doch die Verortung des Individuums im Lebenslauf. Dennoch ist das Konzept in mehrfacher Hinsicht kritisch zu diskutieren.

1. Die Quellen für Entwicklungsaufgaben liegen Havighurst zufolge in der biologischen Reifung, den gesellschaftlichen und kulturellen Erwartungen sowie den selbstgesetzten Ansprüchen und Werten des Individuums; letztere gewinnen im Erwachsenenalter an Gewicht. In positivistischer Verkürzung wird die Bedeutung einzelner Entwicklungsaufgaben nicht hinterfragt. Auch wird die Möglichkeit widersprüchlicher Anforderungen und konflikthafter Erwartungen nicht einbezogen. Die unterstellte harmonische Passung der drei Quellen aber ist realitätsfern und widerspricht einer dynamischen, konfliktorientierten Sicht des höheren Erwachsenenalters, wie sie in der Polarität von Entwicklung und Altern zum Ausdruck kommt.

2. Die Entwicklungsaufgaben zu finden und zu definieren hatte Havighurst als empirische Aufgabe gesehen; er selbst hatte – wie viele nach ihm – eine entsprechende Liste formuliert, die von den durchschnittlichen gesellschaftlichen Erwartungen ausgeht, wenn er etwa für das frühe Erwachsenenalter u. a. Heirat und Familiengründung als Entwicklungsaufgaben definiert. Nicht nur darin, sondern auch in der impliziten Vorstellung, alle Menschen hätten die zu bewältigenden Entwicklungsaufgaben

in einem gegebenen zeitlichen Abschnitt zu bewältigen, kommt der normative Charakter des Ansatzes zum Ausdruck. Dieser Auffassung liegt die Vorstellung einer Standardisierung des Lebenslaufs zugrunde, eine Auffassung, die angesichts einer Tendenz zur Destandardisierung von Lebensläufen in der postmodernen Gesellschaft kaum noch angemessen ist.

3. Der Terminus der Aufgabe zielt auf das aktive Handeln, das Können und allenfalls noch das Wissen ab, kaum jedoch auf die emotionale Entwicklung, die sich nur schwerlich als die Bewältigung von Aufgaben darstellen läßt; damit aber entsteht auch der Eindruck einer besonderen Betonung des Realitätsprinzips und der zu leistender Anpassungsprozesse. Die verdrängten Triebabkömmlinge und die verleugneten Selbstanteile, also die ungelebten Seiten im Individuum, die gerade in Schwellensituationen immer wieder hervordrängen und dazu auffordern, Entwicklungsräume zu erschließen und die Individualität zu entfalten, werden mit dem Konzept kaum erfaßt. Dadurch ist seine Relevanz für die klinische Arbeit begrenzt.

Einer psychoanalytischen Herangehensweise entspricht demgegenüber die Herausarbeitung der konflikthaften Anforderungsstruktur eines gegebenen Lebensabschnittes und dessen individuelle Ausgestaltung. Der Begriff des Entwicklungskonfliktes, wie er beispielsweise von Gutmann et al. (1980) oder Settlage (1992) benutzt wird, kommt deshalb diesem Ansinnen näher als das Konzept der Entwicklungsaufgaben, ohne inhaltliche, normativ gefärbte Vorgaben zu machen. Es ist davon auszugehen, daß nicht nur in jüngeren Jahren, sondern auch im fortgeschrittenen Alter immer neue Entwicklungsräume und -herausforderungen entstehen, bedingt durch die Wechselfälle des Lebens, durch entfallende Aufgaben oder Pflichten oder erst in späteren Jahren stärker hervortretende Entwicklungsambitionen (Peters 1998; 1999a). Diese ›späte Freiheit‹, von der Rosenmayr (1983) spricht, ist jedoch von Beginn an bedroht von den ›Zumutungen‹ des Alters, ist also eingebettet in das Spannungsverhältnis von Entwicklung und Altern. Nur ein Umgang mit diesen widersprüchlichen Tendenzen schafft die Voraussetzung, sich vorhandene Entwicklungsräume anzueignen, auszufüllen und narzißtisch zu besetzen. Die Einschränkungen des Alters stellen gewissermaßen eine Barriere dar, die überwunden werden muß, um sich neue Lebensmöglichkeiten erschließen zu können und sich eine selbstbejahende, altersgemäße Identität anzueignen. So können körperliche

Einschränkungen eigenen Ambitionen enge Grenzen setzen, die damit verknüpfte narzißtische Kränkung kann das konflikthafte Erleben verschärfen und einen narzißtischen Rückzug zur Folge haben, ohne noch bestehende Möglichkeiten tatsächlich auszuschöpfen. Erfahrene oder auch nur befürchtete Einschränkungen können Verlustängste hervorrufen, die Risikobereitschaft mindern und Sicherheitsbedürfnisse erhöhen, das Wahrnehmungsfeld wird dadurch frühzeitig eingeschränkt und der Möglichkeitssinn verkümmert. Die Angst vor Versagen kann die Neigung verstärken, Entwicklungsräume verschlossen zu halten, nicht allein aus der Sorge, das Angestrebte zu verfehlen, sondern sich in der Folge entblößt zu fühlen, dem eigenen inneren Blick als auch den Blicken anderer ausgesetzt zu sein und als der ›lächerliche, verächtliche Alte‹ dazustehen, der trotz seiner Lebenserfahrung nicht in der Lage ist, seine Grenzen zu erkennen. Diese Angst wird verstärkt, wenn sich der Ältere mit einem gesellschaftlichen Bild vom Alter identifiziert, das in normativer Weise Zurückhaltung und Bescheidenheit auferlegt. Zu Schamgefühlen können dann Schuldgefühle hinzutreten und eine Entwicklungsbarriere errichten, die mit dem Gefühl verbunden ist, sich etwas zu unrecht angeeignet zu haben und sich auf Kosten anderer zu entwickeln.

Der Konflikt zwischen Entwicklung und Altern ist dann nicht allein in einem aktualgenetischen Zusammenhang zu verstehen, wenn die Ängste vor den Folgen von Entwicklung, von Settlage et al. (1988) als wesentliche Dimension eines Entwicklungskonfliktes herausgestellt, durch Defizite in der Persönlichkeitsentwicklung verstärkt werden. Auf diese Dimension haben insbesondere Gutmann et al. (1980) hingewiesen, wenn sie davon ausgehen, daß durch entfallende Pflichten oder Aufgaben, beispielsweise der Elternschaft oder des Berufes, ›kraftvolle Energien‹ freigesetzt werden, die bislang darin gebunden waren und nun potentiell in den Dienst der eigenen Selbstentwicklung gestellt werden könnten, dies aber durch bestehende Defizite verhindert wird (Peters 1999a). Dieser Konflikt aber kann zur Grundlage einer psychogenen Erkrankungen werden, wie Gutmann et al. (1980) in einer Untersuchung an erstmals im höheren Lebensalter an einer affektiven Störung Erkrankten zeigen konnten. Die Erkrankung war nur bei etwa der Hälfte der Patienten eindeutig auf zuvor aufgetretene Verluste zurückzuführen, also im Sinne einer ›Verlustpathologie‹ zu verstehen, bei der anderen Hälfte jedoch nur im Rahmen des beschriebenen entwicklungspsychologischen Kontextes. Das Konzept des Entwicklungkonfliktes knüpft an die Auffassung an, daß das Leben im Alter durch eine Zuspitzung existentieller Widersprüche gekennzeichnet ist und beschreibt somit eine wesentliche Dimension für die klinische Arbeit mit älteren Menschen, die der psychoanalytischen Auffassung von der inneren Konflikthaftigkeit des Menschen entspricht.

Entwicklungsmöglichkeiten und Entwicklungsziele im höheren Alter

Die in der psychoanalytischen Literatur formulierten Behandlungsziele sind i. d. R. an der psychoanalytischen Strukturtheorie orientiert und weisen keinen Bezug zu den jeweils zu bewältigenden Entwicklungsaufgaben und -konflikten auf (Sandler/Dreher 1999). Eine entwicklungorientierte Zielsetzung bei älteren Patienten muß sich hingegen mit der Frage auseinandersetzen, wie ein Umgang mit der zugespitzten Polarität von Entwicklung und Altern, von Werden und Vergehen, möglich sein kann, mit anderen Worten, wie gelingendes Altern Gestalt gewinnen kann. Die mit der grundlegenden Widerspruchsstruktur der Existenz als natürliche Notwendigkeit verbundene Spannung droht immer wieder die beiden Pole auseinanderzureißen, so daß entweder der ausgegrenzte, defizitäre Alte oder aber eine idealisierte Vorstellung vom Alter ins Bild gerückt wird. Diese beiden Bilder vom alten Menschen als ehrwürdigem, geachtetem Greis einerseits und von der absteigenden Lebenskurve und dem irreversiblen Verfall andererseits, von Alterswürdigung oder Altersschelte (Göckenjan 2000), von Reifung oder Niedergang, stehen in fortwährender Auseinandersetzung miteinander und sind wechselweise, je nach gesellschaftlich-historischen Bedingungen in den Vordergrund getreten. In neuester Zeit mehren sich die Anzeichen für die Ablösung des Defizitbildes durch ein Positivbild der aktiven, dynamischen Alten. Beide Bilder erwecken den Eindruck einer euphemistischen Verkürzung, beschränken sie sich doch auf eine Seite der polaren Aspekte der Lebensgestalt im Alter. Die grundlegende Konfliktstruktur des Alters wird jedoch nicht nur auf gesellschaftlicher Ebene sichtbar, sondern durchzieht auch die individuelle Existenz und stellt sich auf Subjektebene als Notwendigkeit dar, einen Umgang mit dem Zustand der ›unausweichlichen Unausgeglichenheit‹ im Alter zu finden. Wie also kann eine Position beschrieben werden, die beides, wenn nicht zu vereinen, so doch miteinander zu verbinden vermag und den Raum zwischen den Widersprüchen zu nutzen versucht, um das

Leben zu gestalten. Wann also kann von einem gelingenden Leben im Alter gesprochen werden? Die Psychoanalyse hat der Frage, wie das Leben gelingen kann, allerdings nur wenig Aufmerksamkeit geschenkt, war sie doch in der Vergangenheit, so Fromm (1954), vornehmlich mit der Dekonstruktion des Subjekts, kaum jedoch mit dessen Rekonstruktion, bzw. Neubildung befaßt; viel weniger noch kann sie Hinweise geben, welche Gestalt gelingendes Leben im Alter gewinnen kann. Vielmehr führen diese Fragen, die fundamentale Aspekte der menschlichen Existenz berühren, zu den philosophischen Quellen, die eine Fundgrube bilden, um ein vorläufiges, skizzenhaftes Leitbild für die psychotherapeutische Arbeit mit Älteren zu entwerfen, das Einseitigkeiten vermeidet.

Im Vordergrund philosophischer Überlegungen zur Entwicklung im Alter stand das Konzept der Weisheit, die seit altersher mit dem höheren Lebensalter in Verbindung gebracht wird und in jüngster Zeit in der Gerontologie als eine vergessene Ressource des hohen Alters wiederentdeckt wurde (Baltes/Smith 1990). Weisheit im philosophischen Sinne meint mehr als quantitativ kumuliertes, oberflächlich extensives oder spezialisiertes Wissen. Vielmehr kehrt sie diesem geradezu den Rücken und rettet sich in ein Jenseits des Wissens, in ein ›anderes Wissen‹, das sich auf das Wesentliche und Wichtige konzentriert und die Einsicht in das Ganze meint (Assmann 1991). Weisheit ist eher nach innen gerichtet und tendiert auf Subjektivität hin, während Wissen auf Objektivität hin tendiert, so Ermann (1991) in einer Arbeit über Psychoanalyse als Form der Weisheit. Weißheit ist Wissen um ein gelingendes Leben, so Assmann (1991), eine Ars vivendi und moriendi unter den Bedingungen menschlicher Unvollkommenheit und Gebrechlichkeit. Die Voraussetzung dazu ist Urteilsfähigkeit und vor allem die Einsicht in Grenzen: der Conditio humana, der endlichen Ressourcen, der beschränkten eigenen Möglichkeiten. Diese Weisheit ist ein von Selbsterkenntnis aufgehellter Horizont, in dem der Mensch sich selbst steuern kann, weil er sich selbst beschränken kann. Sie verbindet sich mit stoischer Skepsis wie mit christlicher Demut, so Assmann (1991).

Weisheit im philosophischen Sinne, die nur in kontemplativer Abgeschiedenheit zu gewinnen ist und auf allgemeine Erkenntnisse und Einsichten abzielt, bietet jedoch keine befriedigende Antwort im Hinblick auf die heutige Vielgestaltigkeit von Alternsprozessen und die Notwendigkeit, aber auch Möglichkeit, das Leben im Alter selbst zu gestalten. Den Lebensaufgaben in einer individualisierten Gesellschaft angemessener sind demgegenüber die Ausführungen zur Philosophie der Lebenskunst, deren

Grundlagen ebenfalls bereits in der Antike gelegt wurden und die von Foucault in dessen letzter Schaffensphase wiederentdeckt wurden (Schmid 2000). Angesichts der Schwierigkeiten, in der postmodernen Gesellschaft eine Orientierung zu finden, wie das Leben zu führen ist, hat sie erneut an Aktualität gewonnen (Schmid 1998). Sie bietet einen Fundus an Anregungen, die von Rosenmayr (1983; 1990) entworfene neue Ethik des Alterns zu bereichern und zu erweitern. Das ›gute Leben‹ im philosophischen Sinne meint nicht das leichte, allein von der Lust geleitete Leben, obwohl auch dies zu ihrem Bestandteil gehört, sondern schließt einen Umgang mit den negativen Seiten ein. Die Widersprüche, Entbehrungen und Konflikte sind substantieller Bestandteil unseres Lebens. »Man muß sich ihrer bedienen und sie miteinander vermischen« (Schmid 2000, S. 128). Das ›gute Leben‹ zeichnet sich durch einen Balancezustand aus, der auf der Fähigkeit basiert, die im Menschen angelegte Spannung von Werden, Sein und Vergehen zu akzeptieren, auszuhalten und aushaltend zu gestalten (Imhof 1996), eine Haltung mithin, die die existentiellen Widersprüche zu verbinden vermag. Eine solche Haltung kann im Alter die Voraussetzung dafür schaffen, die Einbußen in dieser Zeit nicht zu verleugnen, sondern vielmehr durch ihre Bejahung zu neuer Selbstakzeptanz zu finden. Sie beruht somit auf einer Auffassung vom Altern, die sich nicht in das Wertesystem der Gesellschaft einpassen läßt, sondern die diesem Lebensabschnitt selbst inhärenten Werte wie Langsamkeit, Rezeptivität oder Überschau zu kultivieren versucht (Fuchs 1994). Nur dann kann eine neue Selbstaneignung und ein Einstimmen auf einen veränderten Lebensrhythmus gelingen, der dann auf einem reduzierten Tempo des Lebens basiert, durch mehr Muße und eine gewachsene ›Fürsorge für sich selbst‹ gekennzeichnet ist und damit eine neue Lebensqualität hervorzubringen imstande ist. Dadurch aber formt sich das Leben neu, es gewinnt an Authentizität und wendet sich gegen den Aktivismus des modernen Lebens. Es entsteht eine Haltung der Gelassenheit, die auch die Möglichkeit des Lassens beinhaltet, gerade dadurch aber auch einen Raum schafft, der als solcher des Übergangs und der Veränderung verstanden werden kann (Schmid 2000). Entwicklung muß sich somit nicht ausschließlich gegen das Altern durchsetzen, sondern gewissermaßen durch es hindurch. Beides, Entwicklung und Altern, verbinden sich zu einer einheitlichen Prozeßgestalt.

Die Entwicklung einer solchen Haltung, die eine innere Balance beinhaltet, sich gewissermaßen um eine »Einheit in der widerspruchsvollen Zerissenheit« (Rosenmayr 1990, S. 39) bemüht, hängt wesentlich von der

Fähigkeit zur ›abwägenden Klugheit‹ ab, ein Begriff, der bereits von Aristoteles ausgearbeitet wurde (Schmid 2000). Klugheit bildet den Kern der Philosophie der Lebenskunst, sie umfaßt sowohl die geistigen wie die sinnlichen Aspekte des Lebens. Sie bezieht sich auf das sensible, aufmerksame Selbst, das sich nicht in sich selbst zurückzieht, sondern die Vernetzung mit andern sucht, sich somit sowohl gegen ein ›Disengagement‹ wie gegen eine allein vernunftgeleitete Haltung, wie sie die philosophische Weisheit nahelegt, wendet. Sie ist als Ort des ›Zwischen‹ zu verstehen und verweist auf eine vermittelnde, verbindende Position, um in der Gestaltung des Lebens das ›rechte Maß‹ zu finden. Klugheit beruht auf ›Lebenwissen‹, d. h. ein Wissen vom Leben und fürs Leben, wie es erst im fortgeschrittenen Alter gewonnen werden kann, und ist angebunden an das konkrete Subjekt der Erfahrung und die vollzogene Lebenspraxis.

Wesentliche konstituierende Elemente des Konzeptes sind in die psychologische Erweiterung des Weisheitsbegriffes eingeflossen. Davon ausgehend, daß sich ›gelingendes‹ Leben auch im praktischen Vollzug bewähren muß (Kaiser 1994), wird hier der ›philosophischen Weisheit‹ die ›praktische Weisheit‹ hinzugefügt, die sich in der Fähigkeit zeigt, sich auf ein verändertes Leben im Alter einzustellen, sich auch an begrenzten Möglichkeiten erfreuen zu können, mit ›Kompromissen leben‹ zu können und dadurch Lebenszufriedenheit aufrechtzuerhalten (Dittmann-Kohli 1984). Die kognitive Erweiterung bezieht als weiteres Element von Weisheit die Fähigkeit ein, das eigene Tun von einer höheren Warte aus zu betrachten, um gewissermaßen im Sinne einer ›reifen Selbstdistanzierung‹ (Dittmann-Kohli 1984) über das eigene Handeln reflektieren zu können, sich der Handlungsgründe bewußt zu werden, sich ihnen selbstkritisch zuzuwenden und die Handlungsfolgen zu bedenken und vorhandene Handlungsräume ermessen zu können. Selbstreflektierendes Denken kann somit als Element klugen Handelns betrachtet werden (Kaiser 1994).

Die Ausführungen zur Philosophie der Lebenskunst, wie sie insbesondere Schmid (1998; 2000) aktualisiert hat, sowie die psychologische Erweiterung des Weisheitsbegriffs bieten ein Gerüst im Hinblick auf die vielfältigen Gestaltungsmöglichkeiten des Lebens im Alter in der späten Moderne und lassen Umrisse einer reflektierten Lebensgestalt, einer Ethik der ›späten Freiheit‹ (Rosenmayr 1983) erkennen. Die Kunst des Lebens, so Schmid (1998), besteht wesentlich darin, mit der Abgründigkeit und Fragwürdigkeit leben zu lernen, ohne sie zu verleugnen und ohne neue Harmonie zu versprechen. Es geht vielmehr darum, die Selbstreflexion zu fördern und den Einzelnen »offen zu halten für seine Möglichkeiten« (Schmid 1990, S. 83). Damit aber kann ein wenn auch manchmal sehr entfernt liegender Horizont für die psychotherapeutische, entwicklungsorientierte Arbeit mit älteren Menschen absteckt werden. Begreift man die Förderung der Selbstreflexionsfähigkeit als Essential der psychoanalytischen Therapie, dann verschafft eine Zielvorstellung, die an der Möglichkeit gelingenden Alterns orientiert ist, dieser eine inhaltliche Ausrichtung. Sie bildet gewissermaßen einen Gegenpol, der verhindert, daß sich die Selbstreflexion in der Negativität des Alters verliert, sondern sich diese einer reflektierten Lebensführung zuwendet, die immer auch noch vorhandene Ent-wicklungsräume zu öffnen sucht, selbst dann, wenn diese mit fortschreitendem Alter immer mehr dahin schmilzen.

Entwicklungfördernde Aspekte in der Therapie Älterer

Die Analogiebildung von therapeutischer Beziehung und Entwicklungssituation, wie sie etwa die Eltern-Kind-Beziehung kennzeichnet, rückt neben dem Ziel der Auflösung der Pathologie die Förderung eines Entwicklungsprozesses in den Vordergrund (Loewald 1986; Settlage 1992). Nun ist Altern keine Pathologie, die sich auflösen ließe, wohl aber eine Erfahrung, die mit Verlusten, Defiziten und Einschränkungen verbunden ist. Leitet man somit aus der oben erwähnten Analogiebildung die Notwendigkeit einer bifokalen therapeutischen Orientierung ab, so ist einerseits auf diese Erfahrung des Alterns zu fokussieren. Um jedoch nicht in einer ›Verlustpathologie‹ (Gutman 1980) zu verharren, geht es andererseits um die stärkere Betonung von Entwicklungsmöglichkeiten mit dem Ziel, diese zu erkunden, auszufüllen und narzißtisch zu besetzen. Ausgehend von den bisherigen Ausführungen werden im weiteren einzelne Facetten einer solchen Grundorientierung genauer ausgeführt.

1. *Haltung des Therapeuten*: Die innere Haltung und Einstellung des Therapeuten bestimmt wesentlich den therapeutischen Prozeß mit. Dabei muß der Therapeut sein Bild vom Alter überprüfen und sich von einem einseitigen Defizitmodell lösen. Entwicklung, so Ulich (1987), ist letzlich eine wertende und moralische Kategorie, die eine Stellungnahme erfordert, ja, Ulich spricht von einem ›Recht auf Entwicklung‹ und verweist damit auf gesellschaftlich-politische Implikationen des Begriffes. Der Therapeut ist dadurch aufgefordert, die Position der Neutralität des Therapeuten partiell

aufzugeben und sich auf die Seite der Entwicklungsziele des Patienten zu stellen, wie in der ›Control Mastery‹-Theorie gefordert (Albani et al. 1999).[1] Im Hinblick auf die therapeutische Arbeit ist das Ausphantasieren des Entwicklungspotentials des Patienten, die imaginative Vorwegnahme seiner Möglichkeiten (Pohlen/Bautz-Holzherr 1995) eine wesentliche Aufgabe des Therapeuten, kann er nur dadurch eine ausschließliche Fixierung aufs Pathologische und Defizitäre vermeiden und die Glaubwürdigkeit erlangen, die erforderlich ist, um vom Patienten als entwicklungsförderndes Objekt wahrgenommen zu werden.

2. *Übertragung und Entwicklung*: Die moderne Auffassung von Übertragung sieht in ihr nicht nur eine Neuauflage pathologischer Beziehungsmuster, sondern auch den Versuch, pathogene Überzeugungen zu widerlegen und einen Neubeginn einzuleiten; die Übertragung enthält somit auch eine entwicklungsfödernde Komponente. Der Patient wird in der ›Control-Mastery‹-Theorie (Albani et al. 1999) als aktiv handelndes Wesen konzipiert, das positive Entwicklungsziele verfolgt, die er bislang aufgrund seiner pathogenen Überzeugungen nicht realisieren konnte. Er gestaltet die therapeutische Beziehung gemäß seiner pathologischen Überzeugungen, allerdings nicht getrieben durch einen Wiederholungszwang, sondern in der unbewußten Absicht, eine bessere Lösung zu finden. Betrachtet man die therapeutische Beziehung zu Älteren unter diesem Blickwinkel, können Entwicklungsambitionen eher wahrgenommen werden und das Gewicht erhalten, das erforderlich ist, um dem Patienten erneut zu einem inneren Gleichgewicht zu verhelfen. Dieses entsteht dann, wenn er seine innere Objektwelt narzißtisch neu besetzen kann und dadurch den inneren Begleiter findet, der zur Bewältigung der Defizit- und Verlusterfahrungen im Alternsprozeß unerläßlich ist (Cohen 1982).

3. *Auseinandersetzung mit Entwicklungsaufgaben*: Trotz der vorgebrachten Kritik am Konzept der Entwicklungsaufgaben ist die Bedeutung der diesem Ansatz inhärenten lebensweltlichen und enwicklungsbezogenen Orientierung hervorzuheben und zu unterstützen und demgegenüber eine ausschließliche Fokussierung auf Übertragungsphänomene zu vermeiden. In der ›Nur-Übertragungs-Analyse‹ wird der Patient seiner Außenkriterien

---

[1] Auf die Problematik des Neutralitätskonzeptes weist auch Fischer (1998) hin.

beraubt und somit die Gefahr einer Abschwächung des lebensweltlichen Bezuges und ein Abgleiten in eine unbestimmte ›Raum- und Zeitlosigkeit‹ heraufbeschworen (Fischer 1998). Der ältere Mensch ist ein Subjekt der Erfahrung, die er reflexiv nutzen sollte, sich als Selbst mit seinen Möglichkeiten und Begrenzungen zu konstituieren und sein Leben konstruktiv-gestaltend zu beeinflussen. Eine solche erfahrungsbezogene Selbstentwicklung kann auch handlungsbezogene Interventionen erforderlich machen und wirft erneut die Frage nach dem Verhältnis zur Verhaltenstherapie auf.

4. *Förderung zukunftsgerichteter Tendenzen*: Ermann (1999) betrachtet die Förderung zukunftsgerichter Entwicklungstendenzen als Form der Ressourcenorientierung in der psychoanalytischen Therapie. Fürstenau (1992) hat ergänzend den systemisch-lösungsorientierten Ansatz einbezogen, um die Notwendigkeit von ›Zielfindungsaktivitäten‹, die zu einer möglichst sinnlich konkreten Vorstellung von Entwicklungszielen führen sollten[2], zu betonen. Auch Pohlen und Bautz-Holzherr (1995) zufolge sollte die Entwicklung der prospektiven Dimension des Patienten eine wesentliche Bedeutung in der Therapie zukommen. Der Patient sei darin zu unterstützten, eine ›antizipatorischen Kompetenz‹ zu entwickeln, um das Zukünftige auszugestalten und narzißtisch besetzen zu können. Psychodynamisch gesehen rückt damit die Durcharbeitung und Modifikation des Ichideals als zukunftsbezogene Instanz (Loewald 1986) – das Ichideal wird als ›Repräsentanz der Zukunft‹ verstanden – in den Fokus der therapeutischen Arbeit (Peters 1998). Damit aber wird auch einem Defizitmodell des Alters, in dem Ältere als vorrangig vergangenheitsorientiert gesehen wurden, widersprochen; auch ältere Menschen haben Zukunftsvorstellungen und Pläne, auch wenn diese eine kürzere Zeitperspektive aufweisen (Mönks/Bouffard 1995). Es geht somit nicht nur um Abschied angesichts einer sich ›verengenden‹ Zukunft, sondern ebenso um den Entwurf eines sinnvermittelnden, konstruktiven Alters- und Zukunftsbildes, das geeignet ist, die Angst vor dem Alter zu überwinden und sich dieses aktiv anzueignen (Peters 1999b).

---

[2] Die systemisch-löungsorientierte Therapie enthält einen Fundus an Zukunftsfragen, die eine solche Orientierung unterstützen können (Penn 1986).

5. *Zur Bedeutung der Regression*: Regression ist unzweifelhaft ein notwendiges Prozeßmerkmal jeder psychoanalytischen Therapie und Voraussetzung für schöpferische und kreative Lösungen (vgl. Platta in diesem Band). In der entwicklungsorientierten Arbeit mit Älteren ist dennoch ein vorsichtiger und begrenzender Umgang mit regressiven Prozessen angebracht, um die Gefahr einer unkontrollierbaren Regression zu verhindern. Zu dieser Gefahr können bereits geschwächte kognitive Funktionen beitragen oder die Labilisierung infolge weggebrochener äußerer, haltgebender Lebensumstände, wodurch regressive Wünsche in erheblichem Maße freigesetzt werden können. Die Angst vor Krankheit, Gebrechlichkeit und Tod verstärkt ebenfalls regressive Wünsche nach einem allmächtigen Objekt. Bereits Morgenthaler (1991) hatte empfohlen, die Beziehung zu dem Hilfe suchenden Menschen so zu strukturieren und zu gestalten, daß eine emotionale Bewegung möglich wird, ohne daß regressive Prozesse die Funktionen des Ich ernsthaft und dauernd beeinträchtigen. Morgentahler plädiert dafür, den Patienten als Partner zu sehen, der zwar in Konflikten stehe und Symptome zeige, unter dem Gesichtspunkt seiner Ichfunktionen und seiner Libidoschicksale aber so gesund wie möglich und nicht so krank wie möglich zu betrachten ist. Bei Älteren vermittelt eine solche Haltung zudem Respekt vor den Erfahrungen, über die jeder Ältere verfügt, und den Leistungen, die er in seinem Leben erbracht hat. Der Patient kann dadurch die Sicherheit gewinnen, die eine emotionale Bewegung erleichtert und einer ›Regression im Dienste des Ich‹ förderlich ist.

6. *Aktive Therapietechnik*: Der zweite Teil des Begriffes Entwicklungsförderung verweist auf eine aktive therapeutische Haltung, wie sie immer wieder auch für die Therapie Älterer gefordert wurde (Radebold 1992). Eine solche Haltung wirft die Frage nach dem ›schweigenden Analytiker‹, bzw. den Begriff der Abstinenz auf, wie bereits von Thomä (1981) in seinem Buch mit dem programmatischen Untertitel *Vom spiegelnden zum aktiven Analytiker* kritisch diskutiert. Schweigen und eine passiv-abwartende therapeutische Haltung führt bei Älteren oft zu einem Rückzug bis hin zu einem Beziehungsabbruch, können sie eine solche Haltung doch als Zurückweisung oder Desinteresse erleben. Auch können sie darin eine Bestätigung der Furcht erblicken, an Attraktivität sowie der Fähigkeit, soziale Resonanz erzeugen zu können, eingebüßt zu haben, ja von den Objekten verlassen worden zu sein. Manche Ältere kommen nach einschneidenden, traumatisch wirkenden Verlusten in die Behandlung, so

daß die Gefahr besteht, daß Schweigen einer Re-Traumatisierung gleicht kommt. Eine aktive Therapietechnik i. S. des Vergleichens, Erinnerns oder Schlußfolgerns fördert die Ich-Aktivitäten und die Autonomie des Patienten. Indem der Therapeut selbst dadurch für den Patienten mehr als Gegenüber in Erscheinung tritt, wird in ihm das Vertrauen in die Welt der Objekte gefördert.

Das Konzept einer dialektischen Psychoanalyse (Fischer 1998; ähnlich auch Morgenthaler 1991; Fürstenau 1992) zielt auf die Entfaltung einer Dialektik zwischen Zukunft und Vergangenheit. Bei Älteren spiegeln sich diese Zeitdimensionen in der Polarität von Entwicklung und Altern; Entwicklung verweist auf das Zukünftige, Altern auf das, was zur Vergangenheit geworden ist oder wird. Im Lichte einer sich herauskristallisierenden Entwicklungsmöglichkeit und entstehender Hoffnung auf verbleibendes Leben wird eine Auseinandersetzung mit der Negativseite des Alters erleichtert, ja erst möglich, und nur die vergegenwärtigende Erkenntnis dessen, wovon im Alter Abschied genommen werden muß und Trauerarbeit verlangt, öffnet den Weg hin zu entwicklungsbezogenen Konstruktionen und umgekehrt. Indem die Trauerarbeit einen Blick in die Vergangenheit erfordert, wird gleichermaßen angeregt, mit den Quellen in Kontakt zu kommen, aus denen Ressourcen im Hinblick auf einen Umgang mit den gegenwärtigen Konflikten zu schöpfen sind. In einem konstruktiv-rekonstruktivem Zirkel, so Fischer (1998), lassen sich Zukunft und Vergangenheit, Entwicklung und Altern miteinander verbinden. Indem beide Tendenzen miteinander ins Spiels gebracht und aufeinander bezogen werden, kann die Widersprüchlichkeit dieses Lebensabschnittes, die sich an den Grundfragen von Entwicklung und Altern orientieren, akzeptiert und die Fähigkeit gefördert werden, zu einer reflexiven Lebensgestalt zu finden, wie sie in der Philosophie der Lebenskunst beschrieben wird. Erst eine solche Position, die auf einem Akzeptieren der zugespitzten existentiellen Grunderfahrung beruht, versetzt den Älteren in die Lage, Werden immer wieder zu ermöglichen, trotz der Gewißheit, daß das Vergehen mit zunehmendem Alter überhand nimmt und am Ende alles Werden erlischt

Epilog

Am Ende soll eine Episode stehen, mit der der tschechische Schriftsteller Milan Kundera sein Buch *Die Unsterblichkeit* beginnt:

»Die Frau mochte sechzig, fünfundzechzig Jahre alt sein. In einem Fitneß-Club im obersten Stock eines modernen Gebäudes, durch dessen breite Fenster man ganz Paris sehen konnte, beobachtete ich sie von einem Liegestuhl gegenüber dem Schwimmbecken aus (...). Sie stand, bis zur Taille im Wasser, allein im Schwimmbecken und schaute zu dem jungen Bademeister in Shorts hinauf, der ihr das Schwimmen beibrachte. Er erteilte ihr Befehle: sie mußte sich mit beiden Händen am Beckenrand festhalten und tief ein- und ausatmen. Sie tat dies ernst und eifrig, und es war, als sei aus der Tiefe des Wassers eine alte Dampflokomotive zu hören (dieses idyllische, heute vergessene Geräusch, das sich für diejenigen, die eine Dampflokomotive nicht mehr kennen, nicht anders beschreiben läßt als das Schnaufen einer älteren Dame, die am Rand eines Schwimmbeckens laut ein- und ausatmet). Ich sah sie fasziniert an. Sie fesselte mich durch ihre rührende Komik, bis mich ein Bekannter ansprach und meine Aufmerksamkeit ablenkte. Als ich die Frau nach einer Weile wieder beobachten wollte, war die Lektion beendet, die Frau ging am Becken entlang und am Bademeister vorbei hinaus, und als sie vier oder fünf Schritte von ihm entfernt war, drehte sie nochmals den Kopf, lächelte und winkte ihm zu. In diesem Augenblick krampfte sich mir das Herz zusammen. Dieses Lächeln, diese Geste gehörten zu einer zwanzigjährigen Frau! Ihre Hand schwang sich mit bezaubernder Leichtigkeit in die Höhe. Es war, als würfe sie ihrem Geliebten einen bunten Ball zu. Das Lächeln und die Geste waren, im Gegensatz zu Gesicht und Körper, voller eleganter Anmut. Es war die Anmut einer Geste, die in die fehlende Anmut des Körpers getaucht war. Die Frau mußte wissen, daß sie nicht mehr schön war, hatte es aber offenbar in diesem Augenblick vergessen. Mit einem bestimmten Teil unseres Wesens leben wir außerhalb der Zeit. Vielleicht wird uns unser Alter überhaupt nur in außergewöhnlichen Momenten bewußt, und wir leben die meiste Zeit alterslos. Jedenfalls wußte sie in dem Moment, als sie sich umdrehte, lächelte und dem jungen Bademeister zuwinkte, nichts von ihrem Alter. Eine von der Zeit unabhängige Essenz ihrer Anmut hatte sich für einen Augenblick in einer Geste offenbart und mich geblendet. Ich war auf merkwürdige Weise gerührt.«

Literatur

Albani, C.; Blaser, G.; Geyer, M. & Kächele, H. (1999): Die ›Control Mastery‹-Theorie. Eine kognitiv orientierte psychoanalytische Behandlungstheorie von Joseph Weiss. In: Forum der Psychoanalyse 15, S. 224–237.

Assmann, A. (1991): Was ist Weisheit? Wegmarken zu einem weiten Feld. In: Assmann, A. (Hg.): Weisheit. Fink Verlag (München).
Baltes, P. B. (1991): The many faces of human aging: Toward a psychological culture of old age. In: Psychological Medicine 21, S. 837–854.
Baltes, P. B. & Sowarka, D. (1983): Entwicklungspsychologie und Entwicklungsbegriff. In: Silbereisen, R. K. & Montada, L. (Hg.): Entwicklungspsychologie. Handbuch in Schlüsselbegriffen. Urban & Schwarzenberg (München), S. 11-21.
Baltes, P. B., Smith, J. (1990): Weisheit und Weisheitsentwicklung: Prolegomena zu einer psychologischen Weisheitstheorie. In: Zeitschrift für Entwicklungspsychologie und Pädagogische Psychologie 2, S.95–135.
Bobbio, N. (1997): Vom Alter – De Senectute. Wagenbach (Berlin).
Cohen, N. A. (1982): On loneliness and the aging process. In: International Journal of Psychoanalysis 63, S. 149–155.
Dittmann-Kohli, F. (1984): Weisheit als mögliches Ergebnis der Intelligenzentwicklung im Erwachsenenalter. In: Sprache und Kognition 2, S. 112–132.
Ermann, M. (1991): Psychoanalyse als moderne Form der Weisheit. In: A. Assmann (Hg.): Weisheit. Fink Verlag (München), S. 223–230.
Ermann, M. (1999): Ressourcen in der psychoanalytischen Beziehung. In: Forum der Psychoanalyse 15, S. 253–267.
Fischer, G. (1998): Konflikt, Paradox und Widerspruch. Für eine dialektische Psychoanalyse. Fischer (Frankfurt/M.).
Fromm, E. (1954): Psychoanalyse und Ethik. Diana Verlag (Zürich).
Fuchs, T. (1994): Anchises und Laios. Zum historischen und ethischen Hintergrund der Alterspsychiatrie. In: Psychotherapie, Psychosomatik, Medizinische Psychologie 44, S. 163–168.
Fürstenau, P. (1992): Entwicklungsförderung durch Therapie. Pfeiffer (München).
Freud, A.; Nagera, H. & Freud, W.E. (1965): Metapsychological Assessment of the adult personality. In: The Psychoanalytic Study of the Child 20, S. 9–41.
Friedan, B. (1995): Mythos Alter. Rowohlt (Reinbeck).
Faltermaier, T.; Mayring, Ph.; Saup, W. & Strehmel, P. (1992): Entwicklungspsychologie des Erwachsenenalters. Kohlhammer (Stuttgart).
Göckenjan, G. (2000): Das Alter würdigen. Suhrkamp (Frankfurt/M.).
Gutman, D.; Grunes, J. & Griffin, B. (1980): The clinical Psychology of Later Life: Developmental Pradigms. In: Datan, N. & Lohmann N. (Hg.): Transition of Aging. Academic Press (New York).
Havighurst, R. J. (1972): Developmental tasks and education. (eth ed.). Longmans (New York) (Original 1948).
Hirschberger, J. (1980): Geschichte der Philosophie, Band I. Verlag Zweitausendeins (Frankfurt,M.) (12. Auflage).
Imhof, A. E. (1996): Die Kunst des Sterbens (Ars moriendi) einst – und heute?. In: Hoppe, B. & Wulf, Ch. (Hg.): Altern braucht Zukunft. Europäische Verlagsanstalt (Hamburg), S. 209–222.
Kaiser, H. J. (1994): Selbstreflektierendes Denken als Element klugen Handelns – Ein Beitrag zur Frage der ›Weisheit‹ (des Alters). In: Report Psychologie 10, S. 24–36.

Kundera, M. (1994): Die Unsterblichkeit. Fischer (Frankfurt/M.).
Loewald, H. (1986): Überich und Zeit. In: Loewald, H.: Psychoanalyse. Aufsätze aus den Jahren 1951-1979. Klett-Cotta (Stuttgart), (Erstveröffentlichung 1962).
Morgenthaler, F. (1991): Technik. Zur Dialektik der psychoanalytischen Praxis. Europäische Verlagsanstalt (Hamburg).
Mönks, F. H. & Bouffard, L. (1995): Zeitperspektive im Alter. In: Kruse, A. & Schmitz-Scherzer, R. (Hg.): Psychologie der Lebensalter. Steinkopff (Darmstadt), 271–283.
Nemiroff, R. A. & Colarusso, C.A. (1985): The race against Time. Plenum Press (New York).
Oerter, R. (1978): Zur Dynamik von Entwicklungsaufgaben im menschlichen Lebenslauf. In: Oerter, R. (Hg.): Entwicklung als lebenslanger Prozeß. Hoffman und Campe (Hamburg), S. 66–111.
Oldham, J. M. & Liebert, R. (1989): The middle years. New Psychoanalytic Perspectives. Yale University Press (New York).
Penn, P. (1986): Feed-Forward-Vorwärtskopplung. In: Zukunftsfragen – Zukunftspläne. Familiendynamik 11, S. 206–222.
Peters, M. (1998): Narzißtische Konflikte bei Patienten im höheren Lebensalter. In: Forum der Psychoanalyse 14, S. 241–257.
Peters, M. (1999a): Ichidealkonflikte im dritten Lebensalter. In: Zeitschrift für Psychosomatische Medizin und Psychotherapie 45, S. 233–246.
Peters, M. (1999b): Einige konzeptuelle Überlegungen zur Behandlung Älterer in einer psychosomatischen Rehabilitationsklinik. In: Heuft, G. & Teising, M. (Hg.): Alterspsychotherapie – Quo Vadis? Westdeutscher Verlag (Opladen), S. 107–121.
Pohlen, M. & Bautz-Holzherr, M. (1995): Psychoanalyse – Das Ende einer Deutungsmacht. Rowohlt (Reinbeck).
Pollock, G. H. (1981): Aging or Aged: Development or Pathology. In: Greenspan, S. I. & Pollock, G. H. (Hg.): The Course of Life. Band III: Adulthood and the Aging Process. Maryland: National Institute of Mental Health, S. 549–585.
Radebold, H. (1992): Psychodynamik und Psychotherapie Älterer. Springer (Berlin).
Rosenmayr, L. (1983): Die späte Freiheit – Das Alter – ein Stück bewußt gelebtes Leben. Severin & Siedler (Berlin).
Rosenmayr, L. (1989): Altern und Handeln. In: Weymann, A. (Hg.): Handlungsspielräume. Enke (Stuttgart), S. 151–162.
Rosenmayr, L. (1990): Die Kräfte des Alters. Edition Atelier (Wien).
Sandler, J. & Dreher, U. (1999): Was wollen die Psychoanalytiker? Klett-Cotta (Stuttgart).
Schmid, W. (1998): Philosophie der Lebenskunst. Suhrkamp (Frankfurt/M.) (6. Auflage).
Schmid, W. (2000): Auf der Suche nach einer neuen Lebenskunst. Suhrkamp (Frankfurt/M.).
Settlage, C. F. (1992): Psychoanalytic observations on adult development in life and in the therapeutic relationship. In: Psychoanalysis and Contemporary Thought 15, S. 349–374.

Settlage, C. F.; Curtis, J.; Lozoff, M.; Lozoff, M.; Silberschatz, G. & Simburg, E. J. (1988): Conceptualizing Adult Development. In: Journal of International Psychoanalysis 36, S. 347–369.
Thomae, H. (1978): Zur Problematik des Entwicklungsbegriffs im mittleren und höheren Erwachsenenalter. In: Oerter, R. (Hg.): Entwicklung als lebenslanger Prozeß. Hoffman und Campe (Hamburg).
Thomä, H. (1981): Schriften zur Praxis der Psychoanalyse: Vom spiegelnden zum aktiven Psychoanalytiker. Suhrkamp (Frankfurt/M.).
Ulich, D. (1987): Krise und Entwicklung. Psychologie Verlags Union (Weinheim).

Von der Fruchtbarkeit der Vergangenheit beim Älterwerden

Anmerkungen aus Historikersicht[1]

Jürgen Reulecke

> »Das Älterwerden ist das Hinschmelzen der Zukunft; an ihre Stelle muß die Fruchtbarkeit der Vergangenheit treten.« (Hans-Georg Gadamer)

Daß mit dem Älterwerden die Bewußtwerdung ständig voranschreitenden Verlustes an potentiell noch gegebener Zukunftszeit einhergeht, ist zwar eine triviale Feststellung, doch wie steht es mit der von Gadamer aus diesem Befund gezogenen Folgerung? Was bedeutet »Fruchtbarkeit der Vergangenheit«, und wieso »muß« diese an die Stelle der hinschmelzenden Zukunft treten?

Die Erforschung der Vergangenheit, d. h. die aus der Untersuchung vergangener Gegenwarten gewinnbaren Erkenntnisse ihren Zeitgenossen kommunikativ zu vermitteln und so die eigene flüchtige Gegenwart deutend in den Zeitfluss zu stellen, also zu »historisieren«, ist ein zentrales Aufgabenfeld der Historiker. Allerdings sind auch die Historiker Kinder ihrer Zeit: Entsprechend selektiv, interessengeleitet und von vorherrschenden Menschen-, Welt- und Politikbildern bestimmt fallen ihre Forschungen aus. So kam es, daß ihre Fixiertheit auf die Geschichte vergangener »Haupt- und Staatsaktionen«, großer Politik und großer Männer, später dann auch auf die geschichtsmächtigen Ideen und Bewegungen, Strukturen und Prozesse bis noch vor wenigen Jahren das Alltägliche und Triviale, das Persönliche, Individuelle, Psychische des von den konkreten »Durchschnittsmenschen« in ihren historischen Kontexten gelebten Lebens nahezu vollständig ausgeblendet hat: Dies alles galt als unerheblich, historisch irrelevant und viel zu diffus, war demnach zu vernachlässigen und vor

---

[1] In diesen Beitrag sind diverse Anregungen meiner Kollegin und Mitarbeiterin Claudia Althaus eingegangen, der ich hierfür herzlich danke. Mein Dank für vielerlei bereichernde Gespräche über das Umfeld des Themas gilt darüber hinaus auch Ute Daniel, Thomas A. Kohut und Bernd A. Rusinek.

allem: Es ließ sich nicht in die vorherrschende Vorstellung von »Geschichte« als *einem* großen Kontinuum einordnen.

Doch inzwischen hat sich zumindest ansatzweise ein Wandel vollzogen: Mit dem Aufkommen einer Mentalitätsgeschichte, auch infolge von Anregungen einer Psychohistorie und mit dem Entdecken des »subjektiven Faktors« als eines bemerkenswerten Elements in historischen Abläufen bahnt sich inzwischen eine Schwerpunktverlagerung in Richtung einer »historischen Kulturwissenschaft« an (Daniel 2001). Sie hat begonnen, das Individuum als Geschichte erlebendes, Geschichte machendes und von Geschichte geprägtes Subjekt, das in Bezug auf sein Leben sinnstiftend tätig ist und Zusammenhänge konstruiert, ernst zu nehmen und nachdrücklich zu betonen, daß zur individuellen Identität immer auch »die Fähigkeit zur Sinnbildung über den eigenen Lebenslauf gehört« (Rüsen 2001). Und was für den Einzelnen gelten sollte, das wurde auch auf menschliche Kollektive übertragen: So wie das Individuum Produkt und Akteur seiner Geschichte ist und diese rückblickend immer wieder neu für sich mit Bedeutung versieht, diese Geschichte sich also durch Deutungen »fruchtbar« macht, so gewinnen auch Kollektive aller Art wie Familien, markante Milieus, Generationseinheiten, Altersgruppen bis hin zur Gesellschaft als ganzer einen großen Teil ihrer Identität aus dem, was man Erinnerungskultur, Geschichtspolitik, kollektives Gedächtnis usw. nennt.

Das existentielle Bedürfnis, sinnerfüllte, »bedeutende« Leben zu leben bzw. das eigene Leben entsprechend zu deuten, und die Arten und Weisen, wie dieses mit welchen Folgen geschieht, sind inzwischen in der erwähnten neueren Kulturgeschichte zentrale Gegenstände von Untersuchungen geworden. Dementsprechend ist die traditionelle Auffassung von der *einen* Geschichte immer mehr zugunsten der Vorstellung von vielen Einzelgeschichten, d. h. von unzähligen individuellen Erinnerungspotentialen gewichen, die additiv, aber ohne ein schlüssiges Gesamtbild zu ergeben, nebeneinander oder (mit Blick auf das Kommen und Gehen der Generationen) hintereinander stehen. Zwar besteht weiterhin die Aufgabe, sich in unserer Gesellschaft mit Hilfe der traditionellen Methoden und Institutionen gemeinsam über kollektive Erfahrungsbestände, historische Erkenntnisziele und nachvollziehbare Geschichtsbilder zu einigen, doch tritt die konkrete Historizität der Individuen, d. h. ihre in Biographie, Habitus und Gedächtnis gespeicherte Lebensgeschichte, daneben – dies mit der Konsequenz, beide Formen des deutenden Umgangs mit der Vergangenheit sinnvoll im Sinne von sinnstiftend ins Verhältnis zueinander setzen zu müssen. Beide Formen von Geschichte sind zwar eng miteinander verzahnt und stehen dennoch oft fremd nebeneinander: Was in dem einen Felde für höchst bedeutsam gehalten wird, ist in dem anderen Feld u. U. nebensächlich oder gar ohne historischen Sinn und umgekehrt; was hier als augenfällige Kontinuität erscheint, wird dort nur gebrochen wahrgenommen; was hier aus der Rückschau als große Wende oder Bruch gedeutet wird, hat dort kaum oder keine Spuren zurückgelassen.

Eine solche Gegenüberstellung einerseits von Geschichte als in einer Gesellschaft allgemein anerkanntes, wissenschaftlich abgesichertes Wissen über die Vergangenheit und andererseits als subjektive Selbstdeutung und Sinnstiftungsleistung des Individuums im Hinblick auf sein konkret gelebtes Leben ist allerdings recht künstlich. Beide Sichtweisen existieren ja aufgrund einer Fülle vermittelnder Zwischenglieder nicht unabhängig voneinander: Jede sich noch so objektiv gebende historische Forschung ist, wie bereits erwähnt, immer von der Subjektivität und Zeitgebundenheit der Forschenden mitbestimmt, und in jede Erzählung und Rekonstruktion einer individuellen Lebensgeschichte fließt – bewußt oder unbewußt – immer das Wissen über die allgemeinen Geschichtsabläufe, Geschichtsbilder und Vergangenheitsdeutungen mit ein.

Diese historiographische Problematik, mit der sich insbesondere die neuere Kulturgeschichte auseinandersetzt, ist deshalb hier etwas ausführlicher erläutert worden, weil sich von hierher eine Basis ergibt, um aus Historikersicht die lt. Gadamer notwendige Zunahme an Fruchtbarkeit der Vergangenheit während des Älterwerdens zu diskutieren. Daß die Selbsthistorisierung des Einzelnen mit seinem Älterwerden etwa vom fünften Lebensjahrzehnt an ständig zunimmt, mag eine anthropologische Konstante sein. Von den historischen Umständen jedoch entscheidend abhängig ist es, ob diese zunächst nur vom Individuum vollzogene Deutungsleistung auch gesellschaftliche Relevanz besitzt, d. h. ob sich in spezifischer Weise altersgebundene Erinnerungsgemeinschaften bilden, die dann ihre besondere »Generationalität« kommunikativ zum Thema machen, ja überhaupt erst ihre Vernetzung aufgrund von in gleicher oder ähnlicher Weise gedeuteten Generationserfahrungen und –prägungen herstellen.

Es ist eine inzwischen wohl unbestrittene Erkenntnis der Mentalitäts- und Kulturgeschichte, daß seit dem Beginn des 19. Jahrhunderts angesichts der Erfahrung des rasanten Wandels der überkommenen Erfahrungsbestände, Wahrnehmungsweisen und Werthierarchien auch eine Deutung des Kommens und Gehens der Geschlechter in Generationskategorien einsetzte.

Von nun an bestimmte immer wieder, d. h. keineswegs kontinuierlich, sondern in Schüben, zudem z. T. schichten- und/oder geschlechtsspezifisch differenziert, eine mehr oder weniger vehemente Generationenrhetorik die öffentlichen Debatten, wenn es um die Beurteilung des Neben-, oft auch als krass empfundenen Gegeneinanders von öffentlich sich zu Wort meldenden jüngeren oder älteren Generationseinheiten ging. Gipfelpunkte solcher Rhetorik waren im 20. Jahrhundert die dem Ersten Weltkrieg vorausgehenden Jahre, die Zeit um 1930, die frühen Nachkriegsjahre nach 1945, dann die Phase um 1960 (mit der Zuspitzung auf 1968 hin) und schließlich das letzte Jahrzehnt, als neben vielerlei einschlägigen Aktivitäten in den Sozial- und Kulturwissenschaften praktisch alle Zeitschriften für ein Intellektuellenpublikum »Generation« immer wieder zum Thema gemacht haben. Dabei glaubten die Autoren, ständig neue Generationstypen entdecken zu können, wobei gleichzeitig in der Öffentlichkeit angesichts der Kontroversen über die Rentenproblematik sowie im Kontext der demographischen Entwicklung gelegentlich geradezu von einem Krieg der Jungen gegen die schmarotzenden Alten die Rede war.

Selbstverständlich ist jede Identifikation von »Generationsprofilen« in starkem Maße ein geistiges Konstrukt bzw. ein Kategorisierungsunternehmen, dem spezifische Identifizierungs- und Zuordnungsbedürfnisse vorausgehen: zum einen *von außen*, um bestimmte Menschen oder Altersgruppen in aktuelle oder zurückliegende Gesellschaftsformationen einzuordnen, zum anderen *von innen*, um sich selbst als Individuum und andere Menschen, denen man sich altersmäßig zugehörig fühlt, im Zeitfluss zu verorten, d. h. sich als historisches Wesen zu deuten und dabei von den Angehörigen anderer Altersgruppen mit anderen bedeutsamen Erfahrungsbeständen abzugrenzen. Dahinter steht die relativ triviale, aber gelegentlich äußerst geschichtswirksame Tatsache, daß vor allem in als ungewöhnlich rasant ablaufend erlebten historischen Wandlungszeiten an die Zeitgenossen in vielfältiger Weise Orientierungs- und Handlungsanforderungen gestellt werden, auf die sie bevorzugt *auch* entsprechend ihrer altersspezifischen Erfahrungen und Prägungen in Kombination mit den Besonderheiten ihres jeweils aktuellen Lebensalters reagieren (Reulecke 2000). Daß sich in diesem Zusammenhang unverwechselbare Verhaltensweisen, Handlungsoptionen und Wertvorstellungen sowohl für die Gesellschaft als ganze als auch für die einzelnen Individuen im Hinblick auf deren Lebenslauf herausbilden (können), die dann als generationelle Eigenart bzw. als Charakteristika einer generationellen Binnenstruktur wahrgenommen werden, liegt auf der Hand.

Folgt man einschlägigen sozialwissenschaftlichen Untersuchungen aus den letzten rund zwei Jahrzehnten, dann lassen sich innerhalb der großen Gruppe der sich heute im Rentenalter befindlichen Menschen vier (allerdings stark am männlichen Bevölkerungsteil orientierte) Generationstypen relativ deutlich voneinander unterscheiden, deren Angehörige die für ihre Biographie wichtigen Prägephasen als Kleinkinder einerseits und als Heranwachsende andererseits unter jeweils höchst unterschiedlichen äußeren Bedingungen erlebt haben. Die noch vor dem Ersten Weltkrieg geborene älteste Altersgruppe der sog. »Jahrhundertgeneration« verbrachte ihre ersten Lebensjahre kurz vor oder im Krieg und ihre Jugendzeit (oft vaterlos) in der mittleren und Endphase der Weimarer Republik und stellte dann das aufstrebende jüngere Management des »Dritten Reiches«. Die sog. »HJ-Generation«, geboren ab ca. 1918 bis in die zweite Hälfte der 20er Jahre, wuchs zunächst unter den relativ ruhigen Bedingungen der mittleren Republikzeit auf, erlebte als Jugendliche die zunächst chancenreiche, von zukunftversprechendem Pathos bestimmte Aufbauphase des Nationalsozialismus und stellte dann den größten Teil der jungen Frontsoldaten des Zweiten Weltkriegs. Nur noch kurz oder gar nicht mehr erlebten die altersmäßig folgenden Angehörigen der sog. »Flakhelfergeneration« (geboren um 1928) und die sich anschließenden »weißen Jahrgänge« in ihrer Jugendzeit den Krieg an der Front, dafür aber umso intensiver die Belastungen an der »Heimatfront« und in der unmittelbaren Nachkriegszeit – Helmut Schelsky (1957) hat diese Altersgruppe dann später die »skeptische Generation« genannt. Und im Zuge der in den letzten Jahren um sich greifenden Frühpensionierung bzw. -verrentung gehören inzwischen auch schon viele Zeitgenossen aus den Geburtsjahrgängen ab etwa 1938 zu den aus dem Arbeitsleben ausgeschiedenen »jungen Alten«: Sie verbrachten (ebenfalls wieder oft vaterlos) ihre Kleinkinderzeit unter den Bedingungen von Bombenkrieg, Evakuierung, Flucht und Vertreibung, ihre Jugend aber dann in der (bundesrepublikanischen) Aufschwungphase der zweiten Hälfte der 50er bis in die frühen 60er Jahre, wobei eine Reihe von ihnen bereits zu den sog. »68ern« zu zählen ist.

Daß die prägenden Erinnerungspotentiale dieser vier Altersgruppen angesichts der gewaltigen Umbrüche des 20. Jahrhunderts höchst unterschiedlich sind und Vergangenheit bei den jeweiligen Sinnkonstruktionen im Hinblick auf den Lebenslauf und die allgemeine Geschichts- und Gegenwartsbeurteilung eine je andere Rolle spielt, ist naheliegend. Doch was bedeutet dieser Befund des profilierten Nebeneinanders von solch unterschiedlich geprägten Altersgruppen für die Beantwortung der eingangs gestellten Frage nach der »Fruchtbarkeit der Vergangenheit«? Was »muß« hier in welcher Weise »fruchtbar« gemacht werden? Fragen wie diese lassen sich allerdings nicht pauschal, sondern wohl nur mit Blick auf konkrete Generationseinheiten beantworten, die sich als »Erinnerungsgemeinschaften« verstehen und ihre spezifische »Generationalität« zum Ausgangspunkt ihrer Vernetzung gemacht haben. Ein besonders eindrucksvolles Beispiel dafür stellt eine Personengruppe aus der zur Zeit von der Bühne der Geschichte abtretenden »Jahrhundertgeneration« dar, die der Autor näher kennen gelernt und deren kollektive Biographie er im Rahmen eines zeitweise vom Bundesministerium für Familie und Senioren geförderten Forschungsprojekts zu untersuchen begonnen hat: der »Freideutsche Kreis« (Reulecke 2001; Seidel 1996; Fooken 1996).

Bei dieser Gruppe handelt es sich um einen in der Zeit seiner Blüte in den 60er und 70er Jahren circa zweitausend, im Jahre 2000 noch etwa 450 Mitglieder umfassenden Kreis von Menschen, die fast alle zwischen 1900 und 1912 geboren sind, großstädtischen bildungsbürgerlich-protestantischen Elternhäusern entstammen, selbst dann zumeist eine akademische Laufbahn eingeschlagen haben und in den 20er Jahren in einer der vielen bündischen Gruppierungen durch das Erlebnis der Ideen und Stilformen der bürgerlichen Jugendbewegung geprägt worden sind. Als zugegeben besonders profilierte Generationseinheit bietet dieser Kreis eine exemplarische Möglichkeit, dem Umgehen mit der Vergangenheit bei jener Altersgruppe auf die Spur zu kommen, die nicht nur die historischen Umbrüche des 20. Jahrhunderts miterlebt, sondern zum Teil auch – in einem ganz konkreten oder nur allgemeinen Sinn – mit zu verantworten hat. Forschungen von jüngeren Historikern (Herbert 1996; Leggewie 1998; Rusinek 1998) in den letzten Jahren über einzelne Vertreter dieser Altersgruppe wie die hohen NS-Funktionäre Werner Best (geb. 1903) und Hans Schneider-Schwerte (geb. 1909) haben dieser in den 30er Jahren aufstrebenden jungen Elite geradezu einen Machbarkeitswahn und eine Mobilmachungswut nachgesagt: Sie sei von »Kühle, Härte und Sachlichkeit« geprägt und an soldatischen Idealen und männerbündlerischen Werten orientiert gewesen. Das Fehlen der eigenen Fronterfahrung habe sie durch die »Stilisierung des kalten, entschlossenen Kämpferideals und durch das Trachten nach ›reinem‹, von Kompromissen freiem und radikalem, dabei aber organisiertem, unspontanem, langfristig angelegtem Handeln zu kompensieren« versucht (Herbert 1996). Wie dieser Typus dann, nun etwa sechzig Jahre alt, im Vorfeld der 68er-Studentenbewegung karikiert worden ist, lässt sich in dem Lied »Vatis Argumente« (1967) von Franz-Josef Degenhardt (geb. 1931) nachempfinden, das (im Hinblick auf die Wiederaufbauzeit nach 1945) mit dem bekannten Refrain »Ärmel aufkrempeln, zupacken, aufbauen« endet (Degenhardt 1967).

Kurz zur Geschichte jenes »Freideutschen Kreises«: Rund achtzig ehemalige »Bündische« aus der »Jahrhundertgeneration«, nun im fünften Lebensjahrzehnt stehend, trafen sich zu Pfingsten 1947 im Kloster Altenberg bei Wetzlar und beschlossen, aus jugendbewegtem Ethos und Denken einen Kreis mit dem Ziel zu gründen, vor allem einen Beitrag zur »geistigen Überwindung des Nationalsozialismus« zu leisten und beim Aufbau einer humanen, demokratischen und friedvollen Nachkriegsgesellschaft mitzuwirken, ohne sich allerdings dabei parteipolitisch festzulegen. Seither trafen sich die an Zahl ständig zunehmenden Mitglieder nicht nur in sog. Lands- und Ortsgemeinden, sondern alljährlich auch zu einem großen »Konvent« in einer jeweils anderen Stadt der Bundesrepublik, hielten auch Kontakt zu Freunden in der DDR und ermöglichten, wenn es die politischen Zustände zuließen, einer Reihe von ihnen die Teilnahme an diesen Treffen. Mit großem Abstand dominierten bis in die letzten Jahre die Männer nicht zuletzt deshalb, weil die Jugendbewegung insgesamt stark männerbündisch bestimmt gewesen war. Die Konvente dienten zwar auch dem Wiedersehen, waren aber immer von der Auseinandersetzung mit aktuellen sozialen, politischen und kulturellen Fragen bestimmt und enthielten zudem viele musische Programmpunkte. Führende Professoren, zumeist aus den Geisteswissenschaften, standen dem Kreis ebenso nahe wie hohe Ministerialbeamte, Leitungspersonen in Bildungseinrichtungen und in pädagogischen Berufen Tätige (Seidel 1996).

Seinem ständig zunehmenden Bewußtsein, in sehr spezifischer Weise das 20. Jahrhundert erlebt zu haben und zu repräsentieren, entsprach es schließlich, daß der Kreis im Jahre 2000 seinen letzten »Konvent« durchführte und sich danach auflöste. Thema dieses Treffens war »die verborgene Dimension der Zeit«, verbunden mit einer selbstkritischen »Bilanz« der Jugendbewegungsgeschichte im 20. Jahrhundert durch eines ihrer Mitglieder (Jg. 1907). Die letzte, von eindrucksvoller Symbolik geprägte Geste der ca. 250 noch anwesenden und dann definitiv auseinandergehenden Mitglieder des Kreises war der stehend gemeinsam gesungene Kanon »Dona nobis pacem...«.

Diese abschließende Bitte um Frieden war deshalb so symbolisch, weil keine Altersgruppe des 20. Jahrhunderts so sehr von Umbrüchen und

Abbrüchen, Neuanfängen und Aufbrüchen, kurz: von Unruhe geprägt war wie diese Menschen, denen man schon Ende der 1920er Jahre das Etikett »verlorene Generation« zugewiesen hatte. Selbstironisch haben deshalb Mitglieder des Freideutschen Kreises zuletzt immer wieder betont, auch ihren Ruhestand (für die meisten seit etwa Ende der 1960er Jahre) verständen sie – jetzt durchaus gewollt – als einen »Unruhestand«. Wenn diese Selbsteinschätzung auch vordergründig positiv mit dem Zitat von Martin Buber »Altwerden ist ein herrlich Ding, wenn man nicht verlernt hat, was Anfangen heißt« in Verbindung gebracht wurde, so gab es doch in der Folgezeit zwei diesen Kreis kollektiv besonders herausfordernde und von ihm intensiv reflektierte Erfahrungen neuer Beunruhigung: einerseits die starken Rechtfertigungszwänge gegenüber den eigenen Kindern im Gefolge der 68er-Studentenbewegung, eines Aufbruchs, den der Kreis anfangs durchaus begrüßt hatte, und andererseits eine Provokation aus den eigenen Reihen, als nämlich ein Mitglied im Dezember 1993 in Heft 223 der »Rundschreiben des Freideutschen Kreises« die Frage stellte, warum der Kreis bisher so wenig wirkliche Selbstbesinnung über die Beteiligung am Dritten Reich und eine entsprechende »Trauerarbeit« geleistet habe, und in seinem Artikel den anschließend intensiv diskutierten Satz formulierte: »Keine noch so guten Taten vorher und nachher können die Schuld tilgen, die wir mit unserem Versagen auf uns geladen haben.«

Die Reaktionen der im neunten Lebensjahrzehnt stehenden Leser des Artikels aus dem Freideutschen Kreis fielen z. T. höchst emotional pro und kontra aus; z. T. waren sie aber auch von einer nachbohrender Selbstbefragung bestimmt, die dann im oben angesprochenen Sinn »Vergangenheit« in eindrucksvoller Weise »fruchtbar« werden ließ. So formulierte z. B. eine Schreiberin bedrückt: »Die Last, die unserer Generation auferlegt wurde, wiegt schwerer mit den Jahren und wird immer unbegreiflicher.« Bisher habe Scham über das Wissen der eigenen Mitschuld den Mund verschlossen; andere sprachen sogar von Feigheit und Opportunismus. Es gehe darum, schrieb ein weiteres Mitglied, sich angesichts des nahen Lebensendes der »Last der Erinnerung« rückhaltlos zu stellen, sie in »Demut« zu tragen und endlich damit aufzuhören, sich selbst durch den Blick auf andere, z. B. auf die ehemaligen Kriegsgegner zu entlasten. Auch ein Generationen übergreifendes Problem wurde mit dem Begriff »Survival-Syndrom« angesprochen. Die Schreiberin wollte damit darauf hinweisen, daß die traumatischen Erfahrungen und die Schuldkomplexe der eigenen Generation auch die psychischen Zustände mindestens der nächstfolgenden zwei Altersgruppen beeinflussten

– hiermit möglicherweise anspielend auf die Feststellung von Sigmund Freud in *Totem und Tabu*, daß »keine Generation imstande (sei) (...), bedeutsamere seelische Vorgänge vor der nächsten zu verbergen« (Freud 1975).

In diesem Zusammenhang lässt sich darauf hinweisen, daß wohl nicht zufällig einzelne Vertreter der in den letzten Jahren ins Pensions- bzw. Rentenalter getretenen Söhnegeneration begonnen haben, ein sehr eigenes, eigentlich erst jetzt nachdrücklicher gespürtes lebensbestimmendes Phänomen zu entdecken und zu befragen: die Tatsache nämlich, in Krieg und Nachkriegszeit vaterlos aufgewachsen zu sein – ein Beleg für eine psychisch langfristig wirksame »Zumutung«, die neben vielen anderen die Zeit des Nationalsozialismus und des Weltkriegs für die Nachgeborenen bis heute darstellt (z. B. Radebold 2000). Ein weiteres Indiz für die generationenüberschreitenden Langfristfolgen war übrigens in der letzten Zeit ein vehement vorgetragener Vorwurf von Historikern aus der jüngeren Generation der heute etwa 35 bis 40-Jährigen gegen ihre akademischen Lehrer der inzwischen etwa 65- bis 70-Jährigen, sie hätten ihre Lehrer, die im »Dritten Reich« Karriere gemacht haben und dann in der frühen Bundesrepublik zu den führenden Fachvertretern gehörten, viel zu nachsichtig behandelt, nicht kritisch genug befragt und somit letztlich zu deren Entschuldung beigetragen. Daß zu diesen Vätern der bundesrepublikanischen neueren Geschichtswissenschaft viele Männer gehörten, die entweder lange Jahre im Freideutschen Kreis Mitglieder waren oder ihm nahe standen wie z. B. Theodor Schieder, Werner Conze, Günther Franz, Ernst Rudolf Huber und Erich Maschke, sei am Rande erwähnt: Sie haben zwar Anfang der 1970er Jahre ein großes Dokumentationswerk zur Geschichte der Jugendbewegung bis zum Ende der Weimarer Republik ins Leben gerufen, aber bis auf wenige Ausnahmen tatsächlich über ihre eigenen Verstrickungen in das NS-Regime nicht gesprochen (nicht sprechen können?) (dazu Moser 1996; Welzer 1997; 1998).

Eigentlich war es dann erst der erwähnte Impuls vom Dezember 1993, der bei einer Reihe von Mitgliedern des Freideutschen Kreises im hohen Alter etwas freilegte, was bisher hinter der vorher zur Schau getragenen Gewissheit, gemeinsam aus jugendbewegtem Geist ein sinnerfülltes Alter gestalten zu können, und der darauf beruhenden scheinbaren Selbstsicherheit versteckt worden war: Selbstzweifel, Scham und Schuldgefühle sowie die Ahnung, daß man mit seinem Beschweigen den nachfolgenden Generationen eine schwere Hypothek hinterlassen hatte. Als vorwiegend aus dem Bildungsbürgertum stammende Menschen und in vielerlei Weise

– sozial, musisch, intellektuell – engagierte Zeitgenossen hatten sie sich in den Jahrzehnten seit Kriegsende quasi zu Selbstdeutungskünstlern entwickelt, die erfolgreich Verdrängung und Selbstrechtfertigung nicht zuletzt auch im Rahmen ihres ein generationelles Heimatgefühl vermittelnden Kreises hatten üben können. Aus einer Reihe von Stellungnahmen zu der Provokation des erwähnten Artikels von Ende 1993 spricht deshalb so etwas wie das Gefühl der späten Erlösung und der Erleichterung, daß das bisher so sorgsam Beschwiegene doch noch einmal, wenn auch höchst schmerzlich in dem geliebten Kreis mit seinem hohen Ethos zur Sprache gekommen war.

Es mag eine reichlich vermessene Idee sein, aber es ist durchaus reizvoll, einmal danach zu fragen, ob man bei bestimmten Generationseinheiten im 20. Jahrhundert von so etwas wie ihnen historisch mit auf den weiteren Lebensweg gegebenen »Generationsprojekt« sprechen kann, dessen Bearbeitung sie (bzw. die ihnen angehörenden Menschen) bis zum Lebensende – bewußt oder unbewußt – beschäftigt. Wenn man sich auf diese Frage mit Blick auf die hier exemplarisch vorgestellte, d. h. im Freideutschen Kreis versammelte und vom Idealismus der Jugendbewegung in der Weimarer Republik geprägte »Jahrhundertgeneration« einlässt, dann kann man vielleicht sagen, daß deren »Projekt« aus der Notwendigkeit bestand, in der Mitte ihres Lebens, d. h. nach dem Ende des Zweiten Weltkriegs mit seinen deprimierenden materiellen und psychischen Folgen, vor sich selbst und zugleich im Generationenverbund damit fertig werden zu müssen, einst mit solch idealistisch-jugendbewegten Konzepten wie der Schaffung eines »neuen Menschen« angetreten zu sein, dann aber z. T. aktiv, z. T. auch eher erzwungen einem verbrecherischen Regime gedient zu haben und jetzt im mittleren Alter Strategien zu ent-wickeln, um ein nach vorn gerichtetes, achtbares und doch noch sinnerfülltes Leben unter völlig veränderten Umständen führen zu können. Mit anderen Worten: Diese Menschen besaßen vom Ende der 40er bis noch in die 60er und 70er Jahre hinein ein beträchtliches Maß an Handlungszukunft, die sie nach den deprimierenden Erfahrungen ihres bisherigen Lebens mit positivem Sinn füllen und deren Gestaltung sie engagiert angehen konnten. Diese Chance haben sie ohne Zweifel genutzt. Doch je mehr das eigene Ende, das der Freideutsche Kreis schließlich symbolisch mit dem Jahre 2000 verband, näherrückte, wuchs das bedrückende Gefühl, daß da noch ein Überhang an Unerlöstheit existierte.

In der erwähnten kreisinternen Debatte und auch in vielen Gesprächen mit uns, den neugierig nachfragenden Jüngeren, zeigte sich bei vielen dieser »Freideutschen« eindrucksvoll, wie ihr bisheriges zweckvolles Sich-nach-vorne-Entwerfen, also das in jedem aktiven Lebensvollzug enthaltene utopische Potential, immer mehr dem Bemühen um eine abgerundet gedeutete, auf »Erlösung« gerichtete Vergangenheitssicht wich, eine Vergangenheitssicht, die das Widersprüchliche und Zerrissene der eigenen Biographie jetzt (endlich) akzeptierte und nicht – wie bisher – verschwieg und das latente Schuldgefühl durch Rechtfertigungsreden übertünchte.

Mit diesen Hinweisen nähert man sich einem nicht unumstrittenen neueren kulturwissenschaftlichen/kulturhistorischen Argumentationszusammenhang, der seit einiger Zeit um den Begriff des Traumas kreist (Althaus 2002). Es ist sicher problematisch, einen relativ klar definierten Begriff wie den des Traumas aus dem Kontext einer bestimmten Wissenschaftsdisziplin herauszunehmen und ihn in andere Disziplinen wie der Geschichts- und Kulturwissenschaft, der Philosophie, der Kunstgeschichte und Literaturwissenschaft zu transferieren, aber mit ihm scheint – wie die Debatten zeigen – ein hohes Anregungspotential gerade auch für die Beantwortung der Frage verbunden zu sein, wie Individuen einerseits, Gesellschaften als ganze oder einzelne Erinnerungsgemeinschaften (die z.B. spezielle Generationseinheiten sein können) andererseits langfristig mit als Katastrophen erlebten Ereignissen umgehen bzw. wie sie erschütternde Tiefpunkte und Umbrüche in der eigenen wie in der nationalen Geschichte erinnern. Längere Zeit wurde allerdings in den entsprechenden Diskussionen, wenn von »Trauma« die Rede war, im wesentlichen die Opferperspektive, vor allem die der Holocaust-Opfer, thematisiert. Inzwischen gelten jedoch auch Geschehnisse und Handlungen für Personen als Trauma auslösend, an denen diese selbst beteiligt waren, die sie mitverursacht haben und für die sie sich mitverantwortlich fühlen (müssen).

Daß sich der Begriff des Traumas mehr als ein halbes Jahrhundert nach dem Ende des Dritten Reiches und Zweiten Weltkriegs von der individualisierenden Betrachtungsweise der Psychologie gelöst und Eingang in den historischen und kulturwissenschaftlichen Diskurs gefunden hat, hängt möglicherweise damit zusammen, daß die Realität der nationalsozialistischen Verbrechen ebenso wie die Zusammenhänge und Folgen der individuellen Verstrickungen von »normalen« Deutschen in das Regime erst jetzt sichtbar ins Bewußtsein der nachfolgenden Generation(en) getreten sind. In dem Maße, in dem die Traumatisierungen einzelner Menschen durch historische Geschehnisse »aus der Perspektive der Nachgeborenen handgreiflich *erfahrbar* werden, lassen sie sich auch als ›soziale Tatsachen‹ (...) begreifen« (Schneider et al. 2000).

Was allgemein – so von Jörn Rüsen – mit Blick auf den Holocaust gefordert wird, daß nämlich die Beschäftigung mit dieser »sinnfressenden traumatischen historischen Erfahrung« zu einem konstitutiven Faktum des historischen Denkens werden müsse, das war m. E. in sehr spezieller Weise das »Generationsprojekt« einer ganzen Altersgruppe, nämlich der »Jahrhundertgeneration« der im ersten Jahrzehnt des 20. Jahrhunderts Geborenen mit Blick auf die Verarbeitung ihrer Beteiligung am Funktionieren des Nationalsozialismus, am Zweiten Weltkrieg und damit an der gesamten »deutschen Katastrophe«. Daß einige, wenn auch nur wenige Angehörige dieser Generation sich dazu dann doch noch im hohen Alter offen ge-äußert haben, mag ein Hinweis darauf sein, daß ihnen jene »Fruchtbarkeit der Vergangenheit« bewußt geworden ist, von der eingangs die Rede war.

Was hier, ausgehend von dem spezifischen Generationsschicksal einer bestimmten Generation, der sog. »Jahrhundertgeneration«, angedeutet worden ist, ist selbstverständlich ein Thema, das sich in je eigener Ausformulierung auch an die nächstfolgenden Altersgruppen, insbesondere an solche profilierten Generationseinheiten daraus richtet, wie sie der Freideutsche Kreis für seine Altersgruppe eine war und in seinen letzten Vertretern noch ist. Grundsätzlich stellt sich für alle Formen des intergenerationellen Vergangenheitsdiskurses die Frage nach der Art und Weise, wie das so angehäufte Lernpotential »archiviert« wird und welche Rolle es im generationenübergreifenden Austausch und für nachfolgende Generationen spielt. Generationenerfahrungen bis hin zu generationsspezifischen Traumata sind zwar an die Altersgenossen gebunden und in dieser Form nicht simpel tradierbar, und man kann auch nicht – wie es schon Jakob Burckhardt betont hat – »für ein andermal« daraus klug werden, aber die erzählten und von ihnen gedeuteten (Lebens-)Geschichten von Menschen aus einer anderen Generation vermögen es, auch die nachkommenden Generationen aus ihrem alltäglichen Eingebundensein ein Stück weit hinaus zu heben und für sie Vergangenheit fruchtbar werden zu lassen. Der berühmte Satz von Wilhelm Busch »erstens kommt es anders, und zweitens als man denkt« verweist zwar einerseits auf eine menschliche Grunderfahrung, die – wenn man sie als einzige Aussage über das Verhältnis von Erfahrung und Erwartung gelten ließe – eigentlich jedes Denken in historischen Kontinuitäten und Grund-Folge-

Verhältnissen überflüssig und Geschichte sinnlos erscheinen lassen müsste. Das Gefühl des Ausgeliefertseins an das Überraschende, an die »Kontingenz« und an das immer neue Einmalige reduziert sich jedoch – so hat es einmal Reinhart Koselleck (2000) erläutert – durch das mit jenen Lebensgeschichten (und durch die Geschichte überhaupt) bereitgestellte und ständig »anwachsende Wissen von den Möglichkeiten solch einmaliger Überraschungen«; und er fährt fort: »Wer älter wird, den kann daher nicht mehr so viel überraschen wie die Jugend. So lässt sich zunehmendes Alter durch abnehmende Überraschungspotentiale kennzeichnen. Je größer der Vorrat an möglicher Überraschung bereits internalisiert ist, desto geringer wird die Überraschungsfähigkeit, welche die Jugend noch auszeichnet.« Solche Überraschungsresistenz könne aber schnell zu Altersüberheblichkeit und Verblendung führen und mögliche neue Erfahrungen blockieren. Daß dieses eine Gefahr für jede Art gerontokratisch organisierter Gesellschaft darstellt, liegt ebenso auf der Hand, wie das zeitweise auch zu beobachtende lässige Beiseiteschieben historischer Erfahrungen und Erinnerungspotenziale die Zukunftsfähigkeit solcher Gesellschaften, die sich besonders jugendlich-optimistisch geben, gefährdet: Erst die »akkumulierte Erfahrungssammlung *und* die Fähigkeit, einmalige Überraschungen zu verarbeiten, stiften einen endlichen Haushalt« (Koselleck 2000, S. 23ff), einen Haushalt, der dann – so ist hinzuzufügen – das temporäre Zusammengespanntsein der jeweils miteinander lebenden Generationen mit ihren Zukunftsvisionen und Handlungsoptionen bedingt und bestimmt. Daß sich dies nur dann gedeihlich vollzieht, wenn zwischen den Generationen eine kommunikative gegenseitige »Rückmeldung« besteht, ist ebenso klar wie die Tatsache, daß sich die Vergangenheit einschließlich gerade auch ihrer »unerlösten« Teile immer in die nachwachsenden Generationen hinein – ob sie es wollen oder nicht – verflüssigt. Was am Ende günstigenfalls erhofft werden kann, ist das, was Peter Schulz-Hageleit (1997) einmal »Geschichtstoleranz« genannt hat. Gemeint ist damit ein bewußtes kritisches Mittragen einer deutschen Gesamtgeschichte des 20. Jahrhunderts, der sich die Kinder, Enkel und Urenkel der sog. »Tätergenerationen« nicht entziehen können: Erst auf diese Weise, d. h. indem den Menschen dieser Generationen und ihren Geschichten von den Nachkommen historische Bedeutung verliehen wird, würden sie – so hat Jörn Rüsen (1998) argumentiert – »erlöst«, und er hat diesen Schritt dann auf den eingängigen Nenner gebracht: »Aus Gespenstern werden Ahnen«.

Literatur

Althaus, C. (2002): ›Traumatische‹ Erfahrungen und Generationendiskurs, erscheint in dem Sammelband: Erfahrung: Alles nur Diskurs? Chronos-Verlag (Zürich).

Burckhardt, J. (1905): Weltgeschichtliche Betrachtungen (1. Aufl. 1905). Ullstein-Verlag (Frankfurt/M.).

Daniel, U. (2001): Kompendium Kulturgeschichte. Theorien, Praxis, Schlüsselwörter. Suhrkamp (Frankfurt/M.).

Degenhardt, F. J. (1967): Spiel nicht mit den Schmuddelkindern. Balladen, Chansons, Grotesken, Lieder. Rowohlt (Reinbek b. Hamburg), S. 98–102.

Fooken, I. (1996): Lakonisch statt anomisch. Was macht die Freideutschen für die Gerontologie interessant? In: Reulecke, J. et al. (Hg.): Die Freideutschen: Seniorenkreise aus jugendbewegter Wurzel. Siegen (als Manuskript gedruckt).

Freud, S. (1912/13). Totem und Tabu. Gesammelte Werke, Band IX. Fischer (Frankfurt).

Herbert, U. (1996): Best. Biographische Studien über Radikalismus, Weltanschauung und Vernunft, 1903–1989. Dietz-Verlag (Bonn).

Kohut, T. A. (2000): Plädoyer für eine historisierte Psychoanalyse. In: Strauß, B. & Geyer, M. (Hg.): Psychotherapie in Zeiten der Veränderung. Westdeutscher Verlag (Opladen), S. 41–50.

Koselleck, R. (2000): Zeitschichten. Studien zur Historik. Mit einem Beitrag von Hans-Georg Gadamer. Suhrkamp (Frankfurt/M.).

Leggewie, C. (1998): Von Schneider zu Schwerte. Das ungewöhnliche Leben eines Mannes, der aus der Geschichte lernen wollte. Hanser (München/Wien).

Moser, T. (1996): Dämonische Figuren. Die Wiederkehr des Dritten Reiches in der Psychotherapie. Suhrkamp (Frankfurt/M.).

Radebold, H. (2000): Abwesende Väter. Folgen der Kriegskindheit in Psychoanalysen. Vandenhoeck & Ruprecht (Göttingen).

Reulecke, J. (2000): Generationen und Biographien im 20. Jahrhundert. In: Strauß, B. & Geyer, M. (Hg.): Psychotherapie in Zeiten der Veränderung. Westdeutscher Verlag (Opladen), S. 26–40.

Reulecke, J. (2001): »Ich möchte einer werden so wie die ...«. Männerbünde im 20. Jahrhundert. Campus (Frankfurt/New York).

Rüsen, J. (2001): Zerbrechende Zeit. Über den Sinn der Geschichte. Böhlau-Verlag (Köln/Weimar/Wien).

Rüsen, J. & Straub, J. (Hg.) (1998): Die dunkle Spur der Vergangenheit. Psychoanalytische Zugänge zum Geschichtsbewußtsein. Suhrkamp (Frankfurt/M.).

Rundschreiben des Freideutschen Kreises, hier herangezogen: Heft 224–230 (1993/1994) und Heft 250/251 (2000).

Rusinek, B. A. (1998): Von Schneider zu Schwerte. Anatomie einer Wandlung. In: Loth, W. & Rusinek, B. A. (Hg.): Verwandlungspolitik. NS-Eliten in der westdeutschen Nachkriegsgesellschaft. Campus (Frankfurt/New York), S. 143–179.

Schelsky, H. (1957): Die skeptische Generation. Eine Soziologie der deutschen Jugend. Diederichs-Verlag (Düsseldorf).

Schneider, C.; Stillke, C. & Leineweber, B. (2000): Trauma und Kritik. Zur Generationengeschichte der Kritischen Theorie. Verlag Westfälisches Dampfboot (Münster).

Schulz-Hageleit, P. (1997): Die Kinder der Täter. Vom Trauma des Jahres 1945 zur Wiedergewinnung einer humanen Lebensorientierung. In: Psychosozial 68, S. 91–101.

Seidel, H. (1996): Aufbruch und Erinnerung. Der Freideutsche Kreis als Generationseinheit im 20. Jahrhundert. Archiv der deutschen Jugendbewegung (Witzenhausen).

Welzer, H. et al. (1997): »Was wir für böse Menschen sind!« Der Nationalsozialismus im Gespräch zwischen den Generationen. Edition Diskort (Tübingen).

Welzer, H. (1998): Erinnern und weitergeben. Überlegungen zur kommunikativen Tradierung von Geschichte. In: BIOS 11, S. 155–170.

Alter(n) und Lebenslagen im sozialen Wandel

Gertrud M. Backes

Einleitung

Zur Thematisierung von Alter(n)sprozessen werden innerhalb der Alternswissenschaften noch immer primär geriatrische und psychogerontologische, also auf das Individuum und seine engere Umwelt bezogene Ansätze favorisiert. Ein gesellschaftlicher Einfluß erscheint so vorwiegend in individueller Repräsentanz. Doch inzwischen wird immer deutlicher, daß Alter und Altern (kurz: Alter(n)) gleichermaßen als gesellschaftliche Phänomene verstanden werden müssen und daß die Lebenssituation alternder und alter Menschen in ihren individuellen und sozialen Belangen zunehmend von gesellschaftlichen Bedingungen und Entwicklungen geprägt wird. Hierzu haben strukturelle Entwicklungen der Gesellschaft – wie demographische Veränderungen – ebenso beigetragen wie quantitative und qualitative Veränderungen innerhalb der Gruppe älterer und alter Menschen und der Gestalt des Alters als Lebensphase im Kontext des sich verändernden Lebensverlaufs (s. Strukturwandel des Alter(n)s). Beide Entwicklungen wirken zusammen auf die gesellschaftliche Modernisierung und in diesem Zusammenhang wiederum zurück auf einzelne Altersgruppen wie auf Teilgruppen älterer Menschen in stärker sozial differenzierender Weise.

Der folgende Beitrag wird zunächst einen Überblick über die Veränderung der »Lebensphase Alter« in der heutigen Gesellschaft vermitteln , um anschließend die gesellschaftliche Dimension von Alterungsprozessen herauszuarbeiten. Im weiteren werden sozialstrukturelle Wandlungs- und Differenzierungsprozesse der heutigen Alter(n)sgenerationen mit Hilfe des Konzepts der »Lebenslage« dargestellt. Vor diesem Hintergrund wird erkennbar, welche gesellschaftlichen und alter(n)sstrukturellen Entwicklungen im wesentlichen auf die individuellen Entwicklungsmöglichkeiten und -grenzen des Alters wirken, sie eher fördern oder behindern können. Der beschriebene soziale Wandel ergibt Rahmenbedingungen für die aktuelle und künftige Entwicklung spezifischer Lebenslagen und entsprechender Entwicklungsaufgaben und Konflikte in der sogenannten Lebensphase Alter, die hier nur exemplarisch skizziert werden können (siehe 4.). Sie sind bereits jetzt und werden künftig noch stärker in psychotherapeutischer bzw. psychoanalytischer Behandlung älterer und alter Menschen mit zu reflektieren sein.

»Lebensphase Alter« im Umbruch

Alter als gesellschaftlich konstruierte Lebensphase mit spezifischen Problemlagen und Entwicklungsanforderungen ist ein historisch relativ junger Lebensabschnitt. Er ist entstanden im Zuge der Industrialisierung und deren sozialpolitischer Absicherung (s. Rentenversicherung im Rahmen der Entwicklung des Bismarckschen Sozialversicherungssystems im Jahre 1889 – zunächst als Invalidenversicherung für das Alter – erst seit der Rentenreform 1957 kann von einer Volksversicherung die Rede sein). Die Etablierung von älteren und alten Menschen als eine sozialstrukturell bestimmbare gesellschaftliche Gruppe ist im Zuge einer »Institutionalisierung des Lebenslaufs« mit seiner Chronologisierung und Dreiteilung erfolgt. Über die Bedingungen des Arbeitsmarktes und die Regelungen der Alterssicherung, über die sich die sogenannten Altersgrenzen – das Ruhestandsalter – ableiten, werden die Lebensphase Alter und damit Lebenslagen im Alter sozial bestimmt. Soziale Absicherung der »Späten Freiheit« (Rosenmayr 1983) oder »Späte Freiheit« bei sozialer Absicherung, das sind derzeit die beiden zentralen Merkmale, über die sich die Vergesellschaftung des Alter(n)s – der wechselseitige Bezug zwischen Alter(n) und Gesellschaft und die Art der Einbindung älterer und alter Menschen in soziale Bezüge – in unserer Gesellschaft bestimmt.

Mit dem demographischen Umbruch und dem Strukturwandel des Alter(n)s im Kontext eines übergreifenden sozialen Wandels (durch Arbeitsmarkt, Entwicklung der Technik, medizinische Fortschritte, Veränderung der Lebens- und Arbeitsweisen) hat eine weitreichende Modifizierung dieses Vergesellschaftungsmodells begonnen (Backes 1997, 1998). Es wird zumindest in seiner verallgemeinerten Form von immer mehr gesellschaftlichen Gruppen in Frage gestellt, ohne daß eine oder mehrere äquivalente Alternativen hierfür bereits konkret vorstellbar wären: Es bleibt unklar, wie die Einbindung der heute als Ruhestand oder Alter bezeichneten, von immer mehr Menschen immer länger erlebten und sich ausdehnenden, Lebensphase in gesellschaftliche Bezüge (in Arbeit, in Freizeit, in soziale Sicherung, in Gesundheitsversorgung, in soziales Geben und

Nehmen) künftig in einer für alle Beteiligten weitgehend akzeptablen und realisierbaren Weise funktionieren kann. Statt dessen befinden wir uns in einem Entwicklungs- und Erprobungsstadium zur Neukonturierung der Vergesellschaftung des Alter(n)s.

Gesellschaftlich betrachtet handelt es sich bisher um eine normative und instrumentelle Unbestimmtheit im Umgang mit dem Alter(n) bzw. um eine Übergangssituation zu neuen Vergesellschaftungsweisen des Alter(n)s (Backes 1997): Dabei ist eine Veränderung der institutionalisierten Lebensphase Alter ohne Rückwirkungen auf den Lebenslauf insgesamt nicht denkbar. Und diese weitreichenden Veränderungsprozesse bedeuten Herausforderungen auf allen gesellschaftlichen Ebenen bis hin zu alltäglichen Interaktionen und individuellen Handlungs- und Erlebensformen. Lebenslagen, nicht nur im Alter, sondern auch bereits während der vorangehenden Entwicklung im Lebensverlauf, sind in ihrer gesamten Spannbreite – angefangen von der materiellen Lage über die soziale Vernetzung und die Beschäftigungsformen bis hin zur physischen und psychischen Gesundheit – tangiert und verändern sich.

Zusammengefaßt: Durch die gesellschaftliche Entwicklung der letzten Jahrzehnte haben sich Lebenslagen und gesellschaftliche Bedeutung älterer und alter Menschen wie auch des Alters als Strukturmerkmal von Gesellschaft signifikant verändert. Die mit dem demographischen und Altersstrukturwandel verbundenen Modernisierungsprozesse bedeuten eine weitgehende gesellschaftliche Herausforderung und gehen mit institutionellen, interaktionsbezogenen und individuellen Anpassungserfordernissen und Entwicklungsaufgaben einher. Die Voraussetzungen der Lebenslagen im Alter gestalten sich neu und werden sich bei zukünftig älteren und alten Menschen gegenüber den heutigen Alterskohorten nachhaltig verändern. Dies hat Folgen, die über vielschichtige Veränderungen der Infrastruktur von Versorgung und Einbindung des Alters und Alterns bis hinein in eine den veränderten Bedingungen und Problemlagen angemessene Entwicklung und Gestaltung psychotherapeutischer Angebote reichen. Generell stellt sich als gesellschaftliche Entwicklungsaufgabe – als »gesellschaftliches Problem« (Backes 1997) – die Frage, wie die sich neu konturierende Lebensphase Alter mit veränderten Lebenslagen in gesellschafts- und das heißt vor allem auch generationenverträglicher Weise integriert werden kann.

Zentrale Dimensionen der Modernisierung des Alter(n)s

Die in den letzten Jahren zu beobachtende Veränderung der gesellschaftlichen Bedeutung älterer und alter Menschen und ihrer Lebenslage wird vor allem durch zwei Strukturentwicklungen bestimmt, den demographischen Wandel und den Strukturwandel des Alter(n)s. Beide hängen eng zusammen und tragen dazu bei, daß die wachsende Gruppe älterer und alter Menschen in zunehmendem Maße auf Gesellschaft und Lebenslagen jüngerer Altersgruppen einwirkt (vgl. Clemens 2001a). Deutlich wird dies vor allem an den bekannten Entwicklungen der Renten-, Kranken- und Pflegeversicherung, bei denen letztlich Verteilungskonflikte zwischen den Generationen unter sich verändernden gesellschaftlichen Bedingungen deutlich werden.

Die demographische Entwicklung der letzten Jahrzehnte hat dazu geführt, daß dem Alter bei uns kein Seltenheitsstatus mehr zukommt, daß statt dessen eher von einer »alternden Gesellschaft« gesprochen wird. Die demographischen Strukturen werden durch ein deutliches Absinken des Anteils von Kindern und Jugendlichen (bis unter 18 Jahre) bestimmt. Seit Beginn des vorigen Jahrhunderts hat sich ihr Anteil mehr als halbiert: von ca. 44% im Jahr 1900 über fast 22% im Jahr 1995 wird er aller Voraussicht nach auf ca. 15% im Jahr 2040 weiter sinken. Gleichzeitig hat sich der Anteil der über 65jährigen Menschen von ca. 5% im Jahr 1900 auf fast 16% im Jahr 1995 mehr als verdreifacht und wird voraussichtlich bis zum Jahr 2040 auf über 30% steigen (Backes/Clemens 1998, S. 34). Neben den Fortschritten hinsichtlich einer abnehmenden Alterssterblichkeit (immer mehr Menschen werden immer älter) hat die sinkende Geburtenhäufigkeit für die demographische Struktur der Bevölkerung eine herausragende Bedeutung. Bislang ist sie die Hauptursache für den zunehmenden Anteil älterer und alter Menschen an der Bevölkerung. Neben diesem relativen Wachstum des Alters hat auch die absolute Zahl älterer und alter Menschen mit steigender Tendenz zugenommen. Hinzu kommt – als drittes Merkmal des Alterns der Gesellschaft – die Zunahme der Hochaltrigkeit, womit i. d. R. die über 80-Jährigen gemeint sind. Dies verweist auf einen wachsenden Anteil der sehr alten Menschen innerhalb der Gruppe der über 60- bzw. 65-jährigen. So haben bereits zwischen 1950 und 1985 in der alten Bundesrepublik die Bevölkerungsanteile der 75- bis 80-Jährigen um 152% zugenommen, der 80- bis 85-Jährigen um 240%, der 85- bis 90-Jährigen um 378% und der 90-Jährigen und Älteren um 830% (Rückert 1992, S. 11). Dennoch werden diese Bevölkerungsanteile in sozialstatistischen Erhebungen noch selten hinreichend differenziert.

Innerhalb dieses demographischen Kontextes und weiterer übergreifender Wandlungsprozesse der Gesellschaft, etwa der Technikentwicklung der Globalisierung und Entwicklung des Arbeitsmarktes, entfaltet sich der viel zitierte »Strukturwandel des Alters« und gewinnt eine besondere Bedeutung nicht nur für das Alter, sondern für den Lebenslauf, für Prozesse der Verteilung von Arbeit und Chancen hinsichtlich der Lebensqualität. Dieser Strukturwandel des Alters wird durch Entwicklungen gefaßt, die Tews (1993) als Verjüngung, Entberuflichung, Feminisierung und Singularisierung des Alters sowie Hochaltrigkeit bezeichnet.

Verjüngung und Entberuflichung hängen eng zusammen: Das »altersbedingte« Ende der Erwerbsarbeit findet zunehmend bereits in der zweiten Hälfte des 6. Lebensjahrzehnts statt, zum Teil – vor allem im Rahmen sog. Sozialpläne, etwa in der Stahlindustrie oder im Bergbau – sogar noch früher. Die an den Übergang in den Ruhestand gekoppelte gesellschaftliche Altersdefinition bezieht sich auch auf dieses »sich verjüngende« Alter. Auf der anderen Seite nimmt die Lebenserwartung weiter zu, immer mehr Menschen werden – zur Zeit noch – immer älter. Diese Ausdehnung der Lebenserwartung läßt uns heute von Hochaltrigkeit bzw. den Hochbetagten oder Hochaltrigen sprechen. Und mit zunehmendem Alter handelt es sich zu einem immer höheren Anteil um alleinlebende und alleinstehende Frauen: Hochaltrigkeit, Feminisierung und Singularisierung hängen eng zusammen.

Die Lebensphase Alter hat sich also in beide Richtungen ausgedehnt und erfordert und entwickelt damit eine Binnendifferenzierung. Es kommt zu sehr unterschiedlichen Lebenslagen in sich deutlich unterscheidenden, wenn auch nicht chronologisch oder kalendarisch eindeutig zu bestimmenden, »Phasen« des Alters. Das Spektrum reicht vom gesellschaftlich nach wie vor stark eingebundenen, aktiven »jungen Senior«, der sich selbst keineswegs als »alt« definieren würde, über den eher im unmittelbaren sozialen Umfeld sich bewegenden alten Menschen bis hin zur hochbetagten allein oder im Heim lebenden Frau mit stark eingeschränkten gesundheitlichen und materiellen Lebenslagebedingungen.

Die in dieser Form gewandelte Altersstruktur bildet den Rahmen für die veränderten Lebenslagen im Alter: Materielle Absicherung und Ausstattung, z. B. des Wohnens, Art und Entwicklung der Beschäftigungsformen in und außerhalb der Familie und des privaten Umfelds, der sozialen

Einbindung und Vernetzung – womit auch Hilfepotentiale einhergehen – sowie gesundheitliche Lage und entsprechende Versorgung hängen wesentlich von der Frage ab, wo der ältere oder alte Mensch innerhalb der vielschichtig differenzierten Lebensphase Alter steht. So macht es einen erheblichen Unterschied, ob es sich beispielsweise um eine 90-jährige alleinstehende und alleinlebende Frau handelt – Zusammentreffen der drei Strukturdimensionen Feminisierung, Singularisierung und Hochaltrigkeit – oder ob es sich um einen 58-jährigen, vorzeitig aus dem Erwerbsleben ausscheidenden Mann handelt, mit guter Absicherung und intakter sozialer Einbindung, mit nachberuflichen Tätigkeitsformen, die ihn auch außerhalb seiner Familie beschäftigen und ihm soziale Kontakte ermöglichen.

Auch an diesen Beispielen wird deutlich: Ein weiteres zentrales Element der veränderten Lebensphase Alter stellt deren immer breitere sozialstrukturelle und individuelle Ausdifferenzierung dar. Der mit der Modernisierung unserer Gesellschaft einhergehende Prozeß der Individualisierung hat ebenso wie der einer weiteren Pluralisierung der Lebensformen bereits jetzt nicht vor dem Alter halt gemacht (vgl. Backes 1998). Diese Entwicklung wird mit den ins Alter hineinwachsenden Kohorten noch an Bedeutung gewinnen. Die Folge dokumentiert sich in einer »Entstrukturierung« der Altersphase, eine Entwicklung, die auch für andere Lebensphasen – wie z. B. die der Jugend – konstatiert wird. Alter existiert nicht mehr nur als Strukturprinzip per se, sondern vielmehr auch als mehr oder weniger direktes Produkt einer bestimmten gesellschaftlichen Praxis, die – in sozial ungleicher Weise – individuelle Gestaltungsspielräume eröffnet. Es gibt zwar strukturgebende Muster, vor allem des Sozialstaats, doch diese haben an prägender Kraft eingebüßt – z. B. durch eine Pluralisierung der Rentenzugangsformen als Vielzahl von »Pfaden« in den Ruhestand, die eine »Ausfransung« des traditionellen Beginns der Lebensphase Alter hervorgerufen haben (s. auch Verjüngung und Entberuflichung des Alters). Oder die Muster orientieren sich stärker auf die späte Lebensphase hin – wie die wohlfahrtsstaatlich geprägten Maßnahmen der Altenhilfe oder der Pflegeversicherung (s. zunehmenden Bedarf aufgrund der wachsenden Hochaltrigkeit und Singularisierung des Alters).

Die bisher weitgehend sozialstaatlich und sozialpolitisch bestimmte Lebensphase Alter steht in ihrer normativen und materiellen Fundierung vor einem grundlegenden Wandel. Nach Einschätzung von Experten sozialstaatlicher Entwicklung mehren sich die Zeichen, daß wir am Ende der Periode eines sozialpolitisch umfassend regulierten Alters stehen. Der

Zwang zur Strukturveränderung des heutigen Leistungsspektrums wohlfahrtsstaatlicher Politik könnte als eine beginnende Deregulierung der langen Periode des regulierten und damit sozialstaatlich strukturierten Alters verstanden werden.

Eine kollektiv ausgeprägte Lebensphase Alter, historisch gesehen allerdings nur tendenziell vorhanden, zerfällt zunehmend in plurale Verlaufs- und Existenzformen und verschiedenartige Zeitstrukturen. Entscheidende Differenzierungen ergeben sich aus der wachsenden disponiblen Lebenszeit von Individuen, basierend auf Verschiebungen kollektiver Lebenszeitregimes und der verstärkten Beschleunigung linearen Zeiterlebens. Zusätzlich differenzierend wirken im Alter lebensgeschichtliche Entwicklungen sozialer Ungleichheit ebenso biologische und psychische Grundbefindlichkeiten (siehe Schelsky 1965, S. 199).

Nicht unwichtig ist in diesem Zusammenhang die Auswirkung der Geschlechtszugehörigkeit: Frauen weisen heute bekanntermaßen eine mehr als sechs Jahre längere Lebenserwartung auf. Auch in Zusammenhang mit den »anderen« weiblichen Lebens- und Arbeitsverläufen – bei jetzt alten Frauen noch eher Orientierung am traditionalen Modell der Arbeitsteilung und entsprechend ihre primäre Zuständigkeit für Familie und reproduktive Bereiche – trägt dies zu Wahrnehmungs- und Wertekonstellationen bei, die das Alter zusätzlich entstrukturieren (vgl. Clemens 1997; Backes 2001). Die Länge der Lebensspanne muß nicht mit einer qualitativ guten oder zumindest befriedigenden Ausprägung der Lebenslage im Alter verbunden sein; und dies zeigt sich insbesondere bei heute alten und hochbetagten Frauen. So sind nach Ergebnissen der Alternsforschung (z. B. der »Berliner Altersstudie«; vgl. Mayer/Baltes 1996) alte und sehr alte Männer als selegierte Gruppe im Durchschnitt vitaler und gesünder als gleichaltrige Frauen. Erst in der Betrachtung verschiedener Variablen wie Geschlecht, Lebenserwartung und sozialstruktureller Ungleichheit sind die beträchtlichen Unterschiede individuellen Alterns zu erkennen. Lebenslang wirksame soziale Chancen führen heute zu einer Geschlechterhierarchie hinsichtlich der Lebenslagen im Alter, und zwar zuungunsten der Frauen.

Entsprechend kann Altern nicht als einheitlicher Prozeß, sondern muß als sozial höchst differenzierter und individuell höchst differentieller Vorgang mit biologischen, psychischen und sozialen Verläufen verstanden werden, der sich in sozialer Ungleichheit der Lebensverläufe und Lebenslagen im Alter – nach Geschlecht, aber auch nach sozialer Schicht/Klasse, nach Kohorte, nach Region, nach Nationalität etc. – manifestiert. Deutlich wird das differentielle und sozialstrukturell ungleiche Altern, wenn bei Untersuchungen eine bestimmte Gruppe z. B. nach einem demographischen Merkmal ausgewählt wird: Eine Analyse der Lebenslage älter werdender und älterer Singles ergibt eine Vielzahl von Lebensmustern und Differenzen in den unterschiedlichen Lebenslagedimensionen, so etwa Gruppen mit hohem Einkommen, sehr guter sozialer Vernetzung und guter Gesundheit im Vergleich zu Gruppen mit hoher Bildung, aber geringem Einkommen, schlechter Wohnlage und deutlich beeinträchtigter Gesundheit und sozialer Netze (Reichert/Naegele 1999, S. 410f.).

Aus den Analysen der Lebenslage im Alter ergeben sich biographische und kohortenspezifische Bedingungen – etwa Geborensein und Aufwachsen als sog. Kriegskind – für eine ›Entstrukturierung‹. Alter bedeutet hier z. B. die Zugehörigkeit zu einer Geburtskohorte, deren Folgen sich in der wirtschaftlichen und sozialen Lage wie auch im psychischen und gesundheitlichen Befinden älterer Menschen ausformen (Höpflinger/Stuckelberger 1999, S. 19f.). Biographie erzeugt eine weitere Ausdifferenzierung von Kohortenlagen im Alter; Individualität in späteren Lebensphasen ist zu sehen als Fortsetzung der Individualisierung in früheren Lebensphasen, die sich in stärker differenzierenden Lebenslagen und Lebensstilen im Alter auswirken und vor allem zukünftig auswirken werden.

Ein weiteres mit dem demographischen und altersstrukturellen Wandel einhergehendes Merkmal des sozialen Wandels betrifft Veränderungen der Altersschichtung bzw. Altersstrukturierung der Gesellschaft (Riley et al. 1988). Eine sich ändernde Altersstruktur mit spezifischer Ausprägung der Lebensphase Alter erzeugt Folgeprobleme auf allen gesellschaftlichen Ebenen. Damit stehen neue Vergesellschaftungsformen des Alters und Alterns an, die z. T. nur in Ansätzen zu bewältigen sind und sich als »gesellschaftliches Problem« charakterisieren lassen (Backes 1997). Altern bestimmt zunehmend die Gesellschaftsentwicklung, die wiederum auf die Lebenssituation im Alter zurückwirkt. Wenn z. B. die Angehörigen der geburtenstarken Jahrgänge, etwa der 1950er Jahre in Deutschland, ins Alter hineinwachsen, während ihnen gleichzeitig Angehörige geburtenschwacher Jahrgänge im erwerbsfähigen Alter gegenüberstehen, so kann dies zu sozialen Spannungen beitragen, die sich in der Sozialpolitik und im alltäglichen Leben niederschlagen. Es ergeben sich Interdependenzen, die sich z. B. in der aktuellen Diskussion um Wirtschafts- und Rentenentwicklung manifestieren. Andererseits zeigen sich auch Beharrlichkeiten – z. B. im Generationenverhältnis –, die mit dem Bild einer individualisierten Gesellschaft weniger zusammenpassen.

Insgesamt zeigt sich: Die Lebensphase Alter befindet sich in den letzten Jahrzehnten in einem weitreichenden Strukturwandel, der sowohl von der demographischen Entwicklung als auch von zahlreichen qualitativen Veränderungen der Lebenslagen und Lebensstile geprägt wird (vgl. Tews 1993; Tokarski 1998). Ein Ergebnis dieses Wandels ist die zunehmende Unbestimmtheit des Alters zwischen sozialstaatlichem Wandel und einer auch das Alter inzwischen prägenden Individualisierung und Pluralisierung der Lebensformen. Zur Analyse des Alters und von Lebenslagen im Alter sind individuelle Voraussetzungen, Beziehungsstrukturen und sozialstrukturelle Bedingungen der verschiedenen Gruppen älterer und alter Menschen einzubeziehen. Es müssen also individuelle und kollektive Entwicklungs- und Selektionsprozesse bis ins höhere Alter hinein Berücksichtigung finden.

Alter enthält somit neben der biologischen und psychischen Dimension grundsätzlich auch eine soziale und soziohistorische Ausprägung (Ehmer 1990). So verweisen Höpflinger und Stuckelberger (1999, S. 19ff.) auf zentrale Aspekte, die z. B. bei der Analyse von Lebenslagen im Alter hinsichtlich der prozessualen und selektiven Wirkungen von Altern im soziohistorischen Kontext zu berücksichtigen sind:

- Bedeutsam sind die Auswirkungen der Kohortenzugehörigkeit auf die Lebenslage, das individuelle Befinden und Verhalten oder Einstellungen älterer Menschen. Generationenwandel und zeitgeschichtliche Entwicklungen dürfen nicht mit altersspezifischen Veränderungen verwechselt werden.

- Alter als Synonym für Lebensdauer hat besonders dort Auswirkungen, wo es um irreversible soziale, psychische und gesundheitliche Prozesse geht, z. B. bei der Zunahme von Witwenschaft oder hirnorganischen Störungen mit zunehmendem Alter. In der modernen Gesellschaft tragen die meisten zeitbezogenen Prozesse zu einer verstärkten Heterogenität bei.

- Die enge Verbindung von Alter und lebenszyklischen Entwicklungen verweisen auf Statuspassagen und lebenskritische Ereignisse. Zu denken ist dabei an die Verrentung, Verwitwung, Erkrankung und Pflegebedürftigkeit. Die sich im Alter häufenden lebenszyklischen Ereignisse betreffen Frauen anders und häufiger als Männer.

- Alter als ein Indikator für Überleben wirkt besonders in höheren Altersgruppen und betont die soziale Selektivität und geschlechtsspezifische Überlebenswahrscheinlichkeit. Mit steigendem Lebensalter verändert sich so die interne Homogenität und soziale Zusammensetzung der Alterskohorten.

Als vorläufiges Resümee ist festzuhalten, daß die Lebensphase Alter und die Lebenslagen älterer und alter Menschen derzeit einem tiefgreifenden gesellschaftlichen Wandel unterworfen sind. Mit Hilfe des entwickelten – nicht bloß in seiner deskriptiven, sondern auch in seiner analytischen Kompetenz genutzten – Lebenslagekonzepts (Hradil 1987) läßt sich dies weitergehend untersuchen.

Lebenslagen des Alter(n)s im Wandel

Im Kern bezieht sich das Lebenslagekonzept auf die dialektische Beziehung zwischen »Verhältnissen« und »Verhalten« (Amann 2000; Clemens 1994; Backes 1997a; auch Weisser 1966). Lebenslagen sind ebenso Ausgangsbedingungen wie auch Produkt menschlichen Handelns:

> »Lebenslagen sind in ihrer Strukturiertheit Ergebnis des allgemeinen gesellschaftlich-historischen Entwicklungsprozesses, sie sind zugleich der die Deutungen und Handlungen der Subjekte strukturierende Lebens- und Existenzraum, in dem sich deren höchst unterschiedliche Bewußtseinsformen und -inhalte, Bedürfnisse, Erfahrungen, Fähigkeiten und Pläne herausbilden.« (Amann 1994, S. 323f.)

Da Lebenslagen gesellschaftlich produzierte Ungleichheit ausdrücken, sind damit auch Start- und Entwicklungschancen festgelegt, die im soziohistorischen wie im individuell-biographischen Verlauf formierend wirksam werden:

> »Lebenslage heißt einerseits die für aufeinanderfolgende Kohorten unterschiedliche Höhe und Verteilungsform des gesellschaftlichen Reichtums, der sozialen Chancen und der politischen Freiheiten sowie der kulturellen Potentiale, unter denen Menschen leben, und schließlich die auf diesem Hintergrund sich ergebenden tatsächlichen und potentiellen Zugangs- und Verfügungschancen im je individuellen Fall (über Einkommen und Vermögen, Arbeit und Bildung, Leistungen und Rechte und Deutungs- und Interpretationsmöglichkeiten hin bis zu Ideologien und Theorien über die eigene soziale Existenz und ihre Voraussetzungen); Lebenslage heißt aber auch der Spielraum, den die einzelnen innerhalb

> dieser Verhältnisse zur Gestaltung ihrer Existenz potentiell vorfinden und tatsächlich verwerten und in denen sich Chancen als strukturierte Wahlmöglichkeiten, als Dispositionsspielräume darstellen.« (Amann 2000)

Die mit der jeweiligen Lebenslage verbundenen Handlungsspielräume verweisen auf die gesellschaftliche Bedingtheit von Interessenentfaltung und -befriedigung. Damit sind nicht nur materielle Grundvoraussetzungen wie Einkommen und Vermögen gemeint, sondern auch die gesellschaftlichen Rahmenbedingungen zur Förderung bzw. Begrenzung individueller Entwicklungsmöglichkeiten. Amann (2000) stellt die Frage, wie eine Reproduktion der Lebenslagen und zugleich ihre Veränderung vorstellbar sind. Er betont vier fundamentale Kategorien, aus denen die Erzeugung dieser Prozesse abgeleitet werden können: Arbeit, Alter, Geschlecht und Staat/Recht.

In Hinsicht auf Lebenslagen im Alter sind offensichtlich nicht nur die materielle und finanzielle Versorgung älterer und alter Menschen relevant. Bedeutsam sind vor allem auch die immateriellen Dimensionen der Lebenslage, wie familiäre und weitere verwandtschaftliche Beziehungen, soziale Netzwerke und besonders die gesundheitliche Disposition der Betroffenen, aber auch normative und kulturspezifische Zuschreibungen von Alter. Außerdem spielt die subjektive Seite der individuellen Existenz eine bedeutsame Rolle, nämlich die im Sozialisationsprozeß erworbenen Fähigkeiten, in einem komplexen, sich wandelnden sozialen Lebens- und Arbeitsraum mit sachlich, zeitlich und normativ strukturierten Handlungsmöglichkeiten zu wählen und sich zu entscheiden. Wahrnehmungs- und Handlungsweisen von Individuen sind untrennbar mit Prioritäten und Spielräumen verbunden, die in den Bereichen (Erwerbs-)Arbeit, Familie und sonstigen sozialen Beziehungen institutionalisiert sind und lebenszeitlich ausgeprägt wurden (Amann 2000).

Damit kommen für ältere und alte Menschen nicht nur biographische Erfahrungen mit diesen drei Bereichen in soziohistorischer Konstellation, sondern vor allem auch geschlechtsspezifische Ausprägungen dieser Erfahrungen in Betracht. Diese geschlechtstypische Differenzierung mit spezifischen Dispositonsspielräumen und Handlungskapazitäten verdeutlicht sich besonders in Statuspassagen und bei kritischen Lebensereignissen, aber auch in der Fähigkeit zur subjektiven Ausgestaltung objektiver Bedingungen der Lebenslage (Backes 2001).

Wie bereits deutlich wurde, sind die über Lebenslagen vermittelten unterschiedlichen Start- und Entwicklungschancen von Menschen nicht nur sozialstrukturell – nach Klasse bzw. Schicht – , sondern auch kohortenspezifisch bestimmt. In der soziologischen Ungleichheits- und Lebensverlaufforschung wird seit längerer Zeit auf die durch Kohortenzugehörigkeit vermittelten und sich biographisch ausprägenden Lebenschancen verwiesen (z. B. Mayer/Blossfeld 1990; Mayer 1996). So waren die mit dem Geburtsjahrgang verbundenen Gelegenheitsstrukturen für Bildungs- und Ausbildungsprozesse – ausgeprägt über politische und wirtschaftliche Bedingungen, sozialpolitische Rahmung, Arbeitsmarktstrukturen, Kohortengröße, regionale Disparitäten, Geschlechterzugehörigkeit etc. – neben den unterschiedlichen Startchancen entscheidend für den Lebenslauf und die Arbeits- bzw. Erwerbsbiographie. In der Perspektive des Lebensverlaufs überlagern vor allem Geschlechtszugehörigkeit und regionale Herkunft (Ost-West) die grundlegenden sozialstrukturellen Bedingungen in spezifischer Weise und prägen die Lebenslage betreffender Altersgruppen (Backes/Clemens 2000).

Insgesamt lassen sich hinsichtlich der Lebenslagen älterer und alter Menschen sieben Bereiche unterscheiden, die durch unterschiedliche Handlungs- und Dispositionsspielräume gekennzeichnet sind (Naegele 1998, S. 110; auch Clemens 1994 und Backes 1997a):

1. der Vermögens- und Einkommensspielraum;

2. der materielle Versorgungsspielraum: Er bezieht sich auf den Umfang der Versorgung mit Gütern und Diensten, insbesondere des Wohnbereichs, des Bildungs- und Gesundheitswesens;

3. der Kontakt-, Kooperations- und Aktivitätsspielraum: Er betrifft die Möglichkeiten der Kommunikation, der Interaktion, des Zusammenwirkens mit anderen sowie der außerberuflichen Betätigung;

4. der Lern- und Erfahrungsspielraum: Er steckt die Möglichkeiten der Entfaltung, Weiterentwicklung und der Interessen ab, die durch Sozialisation, schulische und berufliche Bildung, Erfahrungen in der Arbeitswelt sowie durch das Ausmaß sozialer und räumlicher Mobilität und die jeweiligen Wohnumweltbedingungen determiniert sind;

5. der Dispositions- und Partizipationsspielraum: Er beschreibt das Ausmaß der Teilnahme, der Mitbestimmung und der Mitgestaltung in den verschiedenen Lebensbereichen;

6. der Muße- und Regenerationsspielraum sowie der Spielraum, der durch alternstypische psycho-physische Veränderungen, also vor allem im Gesundheitszustand und in der körperlichen Konstitution, bestimmt wird, und

7. schließlich der Spielraum, der durch die Existenz von Unterstützungsressourcen bei alternstypischer Hilfe- und Pflegeabhängigkeit aus dem familialen und/oder nachbarschaftlichen Umfeld bestimmt ist.

Auch die späte Erwerbstätigkeit und der Übergang in den Ruhestand sind als Fokus unter diesem Thema zu fassen, da sie für Alternsprozesse und eine Vielzahl von Handlungsdimensionen im weiteren Lebensverlauf entscheidende Bedeutung gewinnen können. In der sozialen Wirklichkeit überschneiden sich diese Handlungsspielräume. Ihre Nutzung ist auch an die erlernten Muster erfolgreichen Handelns und an Gewohnheiten des Wahrnehmens und Handelns gebunden.

Beispiele typischer Entwicklungsanforderungen und Konflikte im Alter

Im Zuge der skizzierten gesellschaftlichen und auf die Struktur des Alter(n)s bezogenen Wandlungsprozesse bilden sich innerhalb dieser durch die Lebenslage sich herausbildenden und auf sie bezogenen Handlungsspielräume zahlreiche konkrete Veränderungen der Lebenssituation älterer und alter Menschen ab. Es entstehen typische Entwicklungsanforderungen und Konflikte. Sie gehen häufig mit verstärkten oder neuen Herausforderungen an die individuelle Bewältigungskompetenz einher. Aufgrund ihres Umfangs und ihrer Komplexität können sie hier nur exemplarisch beschrieben werden:

Im »jungen Alter« steht die Bewältigung des immer häufiger zeitlich vorgezogenen Übergangs in den Ruhestand, der eher mit einer gesellschaftlichen Norm des gesellschaftlich aktiven, sich einbringenden »Unruhestands« belegt ist, im Vordergrund. Insbesondere die Handlungsspielräume (1.) bis (6.)

sind hier in der Regel tangiert. Die Kluft zwischen gesellschaftlich neuer Rollenzuschreibung und individuellem Alter(n)sempfinden wie Aktivitäts- und Kontaktbedürfnis ist vielfach relativ groß und muß durch individuelle Arrangements der neuen Lebensgestaltung überbrückt werden. Menschen in dieser Lebensphase stehen vor sehr unterschiedlichen Anforderungen, nicht nur von seiten einer noch oder nicht mehr vorhandenen Einbindung in Erwerbsarbeit oder sonstige außerfamiliale Tätigkeitsbereiche und soziale Netze. Sie haben u. U. noch Kinder mit zu versorgen, zumindest finanziell zu unterhalten, und werden auf der anderen Seite bereits von hilfe- und pflegebedürftigen Eltern oder Schwiegereltern in Anspruch genommen.

Die Kunst des Ausbalancierens außer- und innerfamilialer Aufgabenbereiche – und dies angesichts des eigenen Älterwerdens – und des Verhinderns bzw. der Bewältigung zu hoher und auf Dauer z. B. die eigene Gesundheit verschleißender und für das eigene Alter eher negativer Belastungen wird vor allem heute älteren und alten Frauen abverlangt (Backes 1994/1998a). Bei ihnen kommen aufgrund der vorherrschenden geschlechtsspezifischen Normen wie auch Strukturen der Arbeitsteilung sowohl im jungen als auch im hohen Alter besondere Belastungen zustande. Diese führen vielfach zu einer erheblich eingeschränkten Lebenslage im gesamten Spektrum der o. g. Handlungsspielräume (typische Konstellationen und empirische Belege Backes 2001).

Obwohl diese Belastungen häufig jahrelang unter Nicht-Beachten eigener sozialer, körperlicher, emotionaler und psychischer Grenzen getragen werden, kommt es dennoch vielfach gerade bei den entsprechenden Frauen – seltener auch Männern – zu Schuldgefühlen, wenn sie nicht allen Anforderungen genügen können bzw. dies selbst so einschätzen. Hieraus können sich für ihre Lebenslage bis hin zur physischen und psychischen Gesundheit zusätzlich negative Folgen ergeben. Zur Verhinderung, bzw. zum sekundärpräventiven Abfangen eines solchen Prozesses, und erst recht zur Bearbeitung der Folgen bedarf es vielfach auch einer angemessenen Psychotherapie, die jedoch i. d. R. nicht angeboten wird (Radebold 1997, 1998; Bäurle et al. 2000).

Im hohen Alter entwickelt sich für Frauen häufig eine Situation, die sie durch ihr Engagement für andere Familienmitglieder bei diesen verhindern oder mildern konnten. Sie leben allein und sind bei zunehmender gesundheitlicher Beeinträchtigung und nachlassender Selbständigkeit auf Hilfe durch Dritte außerhalb des verwandtschaftlichen Kreises angewiesen. Ein großer Anteil hochaltriger Frauen muß – nach dem sukzessiven Verlust naher Angehöriger und Freunde, des Partners, u. U. auch von

Kindern – die eigene Hilfebedürftigkeit bei Alleinleben und das Angewiesensein auf Fremde bewältigen. Während z. B. die Kontakt- und Kooperationsspielräume im 6. und 7. Lebensjahrzehnt bei vielen Frauen heute durch die beschriebenen vielschichtigen Belastungen beeinträchtigt sind, setzt sich dies im 8. und vor allem im 9. und 10. Lebensjahrzehnt mit anderen Vorzeichen fort. Kompensations- und Bewältigungschancen sind dabei sozialstrukturell und individuell biographisch bedingt ungleich verteilt (z. B. Dieck/Naegele 1993; Schmähl 1997).

Zusammenfassung

Im Mittelpunkt des Beitrags steht die Frage nach den primär gesellschaftlich bedingten Veränderungen des Alter(n)s im Kontext der Modernisierung: Demographischer und sozialstruktureller Wandel – und hier insbesondere der Strukturwandel des Alters und des Alterns –, sind in übergreifende soziale Wandlungsprozesse eingebettet. Dies hat zu weitreichenden für das Altern und Alter relevanten Veränderungen geführt – etwa in Familiengröße und Familienzyklus, in Generationenbeziehungen und Generationenverhältnissen – ; dieser Prozeß ist noch nicht beendet. Entgegen einer verkürzten und pauschalisierenden Diskussion in Öffentlichkeit und Politik ist diese Entwicklung jedoch nicht per se mit Ausgliederung, Abbau oder gar Verlust von Funktionen – etwa von Familie im Alter oder Eingebundensein des Alters in Gesellschaft – gleichzusetzen. Statt dessen eröffnen sich mit neuen Anforderungen an Gesellschaft, Institutionen, Interaktionen und Individuen jeweils auch neue Entwicklungsmöglichkeiten, scheinen z. B. emotionale und instrumentelle Funktionen des Alter(n)s, etwa in Generationenbeziehungen und in neuen außerfamilialen Tätigkeitsformen – wie materielle Unterstützung, aber auch Wissensvermittlung oder Zeit für Gespräche – hinzuzukommen. Eine Pauschalisierung verbietet sich auch aufgrund mit dem Alter eher zunehmender sozialstruktureller und individueller Differenzierungen. Die sich neu konturierenden und ausdifferenzierenden Lebenschancen und Lebenslagen wie Vergesellschaftungsweisen des Alter(n)s gehen mit veränderten Herausforderungen an individuelle Bewältigung des Alter(n)s und an Entwicklung älterer und alter Menschen einher. Dies führt im Rahmen unterstützender gesellschaftlicher Angebote auch zu einem verstärkten Bedarf an Angeboten der Psychotherapie, die sich auf diese neuen Lebenslagen einstellen und die Entwicklungschancen im Alter wahrnehmen.

Literatur

Amann, A. (1994): »Offene Altenhilfe« – Ein Politikfeld im Umbruch. In: Reimann, H. & Reimann, H. (Hg.): Das Alter. Einführung in die Gerontologie. 3. Aufl.: Enke (Stuttgart), S. 319–347.

Amann, A. (2000): Sozialpolitik und Lebenslagen älterer Menschen. In: Backes, G. M. & Clemens, W. (Hg.): Lebenslagen im Alter. Gesellschaftliche Bedingungen und Grenzen. Leske+Budrich (Opladen), S. 53–74.

Backes, G. M. (1994): Balancen pflegender Frauen – zwischen traditioneller Solidaritätsnorm und modernen Lebensformen. In: Zeitschrift für Frauenforschung 12, Heft 3, S. 113–128.

Backes, G. M. (1997): Alter(n) als gesellschaftliches Problem? Zur Vergesellschaftung des Alter(n)s im Kontext der Modernisierung. Westdeutscher Verlag (Opladen).

Backes, G. M. (1997a): Lebenslage als soziologisches Konzept zur Sozialstrukturanalyse. In: Zeitschrift für Sozialreform 43, Heft 9, S. 704–727.

Backes, G. M. (1998): Individualisierung und Pluralisierung der Lebensverhältnisse: Familie und Alter im Kontext der Modernisierung. In: Zeitschrift für Familienforschung 10, Heft 2, S. 5–29.

Backes, G. M. (1998a): Zwischen Erwerbsarbeit und häuslicher Pflege – Perspektiven der Vereinbarkeit für Frauen und Männer in Deutschland. In: Naegele, G. & Reichert, M. (Hg.): Vereinbarkeit von Erwerbstätigkeit und Pflege. Nationale und internationale Perspektiven I. Vincentz (Hannover), S. 107–124.

Backes, G. M. (2001): Lebenslagen und Alter(n)sformen von Frauen und Männern in den neuen und alten Bundesländern. In: Deutsches Zentrum für Altersfragen (Hg.): Lebenslagen, soziale Ressourcen und gesellschaftliche Integration. Expertisen zum Dritten Altenbericht der Bundesregierung. Leske+Budrich (Opladen), S. 11–115.

Backes, G. M., Clemens, W. (1998): Lebensphase Alter. Eine Einführung in die sozialwissenschaftliche Alternsforschung. Juventa (Weinheim/München).

Backes, G. M. & Clemens, W. (Hrsg.) (2000): Lebenslagen im Alter. Gesellschaftliche Bedingungen und Grenzen. Leske+Budrich (Opladen).

Bäurle, P.; Radebold, H.; Hirsch, R.; Studer, K.; Schmid-Furstoss, U. & Struwe, B. (2000): Klinische Psychotherapie mit älteren Menschen. Grundlagen und Praxis. H. Huber (Göttingen).

Clemens, W. (1994): ›Lebenslage‹ als Konzept sozialer Ungleichheit – Zur Thematisierung sozialer Differenzierung in Soziologie, Sozialpolitik und Sozialarbeit. In: Zeitschrift für Sozialreform 40, S. 14–165.

Clemens, W. (1997): Frauen zwischen Arbeit und Rente. Lebenslagen in später Erwerbstätigkeit und frühem Ruhestand. Westdeutscher Verlag (Opladen).

Clemens, W. (1999): Lebensverlauf und Alternsperspektive – Sozialstaatliche Prägung der Altersphase im Umbruch? In: Zeitschrift für Sozialreform 45, 6, S. 485–505.

Clemens, W. (2001): Ältere Arbeitnehmer im sozialen Wandel. Von der verschmähten zur gefragten Humanressource? Leske+Budrich (Opladen).

Clemens, W. (2001a): Stichwort: Alter. In: Zeitschrift für Erziehungswissenschaft 4, Heft 4, S. 489–512.

Dieck, M. & Naegele, G. (1993): »Neue Alte« und alte soziale Ungleichheiten – vernachlässigte Dimensionen in der Diskussion des Altersstrukturwandels. In: Naegele, G.; & Tews, H.P. (Hg.): Lebenslagen im Strukturwandel des Alters. Westdeutscher Verlag (Opladen), S. 43–60.

Ehmer, J. (1990): Sozialgeschichte des Alters. Suhrkamp (Frankfurt/M.).

Hradil, S. (1987): Sozialstrukturanalyse in einer fortgeschrittenen Gesellschaft. Westdeutscher Verlag (Opladen).

Höpflinger, F. & Stuckelberger, A. (1999): Demographische Alterung und individuelles Altern. Seismo (Zürich).

Mayer, K. U. (1996): Lebensverläufe und gesellschaftlicher Wandel. In: Behrens, J. & Voges, W. (Hg.): Kritische Übergänge. Statuspassagen und sozialstaatliche Institutionalisierung. Campus (Frankfurt/M.), S. 43–72.

Mayer, K. U. & Blossfeld, H.-P. (1990): Die gesellschaftliche Konstruktion sozialer Ungleichheit im Lebensverlauf. In: Berger, P. A. & Hradil, St. (Hg.): Lebenslagen, Lebensläufe, Lebensstile. Schwartz & Co. (Göttingen), S. 197–218.

Mayer, K. U., Baltes, P. B. (1996): Die Berliner Altersstudie. Akademie Verlag (Berlin).

Naegele, G. (1998): Lebenslagen älterer Menschen. In: Kruse, A. (Hg.): Psychosoziale Gerontologie. Band 1: Grundlagen. Hogrefe (Göttingen), S. 106–128.

Radebold, H. (Hg.) (1997): Altern und Psychoanalyse. Vandenhoeck & Ruprecht (Göttingen).

Radebold, H. (1998): Psychotherapeutische Behandlungsmöglichkeiten bei über 60-jährigen Menschen. In: Kruse, A. (Hg.): Psychosoziale Gerontologie. Bd. II: Intervention. Jahrbuch der Medizinischen Psychologie. Hogrefe (Göttingen), S. 155–167.

Reichert, M. & Naegele, G. (1999): Zur Lebenslage älter werdender und älterer Singles – ein Literaturüberblick. In: Zeitschrift für Sozialreform 45, H. 5, S. 394–418.

Riley, M. W.; Foner, A. & Waring, J. (1988): Sociology of Age. In: Smelser, N. J. (Hg.): Handbook of Sociology. Sage (Newbury Park, CA), S. 243– 290.

Rückert, W. (1992): Bevölkerungsentwicklung und Altenhilfe. Von der Kaiserzeit über das Jahr 2000 hinaus. KDA (Köln).

Schelsky, H. (1965[1959]): Die Paradoxien des Alters in der modernen Gesellschaft. In: Schelsky, H.: Auf der Suche nach Wirklichkeit.: Diedrichs (Düsseldorf), S. 198–220.

Schmähl, W. (1997): Armut und Reichtum. Einkommen und Konsumverhalten älterer Menschen. In: DIFF (Hg.): Funkkolleg Altern. Studieneinheit 13. Deutsches Institut für Fernstudienforschung (Tübingen).

Tews, H. P. (1993): Neue und alte Aspekte des Strukturwandels des Alters. In: Naegele, G. & Tews, H. P. (Hg.): Lebenslagen im Strukturwandel des Alters. Westdeutscher Verlag (Opladen), S. 13–42.

Tokarski, W. (1998): Alterswandel und veränderte Lebensstile. In: Clemens, W. & Backes, G.M. (Hg.): Altern und Gesellschaft. Leske + Budrich (Opladen), S. 109–119.

Weisser, G. (1966): Bemerkungen zur anthropologischen Grundlegung der für die Sozialpolitiklehre erforderlichen Lebenslage-Analysen. Vervielf. Manuskript (Köln).

Schöpferisch ins letzte Lebensdrittel

Grundzüge einer kreativitätsfördernden Psychoanalyse bei der Therapie älterer Menschen

Holdger Platta

1788, mit Datum vom 1. Dezember jenes Jahres, bekam ein Dresdener Konsistorialrat von einem schon zu dieser Zeit hochberühmten deutschen Schriftsteller einen Brief. Der evangelische Aufsichtsbeamte, 32 Jahre alt, hatte dem Autor geklagt, daß er so stark unter seinem mangelnden Einfallsreichtum leide, und den um drei Jahre jüngeren – höchst kreativen – Dichter um Hilfe gebeten. Die Antwort des befragten Freundes aus Leipzig lautete folgendermaßen:

> »Der Grund deiner Klage liegt, wie mir scheint, in dem Zwange, den dein Verstand deiner Imagination auflegt. Ich muß hier einen Gedanken hinwerfen und ihn durch ein Gleichnis versinnlichen. Es scheint nicht gut und dem Schöpfungswerke der Seele nachteilig zu sein, wenn der Verstand die zuströmenden Ideen, gleichsam, an den Toren schon, zu scharf mustert. Eine Idee kann, isoliert betrachtet, sehr unbeträchtlich und sehr abenteuerlich sein, aber vielleicht wird sie durch eine, die nach ihr kommt, wichtig, vielleicht kann sie in einer gewissen Verbindung mit anderen, die vielleicht ebenso abgeschmackt scheinen, ein sehr zweckmäßiges Glied abgeben: Alles das kann der Verstand nicht beurteilen, wenn er sie nicht so lange festhält, bis er sie in Verbindung mit diesen anderen angeschaut hat. Bei einem schöpferischen Kopfe hingegen, deucht mir, hat der Verstand seine Wache von den Toren zurückgezogen, die Ideen stürzen pêle-mêle herein, und alsdann erst übersieht und mustert er den großen Haufen. Daher Eure Klagen der Unfruchtbarkeit, weil Ihr zu früh verwerft und zu strenge sondert.« (vgl. Stein/Stein 1987, S. 25)

Mir scheint, diese Auskünfte aus dem späten 18. Jahrhundert sind zumindest in zweifacher Hinsicht von außerordentlicher Bedeutsamkeit. Zum einen formulierte der Dichter mit diesen Überlegungen vor mehr als zweihundert Jahren eine Erkenntnis, die auch aus der Sicht der heutigen Kreativitätsforschung noch in vollem Umfang Gültigkeit hat. Wer sich in der zeitgenössischen Literatur zu diesem Thema umschaut, weiß, daß damit Erkenntnisse zu Papier gebracht worden sind, die inzwischen auch empirisch als erwiesen gelten können (vgl. Csikszentmihalyi 1997; Gardner 1996, 1999; Guilford 1952; Torrance 1962, Weinert 1990). Humoristisch zugespitzt hat deshalb der US-amerikanische Psychologe Daniel Goleman dieser inneren Wachmannschaft, von der in dem Zitat die Rede ist, ein eigenes Kürzel verpaßt: SDK – »Stimme der Kritik«. Daniel Goleman: »Das größte Hindernis für ein kreatives Leben ist die innere Stimme der Skepsis und der Vorbehalte: die Stimme der Kritik, oder einfacher SDK« (vgl. Goleman 1997, S. 137). Zweifellos dürfte damit jenes Teilsystem in unserer Psyche umrissen sein, das von der Psychoanalyse als »Über-Ich« bezeichnet wird. Doch auch noch in einer anderen Hinsicht ist diese Briefstelle von ungebrochener Aktualität, und ich vermute, daß den meisten Lesern dies bereits beim ersten Lesen klar geworden ist.

Dieser Kreativitätstip besitzt selbstverständlich auch in der Psychoanalyse ihr klares Pendant: in der »freien Assoziation« nämlich des Patienten bei dem Analytiker oder der Analytikerin auf der Couch und in der »gleichschwebenden Aufmerksamkeit« auf Therapeutenseite. Das bedeutet: der Künstler und die Psychoanalyse bedienen sich im Grunde derselben Methode, und ich hoffe noch zeigen zu können, wie bedeutsam diese Übereinstimmung für mein Thema »Kreativität im Alter« ist.

Selbstverständlich gehe ich davon aus, daß vielen Lesern der zitierte Briefausschnitt nicht unbekannt ist. Jawohl, es handelt sich um die Antwort eines der berühmtesten Dichter deutscher Sprache aus dem 18. Jahrhundert, um die Antwort Friedrich Schillers an seinen Förderer und Freund Christian Gottfried Körner, der ihn im Jahre 1788 um diesen Rat gebeten hatte[1]. Bereits Sigmund Freud fügte dieses Zitat 1909 in seine »Traumdeutung« ein (vgl. Freud 1900, S. 123), hingewiesen auf diesen Schiller-Text von Otto Rank, und Sigmund Freud selber war es auch, der diese Parallele zur »freien Assoziation« der Psycho-analyse und zur »gleichschwebenden Aufmerksamkeit« zum erstenmal erläutert hat (vgl. Freud 1920, S. 253f., Freud 1900, S. 123 sowie Freud 1912a, S. 169ff.). Was aber, nun genauer gefragt, verstehen wir eigentlich unter Kreativität?

---

[1] Körner veröffentlichte diesen Briefwechsel 1874 in Berlin. Fälschlicherweise geben die Herausgeber den Sohn von Christian Gottfried Körner, nämlich Theodor Körner, in ihrem Namen- und Sachregister als Korrespondenzpartner an; dieser wurde jedoch erst 1791 geboren (vgl. Kindler-Literaturlexikon Bd. VI, S. 5648).

Nun, wie man sich vorstellen kann, haben die Künstler und Wissenschaftler höchst unterschiedliche Antwort auf diese Frage gegeben (vgl. Chasseguet-Smirgel 1988; von Hentig 1998; Höhler 1994; Kuhns 1986; Neumann 1995; Serve 1994; von Werder 1988; Westmeyer 1998; Winnicott 1985). Unmöglich also, an dieser Stelle auch nur einen Bruchteil dieses kreativen Tohuwabohus in Sachen Kreativität vor Augen zu führen. Aber: es gibt einen Kongruenzbereich dieser konkurrierenden Kreativitätsbegriffe, und um diesen gemeinsamen Kern fast[2] aller Kreativitätsdefinitionen soll es im Folgenden auch gehen, zunächst jedenfalls. Es liegt auf der Hand: das erste und wesentliche Bestimmungsmerkmal von Kreativität ist selbstverständlich die Produktivität. Ohne Produktivität, ohne Vergegenständlichung der menschlichen Schöpferkraft in Kompositionen und Kunstwerken, in Erfindungen oder Ideen, in Büchern oder auch realer Umgestaltung der Wirklichkeit bleibt Kreativität ein Versprechen, bestenfalls, oder ein Potential, mehr aber nicht. Und ebenso klar dürfte sein: je produktiver einer mit seiner Kreativität ist, desto kreativer ist er auch.

Aber wir alle spüren natürlich sofort: bloße Produktivität ist selbstredend noch lange nicht Kreativität. Wenn Produktivität nichts anderes als die ewige Repitition des Immergleichen ist, wenn bei dieser Art von Schaffenskraft am Ende immer wieder nur etwas Schon-Dagewesenes besichtigt werden kann, dann haben wir es ganz sicherlich nicht mit Produktivität im kreativen Sinne zu tun, und wir bemerken alle, daß wesentlich noch etwas anderes hinzugehört: Neuartigkeit oder Originalität. Indes: ist alles, was neu ist oder ›originell‹, auch ›gut‹ – anzuerkennen auch im substantiellen Sinn als Merkmal echter Kreativität?

Ich denke, auch an dieser Stelle dürfte die Antwort eindeutig sein: selbstverständlich nicht! Gesucht-Neues, Verstiegen-Originelles verrät nicht Originalität, sondern lediglich das Bemühen um sie. »Das Gegenteil von ›gut‹ ist ›gut gemeint‹«, hieß es schon bei Gottfried Benn dazu, und so stehen wir bei unserem dritten essentiellen Merkmal von Kreativität ebenso vor einem Erfordernis wie vor einem Problem: zu echter Kreativität gehört selbstverständlich auch die Qualität der gefundenen Einfälle hinzu.

---

2 Ausnahme: Westmeyer, der als »Konstruktivist« die Auffassung vertritt, daß es Kreativität als Eigenschaft/Fähigkeit von Menschen gar nicht gäbe, sondern lediglich als »relationaler Begriff« aufgefaßt werden dürfe: in ihm spiegele sich ausschließlich die Wertschätzung eines gesellschaftlichen »Feldes« für einen Künstler oder dessen Werke wider (vgl. Westmeyer 1998, S. 15).

Damit aber geht in diesen Sachbegriff der Kreativität unvermeidlich auch ein Wertungsaspekt ein. Das Urteil über den kreativen Charakter eines Werkes ist abhängig von dem intersubjektiven Diskurs, den eine – hoffentlich hochqualifizierte – Gruppierung innerhalb einer gegebenen Gesellschaft zu dieser Frage führt, mit all den Überschätzungen und Verkennungen, die oftmals typisch für diese Debatten sind. Psychoanalytisch betrachtet, kommt damit natürlich ein Über-Ich- und Beziehungsaspekt ins Spiel.[3]

Vermutlich wird aufgefallen sein, daß ich bislang von Kreativität nur in einem ganz bestimmten Zusammenhang sprach – von Kreativität in den Bereichen der Kunst. Klar ist, daß es Kreativität aber auch anderenorts gibt und daß dort, wir werden es gleich sehen, der bisherige Kreativitätsbegriff auch modifiziert werden muß. Produktivität, Originalität, Qualität, das sind die wesentlichen Merkmale von Kreativität im musischen Bereich. Die Formel könnte also lauten: je mehr Einfälle einer hat, je origineller und besser die daraus entstehenden Werke sind, desto kreativer ist er auch.

Doch bereits im Bereich der Wissenschaften und auf dem Gebiet der Erfindungen reicht dieser ›Drei-Satz‹ nicht aus: als August Kekulé in jener legendären Winternacht des Jahres 1865 vor seinem Kaminfeuer in Gent zum erstenmal die Vision vom »Benzolring« hatte, eines der ganz großen kreativen Ereignisse in der Wissenschaftsgeschichte des 19. Jahrhunderts, da ging es für den ›Entdecker‹ gleich nach dieser Vision um einen ganz anderen wichtigen Punkt: um die Verifikation dieses Einfalls.[4] Kurz : im Bereich der Wissenschaften – und auch der Erfindungen – gehört noch ein weiteres Kriterium zum Kreativitätsbegriff: das Kriterium der Richtigkeit. Erst die Realität entscheidet in diesem Bereich, ob ein echter Fall von Kreativität vorliegt – oder nur ein Irrtum.

Und noch einmal anders stellen sich die Dinge dar, wenn es um Kreativität im Alltagshandeln und beim Lösen individueller Probleme geht. Hier, so scheint mir, sind weitere Modifikationen erforderlich – auch wenn unser Ursprungsverständnis von Kreativität erhalten bleibt.

---

[3] Was den Beziehungsaspekt – insbesondere auch die beziehungsanalytische Dimension – betrifft, verweise ich hier vor allem auf die Publikationen von Thea Bauriedl.

[4] Siehe hierzu die Autobiographie des Wissenschaftlers (Anschütz 1929, Soldat 1993).

Zunächst: in diesem Bereich sollten wir eher von Aktivität sprechen, nicht nur spezifisch von Produktivität. Kreativ im Alltag oder beim Lösen eigener Probleme kann ein Individuum nur sein, wenn es etwas tut – und das meint selbstverständlich nicht vorrangig die Herstellung irgendeines Produkts. Außerdem an dieser Stelle schon: der hier vertretene Aktivitätsbegriff schließt ausdrücklich auch das geistig-seelische Handeln von Menschen mit ein.

Zum zweiten: auch der Begriff der Originalität verlangt für seine Anwendung hier eine ganz erhebliche Spezifikation. Als Begriff für ›Neuheit‹ bleibt dieser Begriff natürlich bestehen, aber es geht hier lediglich um subjektive Neuheit für den Betreffenden selbst. Und weiter: diese Neuheit muß Gültigkeit besitzen vor einem Maßstab, der dieser Persönlichkeit selber entstammt. Ich schlage an dieser Stelle deshalb den Begriff der Ich-Kongruenz vor, wobei unter »Ich« in dieser Begriffsbildung nicht die »Ich-Instanz« aus der zweiten Topik von Sigmund Freud verstanden wird (vgl. Freud 1923, S. 213ff.; Laplanche/Pontalis 1972, Bd. 1, S. 185ff.), sondern die positive Besonderheit eines Individuums insgesamt mit all seinen Eigenschaften.

Und schließlich schlage ich vor, den Begriff der Qualität, so wie wir ihn aus unserer Definition der musischen Kreativität kennengelernt haben, auszutauschen gegen die Begriffe der Problemlösungstauglichkeit – man könnte auch sagen: Funktionalität – und des persönlichen Wachstums.

Das bedeutet: wenn es ums Problemlösen im Altag geht, ist jeder Versuch als kreativ zu werten, der durch Aktivierung/Selbstaktivierung, durch Bewahrung der Selbstnähe und durch die Wahl einer tauglichen neuen Methode gekennzeichnet ist sowie durch Ausweitung der eigenen Möglichkeiten im persönlichen Umfeld. Immer dann, wenn Altes nicht mehr genügt oder Probleme nicht mehr mit alten Mitteln gelöst werden können, werden diese neuen – ichkongruenten, realitätstauglichen, wachstumsfördernden – Methoden erforderlich. Freilich:

Wenn wir von Alter reden, dem zweiten Thema dieser Überlegungen hier, und die ersten Assoziationen, die sich dazu einstellen, in Beziehung setzen zu diesem Verständnis von Kreativität, dann dürfte zuallererst wohl die folgende Auffassung vorherrschend sein: im Alter geht nicht nur ein Leben mit seinen Kräften allmählich zuende; nein, auch die menschliche Kreativität nimmt diesen spontanen Assoziationen zufolge im Alter kontinuierlich an Einfallsfülle und Originalität ab. Kreativität ist Anfang und Aufgang des Neuen, Alter eher Ende und Niedergang. Kreativität und Alter: in dieser ersten Perspektive also geradezu ein Widerspruch.

Ich halte diese Auffassung für eine mächtige Grundfantasie. Und ein Indiz für diese – in ihrer Totalisierung bislang offenkundig nur wenig reflektierte – Grundphantasie, die unsere Assoziationen zu Alter und Kreativität weit auseinanderrückt, glaube ich darin zu sehen, daß es – zumindest meinen Erkundungen nach – bisher keine einzige empirische Studie zur Kreativität im Alter gibt. Keiner der zur Zeit auf dem deutschen Buchmarkt lieferbaren rund 260 Titel zum Thema Kreativität befaßt sich mit Alterskreativität, kein einziger Titel, der in einer großen südniedersächsischen Universitätsbibliothek unter dem Stichwort Kreativität vorhanden ist, geht auf diese spezielle Fragestellung ein. Ohne Befund schließlich die genaue Durchsicht der Literaturverzeichnisse in den letzten großen Übersichtspublikationen zum Thema Kreativität! Ein Zufall nur? Oder Ausdruck einer Grundvermutung, die sich in dem Satz zusammenfassen ließe, die empirische Überprüfung von Alterskreativität lohne nicht, weil das vergleichbar wäre mit dem Versuch, ein Buch zu schreiben über die bisherige Teilnahme von achtzigjährigen Sportlern am olympischen 100-Meter-Lauf?

Trotzdem behaupte ich, auch mit dem Blick auf eigene empirische Untersuchungen[5] zu dieser Thematik: Altern und kreative Schaffenskraft stellen keine zwingenden Gegensätze dar. Natürlich: manches spricht dafür, daß viele Veränderungsprozesse, die für das Älterwerden im allgemeinen typisch sind, einer stabilen Kreativität und ihrer Förderung im Wege stehen. Das gilt bereits für jene Menschen, die bis dahin ungebrochen schöpferisch tätig gewesen sind. Das dürfte, so vermute ich, noch stärker von Bedeutung sein, wenn wir es mit Menschen zu tun haben, die bis dahin keiner kreativen Tätigkeit nachgegangen sind. Aber zwangsläufige Vernichtungsprozesse von Kreativität im Alter – sehen wir einmal von den schweren Erkrankungen ab – sind das eigentlich nicht. Gleichwohl: sehen wir uns einmal eine Reihe dieser Negativfaktoren an; nur durch Anerkennung, nicht durch Bestreiten kommen

---

[5] Noch unveröffentlicht; in diesen Untersuchungen am Beispiel von rund 1.200 Biographien habe ich zwei Momente zu überprüfen versucht: erstens den Zusammenhang zwischen Kreativität und Lebenserwartung; zweitens den Zusammenhang von Alter (n) und Kreativität. Die beiden ersten Ergebnisse: Kreativität und überdurchschnittliche Lebenserwartung scheinen positiv miteinander zu korrelieren; es gibt aber einen Rückgang an kreativer Leistung im Alter in quantitativer Hinsicht (= Anzahl/Umfang der Werke).

wir der Wahrheit auf die Spur. Danach dürfte zutreffend sein (Platta 1994):[6]

Der Zwangsrauswurf aus der Gesellschaft, als der von vielen Menschen die Beendigung ihres beruflichen Lebens wahrgenommen wird, der plötzliche Wegfall von Zielen; das Schwinden von verbleibender Lebenszeit und Zukunftsperspektiven, Probleme wie der Wegzug der Kinder, das Wegsterben von Lebenspartnern, von Freunden, Bekannten und Nachbarn. Die nicht aufzuhaltende Abnahme körperlicher und geistiger Leistungsfähigkeit – gleich, ob es um Sexualität geht, um Konzentrationsvermögen oder Gedächtnis, um Verständnis neuer Informationen und neuer gesellschaftlicher Entwicklungsprozesse und um die Frage schließlich nach der eigenen, auch körperlich verbliebenen Attraktivität – bürdet unvermeidbar noch jedem von uns eine Vielzahl von Problemen auf, die bewältigt werden müssen. Es dürfte klar sein, daß die Verarbeitung all dieser Probleme sehr viel Kraft verlangt – Kraft, die dann womöglich bei der Entwicklung neuer kreativer Lebensentwürfe fehlt – es sei denn, der Betroffene stellte selber zwischen beidem einen positiven Zusammenhang her und verfügte über die Voraussetzungen dafür. Und klar dürfte auch sein, daß die erwähnten Altersprobleme gerade bei ihrer psychischen Abwehr Kräfte bindet statt sie freizusetzen – um so mehr, wenn bei der Konfrontation mit diesen unausweichlichen Fakten und ihrer Verstoßung aus unserem Wachbewußtsein Maßstäbe und Selbstverurteilungsmechanismen am Werke sind, die – scheinbar durch vollkommenen Realismus geprägt – aus der Umwelt stammen. Sei es, wie es sei: psychologisch betrachtet, was die emotionalen Begleiterscheinungen dieser Prozesse im letzten Lebensdrittel betrifft, bedeuten Alter und Älterwerden für viele Menschen offenkundig abnehmendes Selbstwertgefühl und zunehmende Isolationsangst, abnehmende Sinngewißheit und zunehmende Depression, abnehmende Lebendigkeit, Frische und Neugier und wachsender Überdruß, der sich bis zu jenem »Lebens-Ekel« steigern kann, von dem schon Erik H. Erikson vor Jahrzehnten sprach (vgl. Erikson 1959, S. 118ff.). Dies alles aber sind keine positiven Vorbedingungen für Kreativität – und schon gar nicht positive Vorbedingungen für das Entstehen

[6] Den folgenden Abschnitten liegen vor allem eigene Beobachtungen zugrunde; zur empirischen Absicherung wurden zusätzlich herangezogen: Hirsch (1991) und Braun (1995); diese Sammelbände enthalten auch umfangreiches statistisches Material zu den hier benannten Problemen.

oder die Wiederentfaltung von Kreativität. Ohne Zweifel: viele Menschen verschwinden im Alter sozusagen aus ihrem eigenen Leben und landen stattdessen als Dauerkonsumenten vor ihrem Fernsehapparat.

Trotzdem noch einmal gefragt: trifft dieses Bild ganz zu? Und wenn ich dies frage, denke ich nicht so sehr an jenes gutgelaunte Gaga-Seniorentum, das es natürlich auch gibt (und gegen welches gar nichts zu sagen wäre, wenn es nicht so durchdrungen wäre von Unruhe und manischer Kompensation). Nein, im Auge habe ich eher den folgenden Umstand: bedeutet Alter – vor allem das Ende der Tätigkeit in abhängiger Beschäftigung und, eng damit verbunden, die objektive Auflösung alter Rollenvorschriften – nicht ebenso sehr – ich ergänze hier: potentiell jedenfalls! – den Eintritt in ein neues Reich der Freiheit? Endlich keine Fremdbestimmung durch das Berufsleben mehr, oft bis in mikroskopische Verhaltensnormierungen hinein? Endlich ein Leben ohne den vormaligen Zeit- und Leistungsdruck? Ohne die Konkurrenzkämpfe von einst und die frühere Abstiegsangst? Kurz: bietet sich vielen Menschen nicht erst im Alter wirklich die Chance – und wiederum sage ich: potentiell jedenfalls – , ein selbstbestimmteres Leben zu leben? Und: wäre nicht genau darin auch der Zusammenhang mit unserem Thema »Kreativität« zu sehen, die Alterskrise als schöpferische Krise mithin?

Noch einmal sei hier ausdrücklich betont: die neue Freiheit ist für viele Menschen nach dem Ende ihrer Berufstätigkeit nur ein leerer und zugleich öder Raum. Und dieser Raum spiegelt an Leere und Ödnis nur wider, was ein Arbeitsleben in Abhängigkeit in diesen Menschen an Ödnis und Leere geschaffen hat. Aber: ist es wirklich zu spät? Kann es tatsächlich ein kreativ gelebtes Alter nicht geben, bloß weil es kein kreativ gelebtes Vorleben gab?

Nun, sehe ich von zahlreichen eigenen Erfahrungen und Beobachtungen ab – seit vielen Jahren habe ich ja, gerade in puncto Kreativitätsförderung, auch mit älteren Menschen zu tun –, so denke ich an dieser Stelle vor allem an die »Zeitlosigkeit des Unbewußten«, von der Hartmut Radebold in seinem Buch *Der mühselige Aufbruch* sprach (Radebold/ Schweizer 1996, S. 237). Ich behaupte, diese These von der »Zeitlosigkeit des Unbewußten«, die ja auch Freud schon vielfach beschäftigt hatte, ist im Zusammenhang mit unserer Frage nach der menschlichen Kreativität in den späteren Lebensjahren von einem ganz besonderen Gewicht (vgl. Freud 1912b, S. 167; Freud 1913, S. 190). Es geht bei dieser »Zeitlosigkeit des Unbewußten« nicht nur um die untergründig nach wie vor existente Präsenz früherer Konflikte, deren Bearbeitung die Patienten und Therapeuten im

Verlauf einer Psychoanalyse immer wieder beschäftigen muß. Es geht ebensosehr, um ein Blochsches Wort zu benutzen, um die »unabgegoltenen Wünsche« aus der Vergangenheit (vgl. Bloch 1959). Nicht nur die Angstursachen und Verletzungen, die Schädigungen und Kränkungen bewahrt unser zeitloses Unbewußtes auf; auch unsere verschütteten Interessen, unsere ad acta gelegten Fertigkeiten, unsere stillgelegte Neugier und unsere Bedürfnisse, die wir glaubten, einem vernünftig gelebten Leben opfern zu müssen, auch diese positive Vergangenheit ist in der Dunkel- und Vorratskammer unseres Seelenlebens noch da. Kurz: noch im ältesten Menschen existiert ›irgendwo‹ die gesamte Fülle seiner früheren Lebendigkeit. Und der Weg dorthin zurück dürfte zum einen der psychoanalytisch-psychotherapeutische Heilungs- und Selbstheilungsprozeß sein und zum anderen, in enger Verbindung damit, ein Wiederverlebendigungsprozeß all dieser früheren Kräfte im Sinne eines kreativitätsfördernden Geschehens. Die »freie Assoziation«, wie wir sie aus dem Schiller-Zitat kennenlernten, dient potentiell also einem doppelten Zweck, der Problemverarbeitung und der Wiederbelebung dieser positiven Inhalte des Unbewußten in uns. Und das bedeutet für unser Thema hier:
Wenn im Alter die entscheidenden Fragen lauten:

1. Was möchte ich jetzt noch? Wieder? Erstmals?
2. Was davon kann ich noch realisieren? In welchem Ausmaß? Mit wem? Und:
3. Was hindert mich daran, es zu tun? Von außen her? Und innerlich?

Wenn das im Alter, wo es um dessen positive und kreative Neugestaltung geht, die entscheidenden Fragen sind, dann ist der Weg, der zur Beantwortung dieser Fragen führt, nicht nur der Weg zurück zu den alten ungelösten Problemen, sondern auch der Weg zurück zu den alten unabgegoltenen Wünschen! Nicht nur ›negativ‹, sondern auch ›positiv‹ ist dieser Wiederanschluß an die eigene Vorzeit erforderlich. Und damit stehen wir, wie ich finde, vor einem höchsterfreulichen Paradox: Was an neuen Lösungen für die Probleme im Alter gefragt ist, das findet sich in etwas Altem wieder und kann wieder lebendig werden in der Gestalt eines ich-kongruenten Selbstaktivierungsgeschehens. Und Wachstum, wie ich sagte, stellt diese Entwicklung dar, weil es dafür einen soliden Boden gibt, die Basis der früheren Wünsche, aus denen neues Leben hervorzutreiben vermag. Der Baum, der da auf gutem Grund wächst, wächst nicht bis in den Himmel hinein, aber er wächst – und das ist das Entscheidende. Wer wie ich in meinen Werkstattgruppen miterleben konnte , wie beglückend diese Erfahrung des eigenen Wachstums gerade für ältere Menschen zu sein vermag, der weiß, wie bedeutsam diese neuen Entwicklungen auf dem Boden der alten Wünsche sind. Und wenn wir es genauer sehen: schon bei den Künstlern kam ja mit dem Begriff der Originalität diese subjektive Selbstorientierung ins Spiel.[7] Konkreter gesagt: die »eigene Handschrift« gefunden zu haben, vorgestoßen zu sein zu dem ganz eigenen unverwechselbaren Personalstil, das stellt bereits für den Künstler das große kreative Durchbruchserlebnis dar. Wenn das aber schon dort gilt, im Bereich der Künste – wo es beileibe nicht nur um»Selbstfindung« geht! –, um wieviel mehr dürfte das gelten in jenem Bereich, wo es um ichkongruente Gestaltung des eigenen Lebens im Alter und Alltag geht!? Kurz: wenn ich von kreativen Chancen und Erfordernissen im Alter eines Menschen spreche, könnte ich auch davon reden, daß es für ihn womöglich erstmals darum geht, den wirklichen »Personalstil« seines eigenen Lebens zu entdecken! Ein schöpferischer Umgang mit den Problemen des Alters, scheint mir, ist ohne diese Selbst(wieder)verknüpfung nicht vorstellbar! Und deshalb wiederspreche ich an dieser Stelle auch Erik H. Erikson, der in seinem Modell der Lebensphasen resignierend davon gesprochen hat, daß es im Alter nur um eines noch gehen könne: zu »sein, was man geworden ist« (vgl. Erikson 1971 S. 215). Ich möchte dem gern meinen Satz gegenüberstellen: daß man auch im Alter immer noch »zu werden vermag, was man (unbewußt) immer schon war«. Was bei Erikson praktisch nicht vorkommt, wenn er vom Alter spricht – Entwicklung (ein Hauptwort dieser Buchveröffentlichung hier) –, das kann es auch im Alter geben. Meine eigenen Beobachtungen jedenfalls bestätigen mir dies.

Nun vermute ich, daß solches bei vielen älter werdenden Menschen ohnehin geschieht. Viele zeigen auch nach ihrer Verrentung oder Pensionierung noch die Fähigkeit zur Umorientierung und Flexibilität, zur Wiederbelebung alter Fähigkeiten und zur Erstendeckung völlig neuer Interessen. Und vollkommen sicher bin ich auch, daß derlei bei vielen Patientinnen und Patienten in psychoanalytisch-orientierten Therapien geschieht. Doch typisch ist dies für die Lebensgestaltung älterer Menschen

[7] Schon die Etymologie des Begriffes »Originalität«zeigt uns das ja: »Originalität« geht auf das lateinische »origo« – »Ursprung« zurück, der ja, zeitlich betrachtet, in einem Früheren angesiedelt ist (und topisch, können wir aus psychoanalytischer Sicht ergänzen, in einem »Inneren«, dem Unbewußten).

nicht. Und: auch ein Blick auf die psychoanalytische Therapie von älteren Menschen könnte in dieser Hinsicht vielleicht noch Neues zutagefördern. Deshalb mögen die folgenden Schlußüberlegungen auch als Fragen verstanden werden, nicht als selbstgewisse Behauptungen mit absolutem Wahrheitsanspruch. Im Hintergrund steht das Problem, ob die zeitgenössische Psychoanalyse als Therapieform schon genügend von der zeitgenössischen Kreativitätsforschung zur Kenntnis genommen hat und ob diese Resultate der zeitgenössischen Kreativitätsforschung schon Eingang gefunden haben in ihre Behandlungsmethoden – gerade im Blick auf die älteren Menschen, bei denen es ja nicht nur um die Auflösung alter Konflikte, sondern auch um die Gestaltung grundlegend neuer Lebensentwürfe geht.

Die klassische Psychoanalyse scheint mir, in ihrer systematischen Dimension, vor allem durch die folgenden vier Merkmale gekennzeichnet zu sein (vgl. Erikson 1971 S. 215).

1. Sie richtet selbstverständlich den Blick des Menschen auf dessen Vorgeschichte; Erinnerung ist ihr grundlegendes Wesensmerkmal.

2. Dieser Rückblick ist selbstverständlich vor allem konflikt- und problemorientiert; es geht, wie noch jeder Psychoanalytiker und jede Psychoanalytikerin weiß, um die allmähliche Aufdeckung jener Blockaden und Krankheitsgründe, die noch das Wohlergehen des erwachsenen Menschen gravierend zu behindern vermögen.

3. Aus dieser Fokussierung heraus kommt esim Verlauf der psychoanalytischen Arbeit vor allem zu einer Konfrontation mit diesen Ursprungskonflikten. Konfrontation muß deshalb auch ein sicher gehandeltes Instrument der Psychoanalyse bei ihrer Auseinandersetzung mit Abwehrmechanismen und Widerstand sein.

4. Und letztens: gerade im allmählich-beharrlichen Abbau von etwas, im Abbau nämlich dieser Schwierigkeiten, besteht der Heilungsprozeß innerhalb einer psychoanalytischen Therapie.

Kurz: Psychoanalyse ist – und was wäre daran überflüssig oder irrig! – vor allem Destruktion des Destruktiven in uns. Es geht in ihr um ein»Zurück«, um »Problemorientierung«, um »Konfrontation«, um »Abbau« dieser inneren Negativität – und ich füge hinzu: nichts davon schiene mir verzichtbar auch für die Freisetzung kreativer Entwicklungen in uns! Aber ebenso sicher scheint mir: dies ist noch nicht identisch mit dieser Freisetzung selbst und auch nicht identisch mit deren Stabilisierung. Für beides, so scheint mir, bedarf die Psychoanalyse zusätzlicher Orientierungen, und das gilt vornehmlich dann, wenn es um die Hilfe für ältere Menschen geht.

Ich vermute also, daß es im Sinne einer Komplettierung der klassischen Psychoanalyse bei der psychotherapeutischen Hilfe für ältere Menschen ganz wesentlich auch darum geht

1. mit diesen den Blick auch nach vorne zu richten, auf der Basis ihrer wiederentdeckten »unabgegoltenen» Wünsche«, mit all den Fragen, die ich oben aufgezählt habe (= »Was möchte ich jetzt noch? Was davon kann ich noch realisieren?« usw.);

2. diese Frage nach den »unabgegoltenen Wünschen« miteinzubeziehen in die Retrospektion, um nicht nur problemorientiert, sondern auch wachstumsorientiert die ichkongruenten Potentialitäten des betreffenden Menschen wiederzutagezufördern; apropos: es gibt auch positive Deckerinnerungen, die es zu entschlüsseln lohnt (vgl. Freud 1914, S. 208; Freud1899);

3. in diesem Sinne nicht nur bei eher konfrontativen Interventionsmethoden stehenzubleiben, sondern auch, mit jener Einfühlung und Bedachtsamkeit, die zwischen Übergriff und Ermutigung zu unterscheiden weiß, ermunternd zu reagieren auf die Gegenwarts- und Zukunftsphantasien des Menschen während seiner Psychoanalyse auf der Couch, und

4. dadurch nicht nur zu einem Abbauprozeß beizutragen, der den alten Konflikten gilt, sondern auch zu einem Aufbau neuer (sprich: Wiederbelebung alter) Kräfte.

Daß es dabei immer wieder auch darum gehen wird, diese Wunschphantasien abzuklopfen auf ihren Abwehrcharakter hin, liegt auf der Hand; ebenso, daß man dieses Wunschträumen des Patienten auch einer behutsamen und genauen Realitätsprüfung aussetzen muß, die das auftretende euphorische Übermaß zu korrigieren vermag (genauso wie in anderen Phasen ein Übermaß an Verzagtheit). Wir können das frühere Kind, das da wieder zu krähen beginnt, niemals haben ohne dessen Größenwahn. Maßlose Selbstansprüche, manische Selbstverkennungen sind also keinesfalls untypisch für diesen Ermutigungsprozeß und benötigen ihre eigene Antwort. Ich erinnere hier an den Über-Ich- und Beziehungsaspekt, der bereits im Zusammenhang mit der Bewertung künstlerischer Kreativität zu erwähnen war. Aber: es geht auch umgekehrt darum, all das, was sich wieder in der Gestalt eigener Wunschphantasien an alten Interessen zu regen beginnt, nicht vorzeitig abzuwürgen und vor einer allzu frühen Realitätsprüfung – man könnte auch sagen: Realisierbarkeitsprüfung – zu schützen. Die psychoanalytische Zentralmethode, die »freie Assoziation«, verträgt, wie schon das Schiller-Zitat darzulegen vermochte, diese voreiligen

Einsprüche nicht. Was möglich ist, erfährt man oft erst, wenn man das scheinbar Unmögliche versucht.

Ob dem evangelischen Aufsichtsbeamten Christian Gottfried Körner der Rat seines Freunds Schiller aus dem Jahre 1788 geholfen hat, mit seinen inneren – allzu vorschnell agierenden – Aufsichtsbehörden zu Gericht zu gehen, wissen wir nicht. Wir müssen es eher bezweifeln, denn eingetragen in die Literaturgeschichte mit eigenen Werken hat sich dieser Körner nicht. Hinzukommt, daß wir aus der Erfahrung der Psychoanalyse sehr genau wissen, wie wenig im allgemeinen die lediglich intellektuelle Analyse eines Problems dem anderen hilft oder der bloße Ratschlag. Sehr wohl aber meine ich, daß derartige Veränderung während eines psychoanalytisch-psychotherapeutischen Prozesses möglich sein dürfte: die Aktivierung neuer Kräfte beim älteren Menschen durch kreativitätsbefördernde Wiederbelebung seiner früheren Wünsche und durch progressive Regression. Auch die Psychoanalyse selber, scheint mir, könnte insofern noch vor einer kreativen Phase neuen Wachstums stehen.

Literatur

Anschütz, R. (1929): August Kekulé. 2 Bände. Verlag Chemie (Berlin).

Bauriedl, T.(1995): Die Suche nach dem Antidot. Überlegungen zur Technikfolgenabschätzung in der Psychotherapie. Unveröffentlichtes Typoskript des Vortrags vom 8.12.1995 an der Universität Freiburg im Rahmen des »Freiburger Psychotherapie-Forums«.

Bauriedl, T. (1996): Leben in Beziehungen. Von der Notwendigkeit, Grenzen zu finden. Herder (Freiburg).

Bloch, E. (1959): Das Prinzip Hoffnung. Drei Bände. Suhrkamp (Frankfurt/M.).

Braun, S. (1995): Gerontopsychiatrie und Altenarbeit III. Deutsches Zentrum für Altersfragen (Berlin).

Chasseguet-Smirgel, J. (1988): Kunst und schöpferische Persönlichkeit. Anwendungen von Psychoanalyse auf den außertherapeutischen Bereich. Klett-Cotta (Stuttgart).

Csikszentmihalyi, M. (1997): Kreativität. Wie Sie das Unmögliche schaffen und Ihre Grenzen überwinden. Klett-Cotta (Stuttgart).

Erikson, E. H. (1959): Identität und Lebenszyklus. Drei Aufsätze. Suhrkamp (Frankfurt/M.).

Erikson, E. H. (1971): Kindheit und Gesellschaft. Klett-Cotta (Stuttgart).

Freud, S. (1899): Über Deckerinnerungen. GW1. Fischer (Frankfurt/M.).

Freud, S. (1900): Die Traumdeutung. Studienausgabe, Band. II, Fischer (Frankfurt/M.).

Freud, S. (1912a): Ratschläge für den Arzt bei der psychoanalytischen Behandlung. Schriften zur Behandlungstechnik. Studienausgabe, Ergänzungsaband. Fischer (Frankfurt/M.), S. 169–181.
Freud, S. (1912b): Zur Dynamik der Übertragung. Schriften zur Behandlungstechnik. Studienausgabe, Ergänzungsband. Fischer (Frankfurt/M.), S 157–169.
Freud, S. (1913): Zur Einleitung der Behandlung (Weitere Ratschläge zur Technik der Psychoanalyse I). Schriften zur Behandlungstechnik. Studienausgabe, Ergänzungsband. Fischer (Frankfurt/M.), S. 181–205.
Freud, S. (1914): Erinnern, Wiederholen und Durcharbeiten (Weitere Ratschläge zur Technik der Psychoanalyse II). Schriften zur Behandlungstechnik. Studienausgabe, Ergänzungsband. Fischer (Frankfurt/M.), S. 205–217.
Freud, S. (1920): Zur Vorgeschichte der analytischen Technik. Schriften zur Behandlungstechnik. Studienausgabe, Ergänzungsband. Fischer (Frankfurt/M.), S. 251–257.
Freud, S. (1923): Das Ich und das Es. Studienausgabe, Bd. III. Fischer (Franfurt/M.), S. 273–331.
Gardner, H. (1996): So genial wie Einstein. Schlüssel zum kreativen Denken. Klett-Cotta (Stuttgart).
Gardner, H. (1999): Kreative Intelligenz. Was wir mit Mozart, Freud, Woolf und Gandhi gemeinsam haben. Campus (Frankfurt/M.).
Goleman, D. (1997): Kreativität entdecken. Hanser (München).
Guilford, J. P. (1952): A Factor-Analytic study of Creative Thinking II. Administration of Tests and Analysis of Results. In: Reports from Psychology Laboratory 8.
Hentig, H. von (1998): Kreativität. Hohe Erwartungen an einen schwachen Begriff. Hanser (München).
Hirsch. R. D. (1991): Gerontopsychiatrie und Altenarbeit I. Deutsches Zentrum für Altersfragen (Berlin).
Höhler, G. (1994): Kreativität in Schule und Gesellschaft. Auer (Donauwörth).
Kindlers Literaturlexikon (1974). Kindler Verlag (Zürich)
Körner, C. G. (1847): Briefwechsel zwischen Schiller und Körner. (Berlin)
Kuhns, R. (1986): Psychoanalytische Theorie der Kunst. Suhrkamp (Frankfurt/M.).
Laplanche, J. & Pontalis, J.-B. (1972): Das Vokabular der Psychoanalyse. 2 Bände. Suhrkamp (Frankfurt/M.).
Mitscherlich, A. (1972): Kekulés Traum. Psychologische Betrachtungen einer chemischen Legende. In: Psyche 26, S. 649–655.
Neumann, E. (1995): Der schöpferische Mensch. Fischer (Frankfurt/M.).
Platta, H. (1990): Kunstwerke sind keine Geschenkartikel. Zu neueren psychoanalytischen Büchern über den kreativen Prozeß. Gekürzter Nachabdruck eines WDR-Features vom 26.7.89. In: Psychosozial 41, S. 100–104.
Radebold, H. & Schweizer, R. (1996): Der mühselige Aufbruch. Über Psychoanalyse im Alter. Fischer (Frankfurt/M.).
Serve, H. J. (1994): Förderung der Kreativitätsentfaltung als implizite Bildungsaufgabe der Schule. Pims-Verlag (Marquartstein).
Soldat, J. Le (1993): Kekulés Traum. Ergänzende Betrachtungen zum »Benzolring«. In: Psyche 2, S. 180–201.

Stein, A. & Stein, H. (1987): Kreativität. Psychoanalytische und philosophische Aspekte. Bonz (Fellbach-Oeffingen).
Torrance, E. P. (1962): Guiding creative talent. Prenctice (Hall Englewood Cliffs, N.J).
Weinert, F. E. (1990): Der aktuelle Stand der psychologischen Kreativitätsforschung und einige daraus ableitbare Schlußfolgerungen für die Lösung praktischer Probleme. In: Hofschneider , P. H. & Mayer, K. U. (Hg.): Generationsdynamik und Innovation in der Grundlagenforschung. Pfeiffer (München).
Werder, L. von (1988): Schreiben als Therapie. Ein Übungsbuch für Gruppen und zur Selbsthilfe. Pfeiffer (München).
Westmeyer, H. (1998): The Social Construction and Psychological Assessment of Creativity. In: High Ability Studies 9 (1), S. 11–21.
Winnicott, D. W. (1985): Vom Spiel zur Kreativität. Klett-Cotta (Stuttgart).

Aktives Altern oder »Die Entdeckung der Langsamkeit«

Meinolf Peters

»Die Entdeckung der Langsamkeit«

In seinem 1983 erschienen Roman *Die Entdeckung der Langsamkeit* beschreibt Stan Nadolny das Leben des Seefahrers und Entdeckers John Franklin. Weil John schon als Kind besonders langsam ist, hat er es schwer, von seinen Spielkameraden anerkannt zu werden, und so malt er sich in seinen Phantasien aus, richtig rasen zu können. Im Bett liegend wünscht er sich, so wie die Sonne zu sein, die nur scheinbar langsam über den Himmel zieht, deren Strahlen aber schnell wie der Blick des Auges sind. Als er erwachsen wird, ändert sich jedoch allmählich seine Haltung. Stundenlang in einem Baum sitzend denkt er darüber nach, daß große Tiere sich langsamer begegnen als Mäuse oder Wespen. Vielleicht ist ja auch er ein heimlicher Riese, so denkt er, nur scheinbar klein wie die anderen, der in Wahrheit aber gut daran tut, sich vorsichtig zu bewegen, um niemanden tot zu treten. Und über seine Tante denkt er, daß bei allzu schnellem Reden der Inhalt oft so überflüssig war wie die Schnelligkeit. Diese Gedanken verändern seine Haltung, er beginnt, seine Eigenart als strategischen Vorteil zu begreifen, unterstützt durch die Feststellung des Arztes, der seine Langsamkeit als ›Sorgfalt des Gehirns gegenüber Einzelheiten‹ diagnostiziert. So gewinnt er die Entschlossenheit, verbunden mit einem gewissen Eigensinn und verknüpft mit einer Haltung des Widerstandes, die ihn befähigt, zu einem berühmten Seefahrer zu werden, der nicht abläßt von dem Gedanken, in die Arktis zu reisen, um die sagenumwogene Nordwestpassage zu entdecken.

Aktives Altern als Leitbild der Gegenwartsgesellschaft

Das Bild des grauen, in sich gekehrten, vom Leben gezeichneten, gebrechlichen Alten ist passé. So wie wir unsere Großmütter in Erinnerung haben, in schwarz gekleidet, die Haare zu einem Knoten gebunden, gebeugt daherschreitend, meist jedoch hinter dem Ofen sitzend und die Ansprüche auf ein Minimum reduziert, treten uns die heutigen Alten nicht mehr gegenüber. Sie strahlen Selbstvertrauen, Zuversicht und Unternehmungsgeist aus, haben immer ein Ziel vor Augen, die nächste Verabredung in der Tasche und den kommenden Urlaub geplant. So jedenfalls das Bild, das uns die Werbung vermittelt; ein Werbespot zeigt einen braungebranten, athletischen, Souveränität ausstrahlenden älteren Bankier, der an seinem letzten Arbeitstag vor der Rente seinen leergeräumten Schreibtisch verläßt. Auf diesen wirft er einen letzten, Zufriedenheit und Stolz auf das Geleistete ausstrahlenden Blick, um dann den Helm zu ergreifen und auf seinem Motorrad einem neuen, Abenteuer verheißenden Lebensabschnitt entgegenzubrausen.

Diese Szene steht für ein neues Leitbild vom älteren Menschen, in dem dieser sich kaum noch von einem jüngeren unterscheidet und sich Generationsunterschiede verlieren; er trägt die gleiche Kleidung, unternimmt die gleichen Reisen, hat die gleichen Lebensgewohnheiten und erweckt insgesamt den Eindruck, als sei die Zeit spurlos an ihm vorbeigegangen, ja als sei er in eine Zeitlosigkeit eingetaucht, in der es keinen Unterschied macht, ob man alt oder jung ist. Altern ist kein biologisches Faktum mehr, sondern allenfalls eine Stilfrage, d. h. alt ist der, der diesem Bild nicht zu entsprechen vermag. Das dritte Lebensalter – ein Begriff, der von dem englischen Soziologen Laslett (1995) geprägt wurde – wird als Zeit der Befreiung und der Selbstverwirklichung gefeiert, und die ehemalige Frauenrechtlerin N. Friedan (1995) hat mit ihrem Bestseller *Mythos Alter* das negative Alter auf einen kleinen Rest ganz am Ende des Lebens zusammenschrumpfen lassen, um die Zeit davor als Befreiungsraum zu idealisieren. Gefragt ist der aktive Alte, der täglich joggt oder das Fitnesscenter besucht, der unentwegt sozialen Aktivitäten nachgeht, die Länder dieser Welt bereist und in jeder Hinsicht auf der Höhe der Zeit ist. In der Aktivitätstheorie des Alters hat dieser Lebensstil seine wissenschaftliche Legitimation gefunden. Auch manche Konzepte vom erfolgreichen oder kompetenten Alter entwerfen eine teils überpointierte positive, fähigkeitszentrierte Sicht des Alters, in der explizit oder implizit Aktivität zum Bestimmungsmerkmal eines ›neuen Alters‹ wird. Zahlreiche Ratgeber führen in das aktive Alter ein und geben Hinweise, wie auch die Älteren mithalten können, um sich einer Gesellschaft, in der Aktivität, Mobilität und Schnelligkeit die Phantasien und Idealbilder der Menschen beflügeln, zugehörig zu fühlen.

Nun ist ein positiv gezeichnetes Bild vom Alter keineswegs neu, sondern durchzieht die Menschheitsgeschichte und wurde vielfach von

Philosophen, angefangen bei Platon, propagiert. Das Bild vom reifen Greis, von Weisheit beseelt und in Kontemplation versunken, ist immer dann in den Vordergrund getreten, wenn es die gesellschaftlichen Erfordernisse als opportun erscheinen ließen. Änderten sich die Verhältnisse, verschwand es rasch hinter der Bühne der Menschheitsgeschichte und wurde ersetzt durch ein Bild des Niedergangs und des Verfalls, des Abstiegs in ein Nirgendwo, dem keiner entrinnen kann. Das Bild vom aktiven Alter stellt insofern eine moderne Variante eines idealisierten Altersbildes dar, gewissermaßen dessen vermarktete und in die Gesellschaft der Postmoderne eingepaßte Form. Der ›weise Alte‹ ist keineswegs marktgängig, propagiert ein solches Bild doch kontemplative Zurückgezogenheit, Selbstbegrenzung und irdische Bescheidenheit. Damit ist jedoch keine müde Mark zu verdienen.

Nun ist die positive Wirkung von Aktivität ja nicht zu bestreiten und vielfach erwiesen worden, nicht nur die körperliche – Muskelkraft läßt sich auch bei einem 70-Jährigen durch Training wieder auf das Niveau bringen, das innerhalb des Normbereichs von 40-Jährigen liegt – sondern auch die kognitive und soziale Aktivität haben unabweislich positive Wirkungen. Der damit verbundene Beigeschmack resultiert vielmehr aus der Einseitigkeit und Aufdringlichkeit, mit der gewissermaßen ein ›atemloser Aktivismus‹ (Zeman 1996) gefördert wird, und der damit kolportierten normativen Wertsetzung, ja Überhöhung von Tätig- und Beschäftigtsein. Ist das positive Bild vom aktiven Alter insgesamt durch das Bemühen entstanden, negative Altersstereotype zu bekämpfen, basiert es doch auf der gleichen kulturellen Prägung wie diese selbst. Positive wie negative Bewertungen des Alters, so Dieck/Naegele (1989), sind letzlich Varianten ein und desselben Themas, Pole eines Altersmythos, der das eigentliche Wesen des Alters, das ihm Eigentümliche, nicht zu erfassen vermag. Das Bild des aktiven Alters bleibt letzlich in einer ›Oberflächlichkeit des Positiven‹ stecken und fördert die Gefahr, die Wirklichkeit dieses Lebensabschnittes aus dem Auge zu verlieren. Wird der Ältere von dieser normativen Vorgabe erfaßt, versäumt er es, seinem Leben eine ihm eigene Form zu geben. Er richtet sich vielmehr an einem Bild aus, das sich zwanglos in die globalisierte Welt des flexiblen Kapitalismus, wie ihn Sennett (2000) beschrieben hat, einfügt. Die Negativität des betagten und gebrechlichen Alters erscheint in Kontrast dazu jedoch noch bedrohlicher, mit der Folge, daß die Gesellschaft ihren Blick abwendet und es noch unerbittlicher an den Rande drängt. Im öffentlichen Leben bleibt diese Seite des Alters verleugnet und wird in die Pflegeheime abgedrängt. Indem derjenige, der von den Gebrechen des Alters heimgesucht wird, nicht nur die Einschränkungen, den Schmerz und den Verlust an Selbstständigkeit erleidet, sondern zusätzlich die Ausgrenzung am eigenen Leib erfährt, verdoppelt sich in ihm das Gefühl des vollständigen Ausgestoßenseins, der endgültigen Vernichtung. Einer solchen Erfahrung des jähen Absturzes ist der Ältere dann besonders hilflos ausgeliefert, wenn er es versäumt hat, sich in der Zeit des jungen, rüstigen Alters rechtzeitig auf die Zeit des eingeschränkten Alters vorzubereiten. Durch die Einengung des Blicks, die Folge des euphemistisch verkürzten Bildes vom aktiven Alter ist, ist manch einer in den Sog eines Verleugnungsprozesses geraten, der ihn verführt hat, die Risiken und Zumutungen des Alters auszublenden und sich in einer Phantasie von ewiger Jugendlichkeit und Unsterblichkeit zu flüchten.

Das Bild des aktiven Alters ist noch aus einem anderen Grunde problematisch, bleiben Sinn und Ziel der propagierten Aktivität doch zunächst offen. Der auf seinem Motorrad in die ›späte Freiheit‹ abbrausende junge, dynamische Alte jedenfalls scheint eine Aktivität zu entfalten, die den Werbe- und Vermarktungsstrategen vor Augen schwebt. Dem gegenüber verweisen Gerontologen auf die gesundheitsfördernde und damit auch lebensverlängernde Wirkung körperlicher und geistiger Aktivität. Zweifelsohne ist es wünscheswert, auch im höheren Alter möglichst lange ohne größere Gebrechen bleiben zu können, und doch führt kein Weg an der Feststellung vorbei, daß eine allein gesundheitliche Risiken vermindernde Aktivität kaum dazu geeignet ist, dem Alter selbst einen Sinn zu verleihen. Sinnerfülltes Altern erwächst daraus nicht. Dieses kann nur aus einem sinnvollen Tätigsein hervorgehen, das seine Sinnhaftigkeit allein aus einer zu entwickelnden Alterskultur beziehen kann, die wiederum Teil einer altersintegrierten Gesellschaft sein müßte; eine solche kulturelle Entwicklung ist aber bisweilen nicht zu erkennen. Die amerikanischen Soziologen Riley/Riley (1992) haben auf die ›strukturelle Diskrepanz‹, die das heutige Alter kennzeichnet, hingewiesen. Sie meinen damit, daß Ältere heutzutage i. d. R. über große Kompetenzen verfügen, aber kaum gesellschaftliche Strukturen bereitstehen, die es ihnen erlauben würden, diese Kompetenzen auch zur Entfaltung zu bringen. Der ältere Mensch findet kaum gesellschaftliche Handlungsfelder vor, die ein integriertes, sinnerfülltes Alter ermöglichen würden. Sinnfindung aber verlangt nach solchen Handlungsfeldern, die den Raum bieten, subjektive Entwürfe zur Entfaltung zu bringen, Lebenssinn ist allein in einer dem Selbstzweck verhafteten Aktivität auf Dauer nicht zu finden.

Zum Wesen des Alternsprozesses

Das Postulat des aktiven Alterns ist geprägt durch unser postmodernes Denken und vermag das, was das Alter in seinem Kern ausmacht, nicht ausreichend zu erfassen. Was aber kennzeichnet das Alter, worin kommt seine Eigenart, sein Wesen zum Ausdruck. Daß die Zeit vergeht, wird uns aufgrund der körperlichen Veränderungen gewahr. Heuft (1997) vertritt die These, der zufolge der Körper im Alter zum Entwicklungsorganisator wird und begründet dies damit, daß Menschen, danach befragt, woran sie das Vergehen der Zeit bemerken, auf körperliche Veränderungen verweisen. Die Veränderungen des Körpers signalisieren den Verlauf der Zeit, weil die Zeit selbst nicht wahrnehmbar ist, sucht sie sich eine Projektionsfläche, heftet sich an etwas Konkretem an, daß uns ihren Verlauf zu Bewußtsein führt. Der Körper selbst aber bietet sich für diese Projektion an, ist er doch der Teil unserer selbst, in den sich die Spuren der Vergänglichkeit eingraben. Nehmen wir in jungen Jahren unseren Körper kaum wahr und erscheint er uns selbstverständlich, so registrieren wir die Zeichen des Alters an den einsetzenden körperlichen Veränderungen, denen wir nicht entgehen können. Der Körper tritt in unser Bewußtsein, ja drängt sich uns als etwas zunächst fremd gewordenes auf, wenn die Haare ergrauen, die Haut ihre Glätte und Straffheit verliert und die Sehkraft nachläßt. Dies mögen wir noch mit Gleichmut hinnehmen, scheinen doch zunächst nur Äußerlichkeiten betroffen zu sein, von denen wir uns noch distanzieren können. Schreitet der Alternsprozeß jedoch voran, sind wir mit einschneidenderen Veränderungen konfrontiert; die Wahrnehmungsgeschwindigkeit läßt nach, die Auflösungsfähigkeit des Auges verringert sich, dadurch sind wir gezwungen, länger hinzusehen, um das Betrachtete genau zu erkennen. Auch die kognitiven Prozesse der Informationsaufnahme und -verarbeitung verlangsamen sich – physiologisch gesehen verlangsamen sich die Alpha-Wellen –, wir benötigen mehr Zeit zur Verarbeitung von Eindrücken und lernen deshalb auch nicht mehr so schnell; das Tempo der kognitiven Prozesse ist gedrosselt, diese Verlangsamung wurde als »slowing-with-age«-Phänomen bezeichnet (Salthouse 1985). Aber nicht nur das, die nachlassende Lungenfunktion verkürzt unseren Atem, so daß wir uns nicht mehr so rasch fortbewegen können und gezwungen sind, langsamer zu gehen. Auch das Versteifen der Gelenke führt zu einer Verlangsamung der Bewegungen, so wie die sexuelle Reaktionsfähigkeit nur noch verzögert erfolgt. Amery (1979) hatte beschrieben, wie im Alter aus einem tragenden Körper ein getragener wird, eine zu befördernde Last, der Körper nun nicht mehr die treibende Kraft ist, sondern ein Koffer voller Beschwerden, nicht mehr das wilde Pferd, das es zu zügeln gilt, sondern der träge Karren, den man hinter sich herziehen muß, ob man will oder nicht. Das Leben im Alter spielt sich im Zeitlupentempo ab, so Bobbio (1997), verbunden mit dem Paradoxon, daß man eigentlich schneller werden müßte, um noch rechtzeitig anzukommen, stattdessen kommt man langsamer voran. Man benötigt mehr Zeit und hat doch weniger. Daraus resultiert die unermüdliche Aktivität, als ob so der unumkehrbare Prozeß der Verlangsamung aufgehalten werden könnte und doch noch eine Chance besteht, dem unaufhaltsamen Dahinschwinden der Lebenszeit entgehen und an der Phantasie von Unsterblichkeit festhalten zu können.

Die Chance der Verlangsamung

Auf die Verlangsamung im Alter gründete sich weitgehend das lange Zeit in der Gerontologie vorherrschende Defizitmodell, so wie auch John Franklin seine Reaktionslangsamkeit, seine verzögerte Wahrnehmung und seine scheinbare Begriffsstutzigkeit zunächst als Defizit erlebt, als Nachweis dafür, nicht mithalten zu können und ausgeschlossen zu sein. Erst nach einem langen Such- und Selbstfindungsprozeß begreift er die Vorteile der Langsamkeit. Das Buch von Nadolny ist in einer Zeit der Hochgeschwindigkeitsgesellschaft entstanden, als die digitale Revolution ein neues Zeitalter einläutete. Tatsächlich hat v. a. in populärwissenschaftlichen Büchern eine Debatte um die Langsamkeit, bzw. um die ›Entschleunigung‹ der Gesellschaft eingesetzt; das Buch von Reheis (1998) mit dem Titel *Kreativität der Langsamkeit* wurde vor diesem Hintergrund zum Verkaufserfolg. Diese Debatte scheint etwas untergründig wirksames, nicht integriertes aufzugreifen, als ob eine Ahnung davon existiert, daß eine über die Oberflächlichkeit des beschleunigten Lebens hinausgehende Lebensqualität auf Langsamkeit angewiesen ist, vermittelt doch nur ein reduziertes Tempo Orientierung, Genußfähigkeit, Verantwortungsgefühl und Respekt. Sinnlichkeit, eine vertiefte Wahrnehmung und ein intensiviertes Erleben können sich nur in einer verlangsamten Existenz entfalten und zu einem neuen Lebensgefühl verschmelzen. Was eigentlich ist der wirkliche Baum, so fragt Virilio (1997) in einem Essay, der, den man erkennt, wenn man anhält, und an dem der Blick jeden Zweig und jedes Blatt unterscheiden kann, oder der, den man wahrnimmt, wenn er in einer stroboskopischen Bildfolge an der

Windschutzscheibe des Autos oder am eigenartigen Guckfenster des Fernsehapparates vorbeihuscht? Nur der Müßiggang, dieses altmodische Wort, das in der Zeit der schnellen, englischen Wortschöpfungen wie ein Fremdwort wirkt, verschafft Eindrücke, die zu einem neuen Sehen führen. Das verlangsamte Sehen – filmisch gesehen Techniken wie Zeitlupe, Nahaufnahme und Wechsel in die Totale – lenkt den Blick auf die Details und verweist so indirekt auf die symbolische Bedeutung. Erst die Fähigkeit zum Müßiggang, in unserer Welt oft zur Untätigkeit verkommen, was jedoch etwas ganz anderes ist, verleiht der Langsamkeit das Vergnügen, aber auch die Gelassenheit, die einem positiven Lebensgefühl innewohnen.

Dem Älteren aber ist der Weg zu den Vorzügen eines verlangsamten Lebens durch die normative Überhöhung unentwegten Beschäftigtsein erschwert oder gar ganz verschlossen. Es fehlt eine ihn darin unterstützende ›Kultur des Alters‹, wie Baltes (1991) bemängelt, eine Kultur, die die eigene Werthaftigkeit dieses Lebensabschnittes hervorheben könnte und die es dem älteren Menschen erleichtern würde, seine Verlangsamung nicht allein als eine Defiziterfahrung zu sehen, die er als Bedrohung erlebt, verbunden mit der bedrückenden Feststellung, zurückzubleiben, den Anschluß zu verlieren und gezwungen zu sein, auf der Bank zum Verschnaufen Platz nehmen zu müssen. Vielmehr sollte es ihm möglich sein, die Verlangsamung auch als Chance zu begreifen, rechtzeitig inne zu halten, um in Muße zu verweilen, seine Umgebung intensiver zu betrachten und sie in sich aufzunehmen. In der Langsamkeit des Gehens, der Bewegung, des Sehens können sich neue Eindrücke einstellen, neue Blickweisen eröffnen. Auch eine verlangsamte Sexualität kann zu neuen Erlebnisweisen führen, in der momentane Gefühle deutlicher zur Geltung kommen und einen Moment länger festgehalten werden können. In einem verlangsamten Leben kann der ältere Mensch sich Raum und Zeit neu aneignen, um so eine neue Beziehung zu sich selbst und zu dem zu finden, was ihn unmittelbar umgibt.

In einer Gruppentherapiestunde kamen wir auf die Verlangsamung im Alter zu sprechen. Eine 64-jährige Patientin schilderte, daß ihr aufgefallen war, daß sie öfter langsam laufe, als ob sie auf einer Promenade entlangschlendere. Sie sei davon überrascht, kenne sie sich doch als hektischen, ungeduldigen Menschen; sie habe aber nicht schneller laufen können und alsbald das Promenieren als durchaus angenehm empfunden. Eine andere Patientin, 74 Jahre alt und eine drahtige Sportlerin mit zahlreichen

Sportabzeichen, schilderte dann, daß sie es ebenfalls langsamer angehen lassen müsse. Sie laufe nun langsamer durch den Wald, könne dabei den Geruch des Waldes besser in sich aufnehmen und erst vor wenigen Tagen sei sie langsam durch eine Allee geschlendert, sie habe die Herbstfarben der Bäume intensiv betrachtet und das ganze Bild tief in sich aufgenommen, was sie mit einer Handbewegung, wie um das Wohlgefühl zu betonen, unterstreicht.

Nicht nur der Blick nach außen, auch der nach innen gewendete gewinnt in der Verlangsamung an Tiefenschärfe, etwa dann, wenn er sich auf die Vergangenheit richtet, auf die der Ältere doch wesentlich seine Identität stützt. Erinnerung ist auf Langsamkeit angewiesen, während Beschleunigung ein sich Lösen von der Vergangenheit zur Folge hat, führt der Vorgang des Sich-Erinnerns nahezu automatisch zu einem Innehalten, zu einer Verlangsamung des Schrittes und der Bewegung, um den inneren Raum entstehen zu lassen, in dem sich die Bilder der Vergangenheit und der Gegenwart miteinander verbinden können. Nur auf diese Weise kann es gelingen, die Langsamkeit des Älteren von Peinlichkeit zu befreien, die ihr oftmals anhaftet, wie Bobbio (1997) meint, sowie der Scham, mit der der Ältere selbst sie erlebt. Stattdessen kann sie etwas von der Würde erlangen, die Langsamkeit in anderen Kontexten zukommt, etwa bei der Prozession, der öffentlichen Zeremonie oder den pietätvollen Schritten der Sargträger. Die Langsamkeit des Alters, die sich aufgrund der Rollenfreiheit und des Zeitkontingentes, über die Ältere als besondere Ressource verfügen, entwickeln kann, stellt somit nicht nur eine Defiziterfahrung dar, sondern bietet die Chance, eine neue Lebensqualität entstehen zu lassen. Dieses Leben ist keineswegs ein inaktives Leben, aber es basiert auf einer autonomen, selbstbejahenden Identität und steht somit im Gegensatz zur heteronomen Aktivität des aktiven Alters.

Wiederkehr des Verdrängten

Die Geschwindigkeit und zunehmende Beschleunigung in unserer Zeit wird neuerdings in zahlreichen populärwissenschaftlichen Veröffentlichungen beklagt und kritisiert. Das beschleunigungsorientierte Bewegungs- und Leistungsideal wird etwa in den Arbeiten von Geißler (2000) dafür verantwortlich gemacht, daß uns die Fähigkeit zu Muße und Gelassenheit abhanden gekommen ist. Eine solche Zeitdiagnose bleibt jedoch in einer oberflächlichen Kulturkritik stecken, wenn das Phänomen nicht auf seine Wurzeln hin untersucht wird, wie es der französische Architekt und Philosoph Paul Virilio (1997) unternimmt. Er sieht das Beschleunigungsphänomen in einer fast apokalyptischen Dimension, als etwas, was unser Leben und unsere Lebensqualität grundlegend verändert und uns ein völlig anderes, entfremdetes Leben aufzwingt. Während Geschwindigkeit und Körper beim Spazierengehen identisch sind, bricht in der beschleunigten mobilen und digitalen Welt beides auseinander. Während wir uns im Auto oder Flugzeug immer schneller fortbewegen oder den rasenden Bildern auf dem Bildschirm folgen, erstarrt unser Körper in Bewegungslosigkeit; der Titel *Rasender Stillstand*, wie ihn eines seiner Bücher trägt, bringt diese Paradoxie zum Ausdruck. In der gleichen Weise können Ältere einerseits in Bewegungslosigkeit, ja Apathie verfallen, andererseits aber fixiert bleiben an eine Welt der Schnelligkeit, die im Fernsehen an ihnen vorbeirast wie eine ferne, andere Welt, aus der sie selbst herausgefallen sind. Vor dem Fernseher löst sich das reale, körperlich erfahrbare Alter auf, die Flucht in die rasende Bilderwelt des Fernsehens führt zur Auflösung von Altersunterschieden, alle sind alterslos.

Und doch ist nicht darüber hinwegzusehen, daß das Alter gewissermaßen der natürliche Ort der Langsamkeit ist, der Lebensabschnitt ist, in dem sich ein veränderter Lebensrhythmus einstellen kann, der in Kontrast steht zur ›schnellen Existenz‹ in der postmodernen Gesellschaft. So wie seinerzeit John Franklin zunächst wie ein Fremder in seiner eigenen Kultur wirkte, werden Ältere, denen es gelingt, ihrem Leben eine neue, authentische Form zu geben, zu Fremden in der beschleunigten Welt und bedrohen deren oberflächliche, fragile Identität, die keine festen, dauerhaften Konturen mehr aufweist. Ja mehr noch, das in den Älteren aufscheinende ›andere Leben‹ spricht ein in der ganzen Gesellschaft virulent vorhandenes Bedürfnis nach Ruhe und Muße an. Mit diesen eher vordergründigen Daseinsweisen verbindet sich jedoch eigentlich die Hoffnung auf Rückgewinnung von mehr Vertrauen, Gemeinschaft und dauerhafte Beziehungen, Werte mithin, die sich nur in einer verlangsamten Existenz ausbilden können. Die Langsamkeit entspricht einem Grundbedürfnis der menschlichen Existenz, nur in ihr finden wir uns selbst und unseren Mitmenschen. Menschliche Begegnung ist auf Langsamkeit angewiesen, auf Innehalten, auf Fokussierung der Wahrnehmung und das allmähliche Vordringen zu Gefühls- und Phantasiewelten, die ansonsten verschlossen bleiben. Nur wenn dies in Langsamkeit geschieht und die Zeit bleibt, die mehr als nur flüchtige Begegnungen zuläßt, können dauerhafte Bindungen entstehen. Dauerhaftigkeit und Langsamkeit, die doch Zwillinge sind, drohen in der Gegenwartsgesellschaft jedoch zu verkümmern. Der Soziologe Zygmund Baumann (1994) hat die Kurzlebigkeit, das Nomadenhafte und die Sucht nach dem Rauschhaften des Augenblicks als Phänomene unserer Zeit hervorgehoben und als dasjenige beschrieben, das unserer Identität grundlegend verändert und ihr die Kontinuität und Kongruenz zu rauben drohen, auf die gerade Ältere angewiesen sind. Unsere Epoche ist besessen von dem Verlangen nach Vergessen, so Kundera (1995) in *Die Langsamkeit*, und um sich dieses Verlangen zu erfüllen, hat sie sich dem Teufel der Geschwindigkeit verschrieben. Das Bedürfnis nach Langsamkeit aber findet in einer solchen Welt keinen Platz und wird verdrängt. Das Verdrängte aber läßt sich nicht ein für allemal aus der Welt schaffen, es kehrt auf Umwegen wieder, wie uns die Psychoanalyse lehrt. Es sind die verlangsamten Alten, die der Gesellschaft den Spiegel vorhalten, in dem das wiedererscheint, was sie selbst nicht zu integrieren vermag. Die unerfüllten Wünsche verdichten sich in der Hoffnung auf einen Ruhestand, dem allerorten mit idealisierten Erwartungen entgegen gefiebert wird, der Ruhestand wird zur Projektionsfläche für ein anderes, erfülltes Leben.

Die Langsamkeit stellt eine Bedrohung dar und wird mit Argwohn betrachtet, beinhaltet sie doch eine ›stumme Kritik‹ am schnellen, modernen Leben. Gleichermaßen wird sie als Vorbote des Verfalls im Alter gefürchtet. Diese doppelte Bedrohung aber führt zur Aufspaltung des Alters: Die aktiven Alten werden integriert, vermarktet, vergesellschaftet und verlieren dadurch den Makel des Altseins, sind gewissermaßen nicht mehr als Alte zu erkennen. Diejenigen allerdings, die nicht dem Bild des aktiven Alten zu entsprechen vermögen, werden stigmatisiert und ausgegrenzt und zuletzt ins Pflegeheim abgeschoben, um dort ihre letzten Tage zu fristen. Die Sehnsucht nach einem authentischen Leben droht damit auf der Strecke zu bleiben, die Gesellschaft kann weiterhin ihrem Temporausch frönen, die Ruhestandsphantasie vermag dann kaum noch ihr kreatives Potential zu entfalten und die Älteren müssen ihr Leben gegen die Projektionen der Gesellschaft neu formen, gegen die Vereinahmungsversuche einerseits und die Ausgrenzungsbestrebungen andererseits.

Altern als Zumutung

Das Alter geht nicht völlig in einem noch so zwingenden Vergesellschaftungsprozeß auf. Die Rollenfreiheit und die Ausgrenzung des Alters verschaffen diesem Lebensabschnitt eine gewisse Unabhängigkeit, damit kann sich dort ein eigenes Lebensgefühl einnisten. So bleibt auch dem Bild des aktiven Alten der volle Erfolg versagt, es bleibt vielfach äußerlich, unter der Hand entwickeln Ältere ihr eigenes Leben, das ihnen ein erstaunliches Maß an Lebenszufriedenheit und Wohlgefühl vermittelt, wie alle Untersuchungen zeigen. Dieser Befund wird in der Gerontologie als Paradoxon des Alters bezeichnet, von Paradoxon wird deshalb gesprochen, weil ein so hohes Maß an Lebenszufriedenheit aufgrund der negativen Erscheinungen des Alters nicht zu erwarten ist (Pinquart 1998). Paradox sind diese Ergebnisse aber nur dann, wenn sie unter dem Blickwinkel unseres gesellschaflich geprägten Ideal- und Leitbildes bewertet werden. Aus der Innensicht des Alters betrachtet erscheinen diese Befunde keineswegs mehr als so paradox, sondern als Spiegelbild dieser neu entdeckten Erlebnisform. Dennoch kann die Negativität des Alters nicht aus der Welt geschaffen werden, keiner kann den Zumutungen des Alters dauerhaft entgehen. Das Alter ist voller Abgründe, mit denen es umzugehen gilt.

Die eigentliche Paradoxie dieses Lebensabschnittes liegt darin, daß die Langsamkeit als Chance, eine neue, authentische Lebensqualität zu begründen, nicht selbst gewählt ist, sondern aufgrund der biologischen Veränderungen erzwungen wird. Das Alter wird wohl von keinem freudig erwartet, man muß es hinnehmen. Damit aber nicht genug: Der ältere Mensch wird nicht nur in die Langsamkeit hineingedrängt, Langsamkeit ist oftmals durch Schmerzen erzwungen, bzw. von ihnen begleitet. Die Arthrose, die Osteoporose und andere Krankheiten sind die unangenehmen Begleiter der Langsamkeit, ja ihre Vorreiter, die den Älteren an die Kette zu legen drohen. Die Angst vor Gebrechlichkeit und Abhängigkeit tut das ihrige, sich nur widerwillig auf sie einzulassen und eine Gegenreaktion hervorzurufen. Diese ist nicht allein durch die tatsächlichen Einschränkungen begründet, die infolge von Gebrechen eintreten, sondern zusätzlich durch deren psychologische Bedeutungsdimension: Die Langsamkeit wird zum Sinnbild für den Verlauf der Zeit und das Vergehen des Lebens, sie vermittelt das Bewußtsein, dem Ende des Lebens näherzukommen. Jeder Verlangsamung kommt unbewußt die Bedeutung eines Todesäquivalents zu, so wie Lifton (1986) beschrieben hat, das in Bildern von Trennung, Auflösung und Stillstand die Vorstellung vom tatsächlichen Tod vorwegnommen wird. Die Verlangsamung führt an eine Grenze, so wie die Arktis in Nadolnys Roman sich als geometrischer Fluchtpunkt in die Unendlichkeit erstreckt und John Franklin in Grenzerfahrungen hineinführt, die ihn fast das Leben kosten.

Eine Verlangsamung, die durch ein Überhandnehmen der sie begleitenden Schmerzen und Gebrechen geprägt ist, in der die Schwerhörigkeit und die Eintrübung der Linse von der äußeren Welt entfernt, führt an die Grenze des Lebens und bringt die Vorzüge einer verlangsamten Existenz allmählich zum Verschwinden. Schließlich wird das symbolische Erleben der Todesäquivalente in die reale Erfahrung des Todes transformiert, wenn das Leben im Tod endgültig zum Stillstand kommt.

Die auf die unbewußte Bedeutung als Todesäquivalent zurückzuführende Abwehrhaltung begründet den Impuls, sich gegen die Verlangsamung aufzulehnen, diese Tendenz aber wird durch die normative Kraft des aktiven Alters gefördert. Die Langsamkeit ist somit Chance und Fluch des Alters zugleich, genau darin liegt der eigentliche Konflikt dieses Lebensabschnittes, ein Konflikt, der allein durch ein Akzeptieren der Grenzen zu lösen ist, zu der die Langsamkeit hinführt. Allein dadurch kann die Grenze dessen, zu dem man sich positiv zu verhalten vermag, erweitert werden, wie Karl Jaspers (1971) ausgeführt hat. Um die Vorzüge eines verlangsamten Lebens genießen zu können, bleibt keine Wahl, die Endlichkeit des Lebens hinzunehmen, ja zu akzeptieren, nur dadurch kann in der Langsamkeit eine neue Selbstaneignung hergestellt werden. Die Paradoxie liegt darin, daß nur in der Bejahung des Todes authentisches Leben möglich ist, fast scheint es, als könne im Alter der unversöhnliche Gegensatz von Leben und Tod aufgehoben werden. Oder, um noch einmal mit Bobbio zu sprechen: ›Das Leben ernst nehmen bedeutet, uneingeschränkt, ausdrücklich und so gelassen wie möglich zu akzeptieren, daß es endlich ist.‹ Im Geschwindigkeitsrausch der Gegenwartsgesellschaft aber wird der Tod verleugnet, auch deshalb kann die Gesellschaft mit der Langsamkeit des Alters nur schwer umgehen.

Gelingendes Leben im Alter

Langsamkeit ist in bestimmten Gruppen oder Subkulturen der Gesellschaft Kult geworden, in der ›Slow food-Bewegung‹ wird das langsame Essen gepredigt, asiatische Philosophien und Religionen, die eine verlangsamte, verinnerlichte Lebensweise propagieren, finden immer mehr Anhänger, populärwissenschaftliche Bücher offerieren Methoden zum Einüben von Langsamkeit und Gelassenheit, die Esoterik erscheint immer mehr Menschen als Ausweg aus der Fragwürdigkeit des modernen Lebens; Paul Coelho (1999) offeriert in seinen meditativen *Wanderung auf dem Jakobsweg*, einem mittelalterlichen Pilgerweg, Exerzitien der Langsamkeit als einen Weg zu Selbstfindung und Selbsterkenntnis. Auch im psychotherapeutischen Bereich wird das Thema aufgegriffen. Verhaltenstherapeuten versuchen in Trainingsprogrammen (*Kleine Schule des Genießens*) euthymes Erleben und Verhalten zu fördern, wobei es um die Fokussierung auf positive Emotionen, die Förderung der Sinneswahrnehmung sowie um den Versuch geht, strenge Verhaltensprinzipien durch hedonistische Regeln zu ersetzen (Lutz 1996).

Diese Gegenbewegung zur Beschleunigungskultur formt sich zu einem erneuten Gegenbild, das zur Einseitigkeit tendiert und weiterhin eine, wenn auch jetzt verkehrte heteronome Form der Lebensführung und Identität zur Folge zu haben droht. Eine autonome Identität und Lebensführung kann der ältere Mensch jedoch nur dann erlangen, wenn er die innere Zwiespältigkeit der Langsamkeit, ja des gesamten Lebens im Alter begreift und zum Kern seiner Identität reifen läßt. Das Alter läßt sich nicht so einfach bewältigen, ist ihm doch eine innere Wiedersprüchlichkeit zu eigen, die eine existenzielle Spannung zwischen Leben und Tod, zwischen Werden und Vergehen beinhaltet, die zwar das gesamte Leben durchzieht, sich jedoch erst im Alter in existenzieller Weise zuspitzt. Diese tiefe Ambivalenz treibt jedoch zu einer polarisierenden Betrachtungseise. Das Bild des aktiven Alters ist eine moderne Variante eines solchen zugespitzten und verkürzten Bildes. Solche stereotypen, normativen Zuschreibungen vereinfachen, glätten Widersprüche, versuchen, Spannungen aufzuheben und nehmen in Kauf, den Älteren selbst immer wieder in Entfremdungsprozesse zu treiben und dadurch die Aneignung dieses Lebensabschnittes zu erschweren.

Unter den Bedingungen der Gegenwartsgesellschaft hat sich eine Lebensphase, die bisher als geschlossen galt, geöffnet, es entstehen zunehmend Möglichkeiten der Selbstentwicklung und Selbstformung. Diese Öffnung aber schafft nicht nur Entwicklungschancen, sondern bietet Raum für einen gesellschaftlichen Zugriff, so daß die Chance auf Selbstfindung und ein authentisches Leben im Alter, kaum daß sie entsteht, zugleich wieder zunichte gemacht wird. Bislang ist der ältere Mensch weitgehend auf sich selbst gestellt, mit Entwicklungsanforderungen und Widersprüchen des modernen Alterns fertigzuwerden. Es fehlen nicht nur historische Vorbilder, vor allem fehlt eine ›Kultur des Alters‹, die den älteren Menschen darin unterstützen könnte, sein Leben selbst zu formen, mit den Widersprüchen und Abgründen des Lebens im Alter fertigzuwerden und sich dabei gegen den Aktivismus des modernen Lebens zu wenden, um in einem verlangsamten Leben zu einer neuen Identität von Geschwindigkeit und Körper zu finden. Der auf seinem Motorrad davon brausende Pensionär befindet sich außerhalb der Zeit, ist doch Geschwindigkeit unkörperlich, immateriell, nichts als Geschwindigkeit, so Kundera in *Die Langsamkeit*, während sich derjenige, der sich zu Fuß fortbewegt, in Einklang mit seinem Körper befindet und beim Laufen sein Gewicht spürt, sein Alter wahrnimmt, mehr denn je sich seiner selbst und seiner Lebenszeit bewußt ist. Nur die Langsamkeit führt zur Rückgewinnung ›enteigneter Zeit‹ und zur Aneignung des eigenen Lebensalters. Daraus folgt keineswegs Passivität, sondern eine authentische Form der Aktivität, so wie David Lynch in dem Film *A straight story* einen alten Mann zeigt, der aufgrund seiner Altersgebrechen seinen Führerschein abgeben mußte, aber dennoch den unaufschiebbaren Wunsch verspürt, noch einmal seinen Bruder zu treffen, der einen Schlaganfall erlitten hat und mit dem er, ausgestattet mit der Nachsichtigkeit des Alters, alte Konflikte bereinigen möchte. Um dorthin zu gelangen, setzt er sich auf seinen fahrbaren Rasenmäher und rollt gemächlich durch Orte und Landschaften. Im Rhythmus des allmählichen Vorankommens aber findet er zu einer neuen Betrachtung der Natur, einer neuen Sicht der Menschen sowie des eigenen inneren Empfindens und Erlebens. Beides, Außen und Innen, scheinen neu zueinander zu finden und ihm ein Gefühl zu vermitteln, in einem Ganzen aufgehoben zu sein.

Literatur

Amery, J. (1979): Über das Altern. Revolte und Resignation. Klett-Cotta (Stuttgart) (5. Auflage).
Baltes, P. B. (1991): The many faces of human aging: Toward a psychological culture of old age. In: Psychological Medicine 21, S. 837–854.
Baumann, Z. (1994): Tod, Unsterblichkeit und andere Lebensstrategien. Fischer (Frankfurt/M.).
Bobbio, N. (1997): Vom Alter – De senectute. Wagenbach Verlag (Berlin).
Coehlo, P. (1999): Auf dem Jakobsweg. Diogenes (Zürich).
Dieck, M. & Naegele, G. (1989): Die ›Neuen Alten‹ – Die ›Karriere des neuen Alters‹ ist voraussichtlich von kurzer Dauer. In: Theorie und Praxis der sozialen Arbeit 5, S. 162–172.
Friedan, N. (1995): Mythos Alter. Rowohlt (Reinbeck).
Geissler, K. A. (2000): Zeit – verweile doch. Herder (Freiburg) (3. Auflage).
Heuft, G. (1997): Auf dem Weg zu einem empirisch gestützten psychoanalytischen Entwicklungsmodell der zweiten Hälfte des Erwachsenenlebens. In: Radebold, H. (Hg.): Altern und Psychoanalyse. Psychoanalytische Blätter 6, S. 41–54.
Jaspers, K. (1971): Einführung in die Philosophie. Pieper (München).
Kundera, M. (1995): Die Langsamkeit. Fischer (Frankfurt).
Laslett, P. (1995): Das dritte Alter. Juventa (München).
Lifton, R. J. (1986): Der Verlust des Todes. Hanser (München).
Lutz, R. (1996): Genußtraining. In: Linden, M. & Hautzinger, M. (Hg.): Verhaltenstherapie. Springer (Berlin).
Nadolny, S. (1983): Die Entdeckung der Langsamkeit. Pieper (München).
Pinquardt, M. (1998): Das Selbstkonzept im Seniorenalter. Psychologie Verlags Union (Weinheim).
Reheis, F. (1998): Die Kreativität der Langsamkeit. Primus Verlag (Darmstadt) (2. Auflage).
Riley, M. & Riley, J.W. (1992): Individuelles und gesellschaftliches Potential des Alterns. In: Baltes, P. B. & Mittelstraß, J. (Hg.): Zukunft des Alterns und gesellschaftliche Entwicklung. Walter de Gruyter (Berlin), S. 437–461.
Salthouse, T. A. (1985): Speed of behavior and ist implications for cognition. In: Birren, J. E. & Schaie, K.W. (Hg.): Handbook of the psychology and aging. Van Nostrand Reinhold (New York), S. 400–426 (2. Auflage).
Sennett, R. (2000): Der flexible Mensch. Siedler Verlag (Berlin).
Virilio, P. (1994): Das Privileg des Auges. In: Dubost, J.-P. (Hg.): Bildstörung. Gedanken zu einer Ethik der Wahrnehmung. Reclam Verlag (Leipzig), S. 55–72.
Virilio, P. (1997): Rasender Stillstand. Fischer (Frankfurt).
Zeman, P. (1996): Altersbilder, soziale Arbeit und die Reflexivität des Alters. In: Schweppe, C. (Hg.): Soziale Altenarbeit. Juventa (Weinheim), S. 33–53.

Brauchen wir eine psychodynamische Sicht des Alterns?

Hartmut Radebold

Viele Wissensdisziplinen erbringen seit langem wichtige Beiträge zum Altern und Alter, die sich längst auch in den Bezeichnungen entsprechender Subdisziplinen widerspiegeln, so z. B. Altersbiologie, Altersmedizin resp. Geriatrie, Alterspsychiatrie resp. Gerontopsychiatrie, Gerontopsychosomatik, Psychogerontologie, Soziale Gerontologie bzw. Soziogerontologie. Dabei steigt die Zahl der sich beteiligenden Wissensdisziplinen ständig an, so verzeichnet z. B. das Handbuch *Soziale Gerontologie* (Jansen et al. 1999, S. 78–413) insgesamt 19 disziplinäre Perspektiven[1] Inzwischen haben sich zwar die Begriffe Alternspsychotherapie und Gerontopsychosomatik eingebürgert, jedoch fehlt weiterhin der Begriff Gerontopsychoanalyse, dessen Nutzung in der psychoanalytischen Welt einen anerkannten Bereich definieren würde. Psychoanalyse und Altern, trotz längst bestehenden Wissenszuwachses (z. B. Heuft et al. 2000; Radebold 1992; 1999), beginnen erst jetzt als einander bisher Fremde, den Dialog zu suchen (Radebold 1997).

Notwendige Definitionen

Zu dem häufig benutzten Begriff Psychodynamik liegen interessanterweise sowohl innerhalb als auch außerhalb der psychoanalytischen Wissensdisziplin kaum Definitionen[2] vor. Als einzige aktuelle lässt sich auffinden:

---

[1] Unter diesen befindet sich ausnahmsweise auch die Psychoanalyse, die ansonsten entweder generell nicht als für diesen Bereich wichtig (z. B. Oswald et al. 1991, Baltes & Mittelstraß 1992) angesehen oder z. B. lediglich dem Bereich der Intervention (z. B. Wahl u. Tesch-Römer 2000) zugeordnet wird. Ihre Existenz in dieser Publikation verdankt sie wohl weitgehend dem Umstand, daß einer der Herausgeber als Psychoanalytiker im Altersbereich forscht.

[2] Sigmund Freud selbst hat lt. Gesamtregister (1968) diesen Begriff nicht verwandt. Er gehört weiterhin weder zum »Vokabular der Psychoanalyse« (Laplanche & Pontalis 1972) noch zu den »Psychoanalytischen Grundbegriffen« (Mertens & Waldvogel 2000; hier wird der Begriff noch nicht einmal im Gesamtregister erwähnt!), aber ebenso findet man ihn auch nicht in der 24-bändigen Brockhaus-Enzyklopädie (1992) oder im Duden Fremdwörterbuch (1997).

> »Psychoanalytische Bezeichnung für die dynamischen Beziehungen und das Zusammenwirken von Persönlichkeitsanteilen (i .e. S. von Ich, Es, Über-Ich bzw. von Bewußtsein und Unbewußtem). Durch die Psychodynamik werden bestimmte psychische Reaktionsformen (z. B. Fehlleistungen, Abwehrmechanismus) erklärbar« (Psychrembel 1998).

In der Regel wird der Begriff in Erweiterung mit *Sichtweise der Psychoanalyse* gleichgesetzt.

Der Begriff Altern bezieht sich auf die Zeit nach dem 60. Lebensjahr, er meint hier den Prozeß und die Veränderungen, die über 60-jährige Erwachsene in den verschiedenen Phasen ihres Älterwerdens durchlaufen und erst sekundär den allgemeinen und speziell den körperlichen Alterungsprozeß.

Vielfältig zu interpretierende Phänomene

Psychische Phänomene/Verhaltensweisen lassen sich bekannterweise – je nach theoretischer Ausrichtung – vielfältig interpretieren. Bei über 60-Jährigen fehlt jedoch diese Vielfalt in der Interpretation psychischer Phänomene, d. h. sie werden in der Regel als biologisch, bzw. körperlich bedingt angesehen und darüber hinaus häufig entsprechend dem Defizit-Modell des Alterns als unaufhaltsam fortschreitender Abbauprozeß bewertet. Mehrere Situationen sollen die Problematik einer derartigen Sichtweise verdeutlichen:

Ein alleinstehender 76-jähriger Mann erzählt in einer Gesprächsgruppe in seiner Altenwohneinrichtung stereotyp zwei bis drei Geschichten aus dem letzten Weltkrieg (»Wie eine Schramme auf einer Schellack-Schallplatte«). Die Gruppenleiterin vermutet eine beginnende Demenz. Die Supervision klärt, daß der stereotyp wiederholte Bericht auf Grund des näherrückenden Lebensendes und auf Grund von Schuldgefühlen auf bedrängende traumatisierende Kriegserlebnisse hinweist. Durch das Beschränktsein der Berichte auf die nüchterne Darstellung spaltet er vermutlich bedrohliche, tief beängstigende Gefühle ab. Gleichzeitig stellen die Berichte ein (unbewußtes) Gesprächsangebot dar.

Eine 75-jährige Patientin vergisst im Verlauf von mehreren Behandlungsstunden immer wieder zuvor eingebrachte Einfälle und Erinnerungen, aber auch Interpretationen und Deutungen. Einmal berichtet sie, daß sie verzweifelt mehrere Briefe ihres verstorbenen Mannes gesucht habe. Sie selbst wertet ihre Reaktionen als »zunehmende Vergesslichkeit und damit Altersabbau«. Als Abwehr verstanden und gedeutet, verschwinden diese, sich auf einen spezifischen Konflikt beziehende Fehlleistungen innerhalb kurzer Zeit vollständig.

Eine 78-jährige Frau verlässt aus Angst vor »Überfällen in der Dunkelheit« ihre Wohnung nicht mehr und vereinsamt dadurch noch mehr. Im Gespräch zeigen sich mehrere, schon langfristig bestehende typische Phobien und aktuell eine offenbar als Versuchungssituation erlebte Begegnung mit einem charmanten Mann auf einem Treffen ihres bis dahin regelmäßig nur mit der Freundin zusammen besuchten Altenclubs.

In einem Altenheim erschreckt eine 74-jährige Frau alle Mitarbeiterinnen mit der Phantasie, daß aus ihrem künstlichen Darmausgang (aufgrund einer Krebsoperation) »soviel schwarzer, stinkender Kot herausfließen würde, daß er das Bett überfluten, den ganzen Raum ausfüllen und schließlich das Treppenhaus erreichen würde«. In der Supervision klärte sich, daß diese Frau, lebenslang alleinstehend, nach ihrer Krebsoperation von ihrer einzigen Freundin in diesem Heim »abgeliefert« worden war. Ihre Enttäuschung, die mit schwersten inneren Vorwürfen gegenüber ihrer Freundin einherging, die sie dennoch unverändert benötigte, sowie die lebensgefährdende Bedrohung durch die Krebserkrankung konnten offenbar nur mit dieser analen Größenphantasie kompensiert werden. Nach Ansprache von Enttäuschung, Wut und Bedrohung in mehreren Gesprächen schwand die Symptomatik völlig (zu weiteren Beispielen siehe Radebold 1992, S. 208–226).

Würden Menschen solche Reaktionen und Verhaltensweisen als 25- bis 60-Jährige zeigen, so würde darin ein Abwehrverhalten, eine Regression oder ein Zeichen einer sonstigen psychoreaktiven Störung gesehen werden – bei über 60-Jährigen und erst recht bei noch Älteren entfällt diese Sichtweise offenbar!

Akzeptierte psychodynamische Sicht: implizite Annahmen

Selbst wenn psychoanalytisch Denkende eine psychodynamische Sicht der Verhaltensweisen und Reaktionen Älterer haben, so erscheinen sie als psychoanalytisch Handelnde auffallend wenig dadurch beeinflusst – so als ob sie sich folgender impliziter Annahmen nicht bewußt seien:

– Über 60-Jährige verfügen als psychosexuell und psychosozial erfahrene Erwachsene über keine andere Persönlichkeitsstruktur als Erwachsene im jüngeren und mittleren Alter.

– Über 60-Jährige durchlaufen auch während des höheren (60-75 Jahre) und des hohen (über 75 Jahre) Erwachsenenalters weite Entwicklungsphasen. Unverändert hat das Ich auch jenseits des 60. Lebensjahres seine – allmählich schwieriger werdenden – Aufgaben zu leisten, d. h. zwischen libidinösen, aggressiven und narzisstischen Strebungen und den Ansprüchen des Über-Ichs wie auch des Ich-Ideals zu vermitteln sowie gemäß dem Lust-/Unlust-Prinzip unter Einbeziehung der Realität und der gegebenen Umwelt Befriedigungsmöglichkeiten zu suchen.

– Psychotherapie über 60-Jähriger ist selbstverständlich auch als psychoanalytische Psychotherapie unter Berücksichtigung von üblichen Indikationskriterien, differentieller Therapieindikation und jeweils zu überprüfenden Therapiezielen möglich. Erst nach deren Abklärung muß im Einzelfall zusätzlich gefragt werden, inwieweit biologische, durch Krankheiten bedingte wie auch soziale Alternsprozesse die dynamischen Aspekte prägen oder verändern, und ob unsere psychoanalytischen Annahmen ausreichen, die von uns beobachteten Phänomene vollständig zu erklären.

Inzwischen bestätigen auch die im deutschsprachigen Raum vorliegenden Publikationen[3], wenn auch gegenüber den USA um 20 Jahre zeitverzögert, die wesentliche Bedeutung dieser impliziten Aussagen. Erst die konsequente Anwendung unserer Kenntnisse von Erwachsenen im jüngeren und mittleren Lebensalter auf die über 60-Jährigen ermöglicht ein adäquates psychotherapeutisches Behandlungsangebot für Erwachsene im höheren und hohen Lebensalter, d. h. für eine aufgrund der demographischen Veränderungen schnell anwachsende Bevölkerungsgruppe.

Am 31.12.1998 (3. Altenbericht 2001) waren 22% der Bevölkerung über 60 Jahre alt (um 1900 nur 8%, um 1950 bereits 15%). Die über 60-jährigen Männer haben derzeit eine Lebenserwartung von 19 Jahren (um 1900 von

---

[3] Siehe insbesondere Heuft/Teising 1999; Heuft et al. 2000; Hinze 1996; Kipp/Jüngling 2000; Radebold 1992, 1997; Schlesinger-Kipp 1995; Teising 1992, 1998; Wenglein 1997.

13 und um 1970 von 15 Jahren) und entsprechend die 60-jährigen Frauen eine von 23 Jahren (um 1900 von 14 Jahren und um 1970 von bereits 19Jahren). Die Gruppe der 80-Jährigen als Hochaltriger umfasst z. Zt. 4% (um 1900 nur 0,5%) und stellt die am schnellsten wachsende Bevölkerungsgruppe dar.

Mindestens 25% der über 65-Jährigen leiden aufgrund vorliegender Untersuchungen zur gerontopsychiatrischen Morbidität (Bickel 1997; Wiedemann 1997) an psychischen Störungen, wobei ungefähr die Hälfte dieser Störungen psychoreaktiv sind. Der Bedarf an psychotherapeutischer Hilfestellung (Beratung, kurzfristige und längerfristige Psychotherapie) wird auf 8-10% (Heuft et al. 2000; Hirsch 1999) geschätzt.

Notwendige Fragen

Die psychogerontologische Forschung geht von der Stabilität der psychischen Funktionen (u. a. insbesondere der kristallinen Intelligenz) und der Persönlichkeitszüge bei allerdings hoher individueller Schwankungsbreite (Lehr 2000) aus. Insgesamt kommt dabei dem chronologischen Alter – zumindest bis zum 75./80. Lebensjahr – nur geringe Bedeutung zu. Trotzdem stellen sich für die Psychoanalyse zusätzlich wichtige Fragen:

Bestehen Konflikte lebenslang weiter?

Dauerhaft anhaltend, sich ständig wiederholend oder erneut auftretend leiden auch über 60-Jährige an unbewußten, innerpsychischen wie auch intra- und intergenerationellen Konflikten. Zusätzlich werden Konflikte zwischen Ich und Über- bzw. Ideal-Ich (Speidel 1985) häufiger. Allerdings bekommen diese Konflikte aufgrund sich verändernder Themen »neue« Kleider (Radebold 1992, S. 82–93). Dazu zeigen sich Folgen von Traumatisierungen als Trauma-Reaktivierungen oder als Re-Traumatisierungen. Die Zeitlosigkeit des Unbewußten bedingt, daß diese Konflikte auch nach dem 60. Lebensjahr in voller Intensität erlebt werden.

Zusätzlich zu den vertrauten, bei Älteren allerdings nicht immer als solche erkannten, Abwehrmechanismen werden unbewußt oft physische und psychische Einschränkungen oder Symptome zu Abwehrzwecken herangezogen; ebenso lässt sich eine zunehmende »Rigidität« i. S. einer Zuspitzung bestehender Charakterzüge als sich verstärkende Abwehr begreifen.

Welche Bedeutung bekommt der Körper während des Alterns?

Die Auswirkungen der allmählich stärker werdenden physiologischen Veränderungen (Walter et al. 1999) beeinträchtigen zunehmend Aktivität/Leistungsfähigkeit, Beweglichkeit, Hören, Sehen, Riechen/ Schmecken und Potenz, d. h. die Ich-Ausstattung und die Ich-Funktionen. Davon müssen Krankheiten (Mulitmorbidität) und Krankheitsfolgen unterschieden werden.

In Konsequenz mangelt es dem Ich an entscheidenden Voraussetzungen zur Lebens- und Konfliktbewältigung und zur Aufrechterhaltung seiner selbstverständlich und gerade während des Alterns benötigten Autonomie. Der drohende bzw. eingetretene Verlust von physischen, psychischen und sozialen Funktionen kann zunächst adaptative und bei zunehmender Hilflosigkeit pathologisch-regressive Prozesse zur Folge haben (Radebold 1992, S. 101–109).

Noch stärkere Einflüsse auf die Ich-Funktionen haben hirnorganische bzw. dementielle Erkrankungen. Während des demenziellen Prozesses lassen sich noch viele Reaktionen und Verhaltensweisen psychodynamisch erklären (Radebold 1992). Durch die fortschreitende Demenz wird die Verständigungsfähigkeit und damit unsere Zugangsmöglichkeit verringert (Bauer 1997). Veränderungen durch die Demenzerkrankung dürfen nicht dazu führen, Altern mit einer biologisch determinierten, ›naturgemäßen‹ Regression gleichzusetzen.

Dem Körper kommt während des Alterns eine zunehmende Bedeutung zu, da er die Funktionsfähigkeit des Ich, die Erhaltung der Autonomie und nach Verlusten als möglicherweise letzter Verbündeter das (Über-)Leben garantiert (Radebold 1998). Mit seiner Hilfe werden zahlreiche medizinische Objektbeziehungen geschaffen. Insgesamt wird seine Rolle als dritter Organisator der Entwicklung diskutiert (Heuft 1997).

Altern – nur Abschied?

Angesichts zunehmender Verluste an wichtigen Beziehungspersonen, an eigenen physischen und psychischen Funktionen, an sozialer Sicherheit und an Wohnumwelt sowie der krankheitsbedingten Bedrohung des eigenen Lebens wird das Ich immer häufiger aufgefordert, mit Hilfe eines ständigen ›Trauer- und Befreiungsprozesses‹ (Pollock 1981) zu reagieren. Häufiger lassen sich dabei Moratorien wie auch bedrohlich erscheinende regressive Schritte beobachten. So erscheint es naheliegend, das Altern nicht mehr aus der Perspektive einer Konflikt-Pathologie, sondern fast ausschließlich aus der einer Verlust-

Pathologie zu betrachten. Man vergesse jedoch nicht, daß Altern inzwischen aufgrund der angeführten Lebenserwartung über 60-Jähriger mindestens ein weiteres Drittel der Erwachsenenzeit umfasst. Selbstverständlich kann es dabei zu Verlust-Kumulationen mit den entsprechenden Folgen kommen. In der Regel lassen sich nach regressiven Schritten immer wieder – manchmal auch mit Hilfe einer Psychotherapie – progressive Entwicklungen beobachten. Sie ermöglichen, die unverändert bestehenden vielfältigen Lebensmöglichkeiten während des Alterns besser zu nutzen. Voraussetzung dafür ist allerdings die Bearbeitung lang bestehender Konflikte.

Widerstände gegen eine konsequente psychodynamische Sicht des Alterns

Die Probleme und Widerstände auf Seiten der Psychoanalytiker sind zwischen gut erforscht: Sie umfassen die Konfrontation mit den beunruhigenden, bedrohlichen, beängstigenden und beschämenden Aspekten des Alterns sowie den vielfältigen und zunehmenden Verlusten. Die Begegnung mit den historisch vorbelasteten Generationen, Erfahrungen mit Älteren, die eigene Einstellung gegenüber dem Altern und Ängste vor dem Alter sowie eine (zunächst) ›umgekehrte‹ Übertragungskonstellation (Heuft 1990; Heuft et al. 2000; Hinze 1987; Radebold 1992; Radebold et al. 1973) erschweren eine vorbehaltlose psychodynamische Sicht auf ältere Patienten.

Unsere Kulturgeschichte – ebenso z. B. auch die indische und chinesische – vermittelt bis heute das Leit- und Idealbild und damit normsetzend das Menschenbild des Älteren als eines ›abgeklärten‹, reifen Individuums, welches sich ›jenseits von Gut und Böse‹ (d. h. jenseits von Triebimpulsen und Konflikten) befindet und sich in ›kontemplativen Rückzug auf sein Lebensende‹ vorbereitet. Tragen nicht viele, insbesondere nach ihrem 50. Lebensjahrs und angesichts des Stresses im Beruf, dieses Bild vorbewußt als Wunschbild in sich?

Dieses Leit- bzw. Wunschbild kollidiert mit der konsequenten Anwendung einer psychodynamischen Sichtweise. Diese zeigt zwar ein Bild von jetzt allmählich psychosexuell und psychosozial erfahrener Erwachsener. Unverändert sind die Älteren aufgrund ihres fortbestehenden, zeitlosen Unbewußten aber auch jetzt nicht ›Herr im eigenen Hause‹. Sie müssen sich weiterhin mit genitalen, aggressiven und narzißtischen Strebungen und den damit zusammenhängenden Konflikten auseinandersetzen – bei sich selbst und in ihren Beziehungen. Weiterhin drohen beunruhigende, beängstigende, beschämende und kränkende Gefühle.

Das Vierte Gebot lautet – m. E. unbewußt unverändert hoch wirksam – »Du sollst Vater und Mutter ehren lebenslang«. Das Alte Testament verbietet die »Blöße« des alt gewordenen Noah (Moses 9, Vers 20) überhaupt zu sehen und bestraft den dagegen verstoßenden Sohn mit lebenslanger Knechtschaft. Diese Gebote verlangen von den Jüngeren, lebenslang und ehrfürchtig von den Älteren zu lernen – keinesfalls umgekehrt.

Angesichts dieser schwierigen Situation lassen sich bestimmte professionelle ›Kompromiß‹-Bildungen beobachten:

- Insgeheim überwiegt doch eine biologisch determinierte, wenn nicht sogar defizitär ausgerichtete Sichtweise, die – trotz gewisser kognitiver Akzeptanz der Forschungsergebnisse – lediglich eine supportive Hilfestellung für möglich hält.

- Ältere erscheinen prinzipiell aufgrund ihrer Erfahrung und Reifung fähig, wenn überhaupt notwendig selbst Konflikte und Schwierigkeiten anzugehen. Eine psychotherapeutische Hilfestellung wird daher lediglich in reduzierter Form (geringere Zeitdauer, geringere Stundenfrequenz, geringere Gesamtbehandlung und damit insgesamt eingeschränkter therapeutischer Wirkdosis) als notwendig angesehen.

- Alter wird als Abschnitt nach dem Erwachsenenalter angesehen und als kurz und statisch eingestuft! Damit werden Ältere als andersartige Menschen gesehen, als z. B. ›Reifere‹, ›sich im Abbau befindliche‹ oder als ›Post-Erwachsene‹.

- Über 60-jährige Behandler mit ähnlichen Befürchtungen vor dem, bzw. Annahmen über das Alter treffen sich mit ihren älteren Patienten in einem gemeinsamen unbewußten(Abwehr-)Bündnis.

- Die Unterscheidung zwischen Erwachsenen und Älteren gestattet, die speziellen gerontologischen Theorien (Disengagement-Theorie, Aktivitätstheorie, Theorie der Potentiale und Kompetenzen und jetzt Theorie der selektiven Optimierung) für die Behandlung Älterer mit entsprechenden Konsequenzen zu nutzen (Shanan 1986). Diese

Unterscheidung berücksichtigt allerdings keine psychoanalytische Sichtweise.

Schlussfolgerung

Die psychodynamische Sicht ermöglicht eine zentrale Zugangs- und Verständnisweise des Alterns und damit von über 60-jährigen Erwachsenen. Die Psychoanalyse stellt ein theoretisches Konzept für die Behandlung psychischer und psychosomatischer Störungen dar, die auf in die Kindheit und Jugendzeit zurückreichende Konflikte, auf Aktualkonflikte und auf Traumatisierungen zurückzuführen sind. Mit Hilfe der von ihr abgeleiteten Behandlungsformen lassen sich positive, langfristig anhaltende, auch katamnestisch nachgewiesene Veränderungen auf der Symptom-, Konflikt- und Verhaltensebene erzielen. Damit ist die Psychoanalyse als gerontologische Teildisziplin geeignet, am Dialog über das Alter mit anderen Wissensdisziplinen fruchtbar teilzunehmen, aber auch sich selbst zu erweitern.

Würden wir als Psychoanalytiker diese psychodynamische Sichtweise jetzt nicht offensiv vor der allgemeinen und wissenschaftlichen Öffentlichkeit und damit in Theorie und Praxis sowie im Dialog vertreten, hätte dies entscheidende Konsequenzen. Die Psychoanalyse würde damit sich selbst für einen großen Anteil von Erwachsenen und in Konsequenz für ein Drittel des Lebenszyklus Erwachsener nicht als relevant ansehen, diesem großen Teil der Bevölkerung eine adäquate psychotherapeutische Behandlung verweigern und schließlich aus der allgemeinen Alternsforschung ausscheren. Wollen wir das?

Literatur

Baltes, P. & Mittelstraß, J. (Hg.) (1992): Zukunft des Alterns und gesellschaftliche Entwicklung. de Gruyter (Berlin).

Bauer, J. (1997): Möglichkeiten einer psychotherapeutischen Behandlung bei Alzheimer-Patienten im Frühstadium der Erkrankung. In: Nervenarzt 68, S. 421–424.

Bickel, H. (1997): Epidemiologie psychischer Erkrankungen im Alter. In: Förstl, H. (Hg.): Lehrbuch Gerontopsychiatrie. Enke (Stuttgart), S. 1–15.

Bundesministerium für Familie, Senioren, Frauen und Jugend (Hg.) (2001): Dritter Bericht zur Lage der älteren Generation. Deutscher Bundestag, 14. Wahlperiode, Drucksache 14/5130.

Freud, S. (1968): Gesammelte Werke. Gesamtregister, Bd. XVIII. Fischer (Frankfurt/M.).

Heuft, G. (1990): Bedarf es eines Konzepts der Eigenübertragung? In: Forum der Psychoanalyse 6, S. 299–315.

Heuft, G. (1997): Auf dem Wege zu einem empirisch gestützten psychoanalytischen Entwicklungs-Modell der zweiten Hälfte des Erwachsenenlebens. In: Radebold, H. (Hg.): Altern und Psychoanalyse. Vandenhoeck & Ruprecht (Göttingen), S. 41–53.

Heuft, G.; Kruse, A. & Radebold, H. (2000): Lehrbuch der Gerontopsychosomatik und Alternstherapie. Reinhardt (München).

Heuft, G. & Teising, M. (Hg.) (1999): Alterspsychotherapie – Quo vadis? Westdeutscher Verlag (Opladen).

Hinze, E. (1987): Übertragung und Gegenübertragung in der psychoanalytischen Behandlung älterer Patienten.In: Psyche 41, S. 238–253.

Hinze, E. (Hg.) (1996): Männliche Identität und Altern. Psychosozial 19 (66), S. 1–73

Hirsch, R. D. (1999): Gegenwärtige Grenzen und notwendige Entwicklung der Alterspsychotherapie. In: Spektrum 28, S. 94–97.

Jansen, B.; Karl, F.; Radebold, H. & Schmitz-Scherzer, R. (Hg.) (1999): Soziale Gerontologie. Beltz (Weinheim).

Kipp, J. & Jüngling, G. (2000): Einführung in die praktische Gerontopsychiatrie. Zum verstehenden Umgang mit alten Menschen.. Reinhardt (München).

Laplanche, J. & Pontalis, J. B. (1972): Das Vokabular der Psychoanalyse. Suhrkamp (Frankfurt/M.).

Lehr, U. (1974): Psychologie des Alterns. UTB (Heidelberg). Auflage 2000.

Mertens, W. & Waldvogel, B. (Hg.) (2000): Handbuch psychoanalytischer Grundbegriffe. Kohlhammer (Stuttgart).

Oswald, W.; Herrmann, W.; Kanowski, S.; Lehr, U. & Thomae, H. (Hg.) (1991): Gerontologie: Medizinische psychologische und sozialwissenschaftliche Grundbegriffe. Kohlhammer (Stuttgartt).

Pollock, G. H. (1981): Aging od aged – Development or Pathology. In: Greenspan, S. J. & Pollock, G. H. (Hg.): Adulthood and the aging process. Maryland (National Inst. of Health), S. 549–589.

Psychrembel (1998): Klinisches Wörterbuch, 258. Auflage. de Gruyter (Berlin).

Radebold, H. (1992): Psychodynamik und Psychotherapie Älterer. Springer (Berlin).

Radebold, H. (Hg.) (1997): Altern und Psychoanalyse. Vandenhoeck & Ruprecht (Göttingen).

Radebold, H. (1999): Psychoanalyse. In: Jansen, B.; Karl, F.; Radebold, H. & Schmitz-Scherzer, R. (Hg.): Soziale Gerontologie. Beltz (Weinheim), S. 309–323.

Radebold, H. (1998): Körperliche Krankheiten Alternder und ihre innerpsychische Bedeutung. In: Teising, M. (Hg.): Altern: Äußere Realität und innere Wirklichkeiten. Psychoanalytische Beiträge zum Prozeß des Alterns. Westdeutscher Verlag (Opladen), S.141–156.

Radebold, H.; Bechtler, H. & Pina, I. (1973): Psychosoziale Arbeit mit älteren Menschen. Lambertus (Freiburg).
Schlesinger-Kipp, G. (Hg.) (1995): Weibliche Identität und Altern. In: Psychosozial 60, Heft II.
Shanan, J. (1986): Konsequenzen psychologischer Alterstheorien für die Psychogeriatrie. In: Bergener, M. (Hg.): Depressionen im Alter. Steinkopff (Darmstadt), S. 9–21.
Speidel, H. (1985): Psychoanalyse, Alter und chronische Krankheit. In: Zeitschrift für Psychotherapie, Medizinische Psychologie und Psychosomatik 35, S. 141–146.
Teising, M. (1992): Alt und lebensmüde. Reinhardt (München).
Teising, M. (Hg.) (1998): Altern: Äußere Realität, innere Wirklichkeiten. Psychoanalytische Beiträge zum Prozeß des Alterns. Westdeutscher Verlag (Opladen).
Wahl, H. & Tesch-Römer C. (Hg.) (2000): Angewandte Gerontologie in Schlüsselbegriffen. Kohlhammer (Stuttgart).
Walter, U.; Schwartz, F. W. & Seidler, A. (1999): Sozialmedizin. In: Jansen, B.; Karl, F.; Radebold, H. & Schmitz-Scherzer, R. (Hg.), Soziale Geronotlogie. Beltz (Weinheim), S. 230–256.
Wenglein, E. (1997): Das dritte Lebensalter. Vandenhoeck & Ruprecht (Göttingen).
Wiedemann, G. (1997): Neurosen, Belastungsreaktionen und somatoforme Störungen. In: Förstl, H. (Hg.): Lehrbuch der Gerontopsychiatrie. Enke (Stuttgart), S. 427–438.

Gewohnte Konfliktstrategien reichen im Alter oft nicht aus

Johannes Kipp

Einleitung

Im Laufe des Lebens befinden sich Menschen und ihre Familien in einem ständigen Transformationsprozeß (Fürstenau 1992). Das Altern stellt dabei für den Erwachsenen eine besondere Herausforderung dar, geht es doch um die Frage, wie Defizite nach Verlusten verarbeitet werden können (Kipp/Jüngling 2000). Viele älterwerdende Erwachsene scheitern an den eintretenden Veränderungen, wünschen sie doch, daß nach Verlusten und Krankheiten alles wieder so werden solle wie früher – ein Zustand, der auch durch die beste Therapie nicht erreicht werden kann.

Vielmehr ist es notwendig, nach Verlusten Veränderungsarbeit zu leisten, wobei eine professionelle psychotherapeutische Behandlungsbeziehung entwicklungsfördernd wirken kann. Eine neue Anpassung ist notwendig, um mit dem Leben nach Verlusten zurecht zu kommen und trotz der oft reduzierten Möglichkeiten ein befriedigendes Leben führen zu können.

Wie ist diese Anpassung möglich? Eine Differenzierung und Verfeinerung vorhandener Kompetenzen reicht häufig nicht aus, da bei gesundheitlichen Einschränkungen, Beendigung der Berufstätigkeit und veränderter Familienkonstellation auf alte Lösungsstrategien nicht mehr zurückgegriffen werden kann. Vielmehr sind kreative Lösungen gefragt.

In der psychoanalytischen Behandlungsbeziehung wird eine nach dem Muster einer angemessenen Eltern-Kind-Relation konstruierte Helferbeziehung mobilisiert (Fürstenau 1992), wobei die Komplexität der Übertragungsbeziehung von älteren Patienten zu jüngeren Therapeuten hier nicht diskutiert werden soll (vgl. Hinze 1987). In dieser therapeutischen Helferbeziehung werden unbewußte Wünsche an die frühen Objekte der Kindheit in der Übertragungsbeziehung als Wünsche an den Therapeuten aktualisiert.

Durch die mobilisierten früheren Erlebnisweisen ergeben sich neue Entwicklungsmöglichkeiten: ein Neubeginn, wie dies Balint (1970) formuliert hat, ist möglich. Andererseits können Schwierigkeiten und Konflikte der Kindheit wieder auftauchen, die während des Erwachsenenlebens wenig Bedeutung zu haben schienen.

Das frühere Leben hat nicht nur in der Psychoanalyse, sondern auch in der kognitiven Verhaltenstherapie eine große Bedeutung. Insbesondere in der Depressionsbehandlung (Hautzinger 1997) geht es um einen Rückgriff auf frühere Kompetenzen und Ressourcen. Therapeutische Schulen übergreifend werden in Kliniken Psychotherapieprogramme mit multimodalen Ansätzen angeboten. Erinnern, Gestalten und Bewegen aktivieren frühere Erfahrungen. Das regressive Erleben ist Voraussetzung, sich an die durch Verluste veränderte Umwelt anzupassen. Im folgenden möchte ich mich mit dem Problem der Anpassung aus psychoanalytischer Sicht auseinandersetzen.

Anpassungsmechanismen

In der Psychoanalyse, die einen emanzipatorischen Anspruch hat, haben sich nur wenige Autoren mit Anpassungsproblemen beschäftigt. Heinz Hartmann (1982) hat Formen der aktiven und der passiven Anpassung beschrieben. Parin (1977) hat seine Theorie von den Anpassungsmechanismen in Analogie zu den Abwehrmechanismen formuliert, auf die ich hier näher eingehe. Er schreibt: »Anpassungsmechanismen nennen wir im Ich des Erwachsenen mehr oder minder fest etablierte Mechanismen, die unbewußt, automatisch und immer wieder gleich ablaufen, gerade so, wie es bei den Abwehrmechanismen beschrieben ist.« (S. 481) und weiter: »Gemeinsam ist den Anpassungmechanismen, daß sie sich als Stabilisatoren für die Ich-Organisation erweisen, so lange die sozialen Verhältnisse, unter denen eine Person lebt, sich nicht ändern« (S. 488). Im Alter, insbesondere nach Verlusten, kommt es aber zu solchen Veränderungen. Beim Versagen der automatischen Anpassung tritt – nach Parin – häufig Angst auf. Es können aber auch andere psychische oder psychosomatische Symptome entstehen. Parin spezifiziert drei Formen von Anpassungsmechanismen, nämlich

- das »Gruppen-Ich«,
- das »Clangewissen« und
- die »Identifikation mit der Rolle«,

schließt aber weitere Anpassungsmechanismen nicht aus.

Das Gruppen-Ich hänge mit der Bereitschaft zusammen, ganz bestimmte identifikatorische Beziehungen einzugehen, um so in einer Gruppe Rivalitäten zu reduzieren, ohne daß dies zu einer Massenbildung im Sinne von

Freuds Massenpsychologie führe. Das Clangewissen stelle die Fähigkeit des Ichs dar, äußere Autoritäten oder Institutionen zeitweise oder vorübergehend an Stelle eines verinnerlichten Über-Ichs zu setzen. Das Clangewissen wirke stabilisierend, es fördere die Durchsetzung jener Ich-Interessen, die den Werten und Vorschriften der Gruppe entsprechen.

Für unsere Betrachtung ist der Anpassungsmechanismus der »Identifikation mit der Rolle« am wichtigsten. Bei der Rollenidentifikation würden innere Konflikte nicht gelöst, doch resultierten für das Ich zwei Vorteile, wenn es die ihm zugeteilten Rollen nicht nur übernehme, sondern sich mit diesen identifiziere.

1. Die äußere Anpassung erfolge automatisch, sie erfordere keinen Besetzungsaufwand.

2. Die Identifikation biete immer eine wirkliche oder phantasierte libidinöse oder aggressive Befriedigung, die manchmal auf die rollenzuschreibenden Objekte bezogen sei. Ergänzend biete sie eine narzißtische Befriedigung darüber, da es mit positiver Resonanz verbunden sei, seiner Rolle zu entsprechen.

Aus der Beobachtung von Familien und Gruppen könne, so zitiert Parin Richter (1976), abgeleitet werden, daß Angst vor Isolierung, Ausschluß oder Liebesverlust die Rollenidentifikation in erster Linie oder gar ausschließlich bestimme. Das Ich brauche zur Identifikation mit der Rolle keine Energie, und sein Abwehrsystem werde dabei entlastet. Allerdings tausche es für den ökonomischen Gewinn eine strukturelle Einschränkung ein.

Typologie der Symptombildung im Alter

Unter Berücksichtigung der Theorie von den Anpassungsmechanismen soll hier die Symptombildung im Alter neu betrachtet werden.

Heuft (1993) stellt dar, daß psychische und psychosomatische Symptombildungen im Alter entweder auf einen neurotischen Kernkonflikt zurückgeführt werden oder durch eine Traumatisierung oder Traumareaktivierung entstehen und schließlich auch als Folge eines Aktualkonfliktes auftreten können. Von einem solchen Zusammenhang mit einem Aktualkonflikt sei bei denjenigen Alternden auszugehen, deren Anamnese/ Biographie trotz sorgfältiger Untersuchung keine pathogenen repetitiven Konfliktmuster erkennen lasse und deren Lebenslauf nach Erreichen des Erwachsenenlebens eine strukturelle Störung mit an Sicherheit grenzender Wahrscheinlichkeit ausschließe. Konflikthafte äußere Lebensbelastungen oder primär intrapsychisch erlebte Belastungen durch Entwick-lungs- und Alterungsprozesse könnten so zu Symptomen führen (Heuft et al. 2000, S. 107).

Durch die anstehenden Veränderungen der äußeren Realitäten im Alternsprozeß hinsichtlich der sozialen Desintegration stellen die Alternden eine Hochrisikogruppe dar. Hinzu kommen noch die spezifischen Aufgaben der Auseinandersetzung mit dem körperlichen Alternsprozeß.

Verkürzt kann diese Definition der Folgen des Aktualkonfliktes so verstanden werden, daß ein quasi gesunder Mensch durch die Belastungen im Alter Symptome bildet. Unter Berücksichtigung der Wirkung der geschilderten Anpassungsmechanismen, kann man davon ausgehen, daß durch diese die neurotischen Konfliktmuster nach Erreichen des Erwachsenenlebens so weit verdeckt werden, daß sie sich trotz sorgfältiger Untersuchung nicht erkennen lassen. Fällt die Anpassung im Sinne der Anpassungsmechanismen im Alter weg, kommt es u. E. so zur Symptombildung. Bei der Untersuchung wäre dann nicht nach einer leeren Biographie, sondern nach einer erfolgreichen früheren Anpassung, die jetzt weggefallen ist, zu suchen.

Heuft et al. (2000) schreiben in einem Fallbeispiel: »In der Biographie fanden sich bisher keinerlei seelische Störungen oder lebensbestimmende konflikthafte Verhaltensmuster.« (S. 108). Aus unserer Sicht gibt es aber in jeder Biographie, auch wenn keine psychischen Erkrankungen auftreten, mehr oder weniger lebensbestimmende konflikthafte Verhaltensmuster, die dem Leben jedes Einzelnen die individuellen Züge verleihen. Um einen Alternden zu verstehen, ist es nicht sinnvoll, nach einer quasi leeren Biographie zu suchen, vielmehr ist auf die Fähigkeit zur Bewältigung und zur Anpassung im Erwachsenenleben zu achten. Durch den Wegfall spezifischer Anpassungsmechanismen, wie dem Wegfall der Identifikation mit der Rolle, können Konfliktmuster plötzlich pathogene Auswirkungen haben. Das Ich hat den Schutz nicht mehr und verliert dadurch an Stabilität. Auch die narzißtische Befriedigung, die die Rolle geboten hatte, geht verloren.

Wenn die Hypothese vom Aktualkonflikt als Typus einer Symptombildung im Alter Bestand haben soll, ist sie im Wegfall der Anpassung oder der Bewältigung und nicht in einem Fehlen neurotischer Konfliktmuster zu suchen.

Hier setzen auch die therapeutischen Überlegungen an. Kann im Alter eine neue Identifikation mit einer Rolle gefunden werden oder müssen die auftretenden neurotischen Konflikte psychoanalytisch durchgearbeitet werden ?

Verlust der »Identifikation mit der Rolle« in der Biographie älterer Patienten

In einer Klinik für Psychiatrie und Psychotherapie lernt man Menschen kennen, bei denen psychische Leidenszustände besonders intensiv und/oder langwierig auftreten.

Frau U., 57 Jahre alt, ist als jüngstes von fünf Kindern aufgewachsen. Der Vater hatte zu ihr und ihrer Schwester ein gutes Verhältnis, während zu den anderen Kindern und zur Mutter das Verhältnis angespannt war. Er litt unter starker Eifersucht, die sich allmählich in einen Eifersuchtswahn und schließlich in eine Psychose auswuchs. Als die Patientin 9 Jahre alt war, würgte der Vater die Mutter und die Patientin ging dazwischen. Der Vater wurde danach in eine psychiatrische Klinik eingewiesen und lebte dort noch ca. 20 Jahre. Trotz der 1-jährigen Behandlungszeit unserer Patientin wurde dies von ihr und ihrer Familie bis kurz vor ihrem Tode verschwiegen.

Die Adoleszenz der Patientin verlief unauffällig. Sie hatte mehrere freundschaftliche Beziehungen ohne Intimkontakte. Mit 22 Jahren wurde sie von einem älteren Arbeitskollegen zu einem Abendessen in einem Dorfgasthaus eingeladen. Es entwickelte sich ein Liebesverhältnis, sie wurde schwanger, sie bekam Druck von ihrer Familie, da es für diese nicht akzeptabel war, von einem verheirateten Mann ein Kind zu bekommen. Der Mann ließ sich jedoch scheiden und heiratete sie. Sie war nach der Geburt des Kindes nicht mehr berufstätig. Sie zeigte wenig Eigeninitiative, sondern richtete ihr Leben ganz auf den Ehemann aus. Sie hatte sich mit der Rolle als Hausfrau und Mutter identifiziert. So lebte sie relativ stabil ca. 30 Jahre lang bis zu dem Tode des 12 Jahre älteren Ehemannes. Auch nach dessen Tod ging es ihr noch ca. ein Jahr relativ gut, sie konnte jedoch keine neuen Perspektiven entwickeln. Dann wurde sie allmählich depressiv und unruhig. Einzige Phantasie war, ihr Problem könne sich lösen, wenn sie wieder mit einem Mann zusammenleben würde, aber sie war ja nicht fähig, von sich aus auf einen Mann zuzugehen und das nicht nur, weil sie jetzt schwer depressiv war.

Eigeninitiative war ihr aus neurotischen Gründen verboten. Sie versuchte nicht zu handeln, um nicht schuldig zu werden. Sie fühlte sich noch schuldig für die Klinikeinweisung des geliebten Vaters. Das Schuldthema scheint in ihrer Familie eine große Bedeutung zu haben. Schuldvorwürfe waren ihr von der Familie gemacht worden, als sie sich mit dem verheirateten Mann eingelassen hatte, der sich dann wegen ihr hatte scheiden lassen.

Während der Ehe hatte sie sich ganz mit der Rolle der Ehefrau identifiziert und so ihr Ich von diesen Konflikten entlasten können. Sie war seelisch stabil und konnte gut leben. Mit dem Tod des Ehemanns wurde die Aufgabe, als Frau allzeit verfügbar zu sein, dysfunktional. Sie kam, nachdem kein anderer Mann auf sie zuging, zunehmend in ein auswegloses Entscheidungsdilemma: Aus der Abwehr von Schuldgefühlen konnte sie keine Initiative übernehmen, einen neuen Mann kennenzulernen. Da kein Mann vorhanden war, konnte sie aber auch nicht ihre alte Rollenidentifikation wieder aufnehmen und so ihr Ich entlasten. Schließlich hatte sie wohl nur noch die Phantasie, wie ihr Vater 20 Jahre in der Klinik bleiben zu müssen. Auch hier kam sie unter Druck als Ärzte des Medizinischen Dienstes der Krankenkasse ihr sagten, daß die Kosten für die klinische Behandlung nicht weiter übernommen würden. Der suizidale Ausweg in den Tod erschien ihr die einzige Lösung zu sein.

Die schwere depressive Erkrankung dieser Patientin kann als Folge eines Aktualkonfliktes aufgefaßt werden. Sie war zuvor nie psychisch krank. Mit dem Wegfall des Anpassungsmechanismus der »Identifikation mit der Rolle« traten Konfliktsituationen der Kindheit wieder auf, die durch die stabile Ehesituation 30 Jahre lang keine biographisch prägende Bedeutung hatten.

Durch die Identifikation mit der Rolle können krankheitsauslösende Konflikte während des Erwachsenenlebens auch dann in den Hintergrund treten, wenn es ein sozial angepaßtes Kampffeld gibt.

Ein Patient, 63 Jahre alt, war schon seit einem Jahr vor dem Beginn einer ambulanten Psychotherapie das erste Mal in seinem Leben depressiv. Zwei Jahre zuvor war er in Frührente gegangen. In Oberschlesien in einer deutschen Familie aufgewachsen, war er dazu erzogen, auf deutsche Normen und Werte besonderen Wert zu legen. Korrektes Handeln stand über persönlichen Interessen. Schicksalsprägend war, daß er mit 14 oder 15 Jahren beobachtet wurde, wie er ein Mädchen heimlich küßte. Dies wurde den Lehrern und dem Direktor des Gymnasiums hintertragen. Obwohl sein Vater eine bedeutende gesellschaftliche Rolle innehatte, wurde er von diesem nicht geschützt. Er wurde deshalb von der Schule verwiesen und mußte in ein entfernt liegendes Gymnasium weiter zur Schule gehen. An ein Aufbegehren gegen den Vater bzw. gegen die väterlichen Normen konnte er sich nicht erinnern. Bis zur Therapie hatte er das

Handeln seines Vaters nie in Frage gestellt. Seine überstrenge Gewissensbildung, die der Patient auf seine Deutschstämmigkeit im mehrheitlich von Polen besiedelten Land zurückführte, könnte als eine Art »Clangewissen« im Sinne von Parin interpretiert werden.

Sein weiteres Leben war durch Krieg, Verschüttung und Not in der Nachkriegszeit gekennzeichnet. Durch eine Tuberkuloseerkrankung konnte er keinen akademischen Beruf ergreifen und wurde schließlich Rechtspfleger, wobei er für diesen Beruf an sich überaus strenge Anforderungen stellte. Neben dieser Tätigkeit wurde er nach seiner Tuberkuloseerkrankung in seiner Dienststelle Behindertenvertrauensmann und kämpfte für die Rechte der Behinderten, worüber er häufig in der Therapie berichtete.

Eine Erinnerung charakterisiert seine Gewissensproblematik, die sich in vielen Auseinandersetzungen zeigt. Er ging bei Rot über die Straße und wurde dabei von einem Polizisten zur Rede gestellt. Im Gespräch mußte er zugeben, daß er Rechtspfleger war. Er schämte sich sehr, da er durch das Überqueren der Straße bei Rot etwas offensichtlich Unrechtes getan hatte. In der Identifikation mit dem Vater mußte er sich selbst verurteilen.

Obwohl diese klare neurotische Problematik Zeit seines Lebens bestand, hatte er früher keine psychischen oder psychosomatischen Symptome. Erst nach der Berentung, nachdem er nicht mehr für Recht und Gesetz und auch nicht für die Rechte der Behinderten kämpfen konnte, trat die Depression auf. Bei der Pensionierung wurde ihm die Möglichkeit, für Recht und Ordnung zu kämpfen, genommen.

Seine Therapeutenwahl war durch die neurotische Problematik mit determiniert. Als Autorität in der Klinik hatte er mich gewählt und bildete rasch eine Vaterübertragung aus. Durch meine »milden« Interventionen in der Vaterübertragung gelang es ihm allmählich über sich zu sprechen, ohne daß er Angst haben mußte, von mir verurteilt zu werden. Vielleicht auch über meine Empörung über die fragwürdigen und strengen Moralvorstellungen seines Vaters war es ihm ansatzweise möglich, seine Normen in Frage zu stellen. Jedenfalls milderte sich der Über-Ich-Konflikt und die Depression ging damit nach kurzer Zeit zurück.

Obwohl in diesem Fall klare neurotische Mechanismen vorhanden waren, war er während des Erwachsenenlebens psychisch gesund. Das Ich war entlastet, solange es in der Identifikation mit der Rolle nicht mit dem überstrengen Über-Ich in Konflikt kam. Nachdem durch die Berentung die Entlastung des Ichs in der gleichen Weise nicht mehr möglich war, führten die neurotischen Mechanismen zu einer schweren depressiven Symptomatik. Bei oberflächlicher Betrachtung – immerhin war er nie seelisch krank – hätte man in der Depression eine Folge eines Aktualkonfliktes sehen können. Offensichtlich hielten jetzt die Anpassungsmechanismen der »Identifikation mit der Rolle« und des »Clangewissens« die neurotische Konfliktsituation nicht mehr in Schach, so daß es zum Ausbruch der Krankheit kam.

Die Frage, ob Anpassungsmechanismen als Ich-Leistung zu begreifen sind oder als Leistungen, die das Ich entlasten, so daß das Ich auf diese Weise genügend Kraft im neurotischen Konflikte behält, um keine Symptome bilden zu müssen, bleibt offen.

Folgerungen für die Therapie

Im Alter können erstmals psychische und psychosomatische Erkrankungen bei Menschen auftreten, die auf alte, lebenslang bestehende, pathogene psychische Konflikte zurückzuführen sind. Sie haben sich während des ganzen Erwachsenenlebens nicht manifestiert, eine Stabilisierung gelang durch die bisher im Leben eingesetzten Anpassungsmechanismen. Durch die Veränderung der psychosozialen Situation sind neue Bewältigungsformen gefragt, eine Stabilisierung durch Anpassung an die neue Situation im Alter ist nicht ohne weiteres möglich.

In der Therapie kann geklärt werden, ob ähnliche Anpassungsformen wie früher aktiviert und so die neue Situation bewältigt werden kann. Dazu gehört die Reflexion, ob z. B. eine neue Rollenidentifikation gefunden werden kann, die es ermöglicht, die altersgemäßen Entwicklungsaufgaben (Radebold 1992) zu lösen.

In den beiden geschilderten Fällen war dieser Weg nicht möglich. Beim ersten Fall handelt es sich um eine tiefgreifende Störung, eine Neuanpassung in dem Sinne, daß die Patientin wieder schuldlos eine Beziehung zu einem vaterähnlichen Mann eingehen konnte, ergab sich bei der bestehenden Konfliktsituation nicht. Offensichtlich bot die psychiatrische Klinik auch nicht die Möglichkeit, diesen tiefgreifenden Konflikt durchzuarbeiten und neue Lösungen zu finden. Die Patientin hat dann ihre schreckliche Lösung im Suizid gefunden.

Im zweiten Fall konnten nach Wegfallen der »Identifikation mit der Rolle« die neurotischen Mechanismen, die zur Symptombildung führten, mit einer analytischen Psychotherapie erfolgreich durchgearbeitet werden.

Die relativ kurze Therapie, in der der Vaterkonflikt bzw. der Konflikt mit dessen strengen Normen wiederbelebt wurde, reichte zur Besserung aus.

Grundsätzlich ist also bei erstmals im Alter auftretenden psychischen und psychosomatischen Störungen zu klären, ob eine Neuanpassung an die veränderte psychosoziale Situation möglich ist. Steht diese nicht zur Verfügung, müssen psychotherapeutische Methoden wie in früheren Lebensaltern ihre Anwendung finden.

Literatur

Balint, M. (1970): Therapeutische Aspekte der Regression. Klett-Cotta (Stuttgart).

Beck, A. T.; Rush, A. J.; Shaw, B. F. & Emery, G. (1979): Cognitive therapy for depression: A treatment manual. Guilford Press (New York).

Fürstenau, P. (1992): Entwicklungsförderung durch Therapie. Pfeiffer (München).

Hartmann, H. (1982): Ich-Psychologie und Anpassungsproblem. Klett-Cotta (Stuttgart).

Hautzinger, M. (1997): Kognitive Verhaltenstherapie bei Depressionen im Alter. In: H. Radebold H et al. (Hg): Depressionen im Alter. Steinkopff (Darmstadt), S. 60–68.

Heuft, G. (1993): Psychoanalytische Gerontopsychosomatik – Zur Genese und differentiellen Therapieintegration akuter funktioneller Somatisierungen im Alter. In: Psychotherapie, Psychosomatik, Medizinische Psychologie 43, S. 46–54.

Heuft, G.; Kruse, A. & Radebold, H. (2000): Lehrbuch der Gerontopsychosomatik und Alterspsychotherapie. Reinhardt (München).

Hinze, E. (1987): Übertragung und Gegenübertragung in der psychoanalytischen Behandlung älterer Patienten. In: Psyche 41, S. 238–253.

Kipp, J. & Jüngling, G. (2000): Einführung in die praktische Gerontopsychiatrie. Reinhardt (München).

Parin, P. (1977): Das Ich und die Anpassungs-Mechanismen. In: Psyche 31, S. 481–515.

Radebold, H. (1992): Psychodynamik und Psychotherapie Älterer. Springer (Berlin, Heidelberg New York).

Richter, H. E. (1976): Flüchten oder Standhalten. Rowohlt (Reinbek).

Lebenskrisen älterer Frauen im Spiegel der Pschotherapie-Begutachtung

Doris Bolk-Weischedel

Einleitung

Obwohl neurotische Erkrankungen im Alter recht häufig vorkommen (Bergmann 1978; neuere Untersuchungen vgl. Heuft et al. 2000), stand eingehenderen psychotherapeutischen Bemühungen lange Zeit eine eher skeptische Grundeinstellung entgegen. Freuds (1906) pessimistische Einschätzung der Therapierbarkeit alter Kranker mündete mit der Defizit-Theorie vom Altern im therapeutischen Nihilismus. Entwicklungspsychologische Ansätze richteten dann die Aufmerksamkeit auf die spezifischen Aufgaben, Krisen und Bewältigungsformen jeder Lebensphase. Erikson (1966) bezeichnete das Erlangen der Integrität als die eigentliche psychische Aufgabe des alten Menschen, d. h. des Ja-Sagens zum eigenen Leben, so wie es verlaufen ist. Stellen sich dem unüberwindlich erscheinende innere oder äußere Hindernisse entgegen, so können sich daraus resultierende Krisen in körperlicher, psychosomatischer oder psychischer Symptombildung zeigen.

Aufgrund nachdrücklicher Bemühungen – vor allem von Radebold und seinem Arbeitskreis – entwickelte sich im letzten Jahrzehnt in der Bundesrepublik langsam, aber zunehmend das Bewußtsein von notwendiger Psychodiagnostik und folgenden Therapieangeboten für ältere Menschen. Der Zusammenstellung von Heuft et al. (2000) zur psychotherapeutischen Versorgungsrealität älterer und alter Menschen ist zu entnehmen, daß in der Berliner Studie von Rudolf et al. (1988) nur 6,1% und in der Studie von Heuft et al. (1992) aus Heidelberg 5,7% aller Patienten, die im Laufe eines Jahres gesehen wurden, älter als 55 Jahre waren. Bei einer Untersuchung über die ambulante Behandlung depressiver Patienten in Nervenarztpraxen (10.547 Patienten in 67 Nervenarztpraxen, davon ca. 24% über 60-Jährige) stellte sich heraus, daß nur 0,6% der über 60-jährigen Depressiven im Rahmen der Psychotherapie-Richtlinien der Krankenkassen behandelt wurden (Arolt/Schmidt 1992).

In einer Zufallsstichprobe von 1344 Anträgen auf Langzeittherapie für Verhaltenstherapie waren nur 0,2% der Patienten über 65 Jahre alt (Linden et al. 1993). Eine wiederholte Untersuchung von 1223 Anträgen kam zu einem unveränderten Ergebnis (Linden 1999). Eine weitere Untersuchung in 40 psychotherapeutischen Praxen im 4. Quartal 1994 ergab für die Altersgruppe von 56–65 Jahren einen Anteil von 2,9% und für die über 65-Jährigen 0,3%, die mit einem Richtlinienverfahren behandelt wurden. Dazu ist anzumerken, daß 9,5% der befragten Therapeuten verhaltenstherapeutisch arbeiteten und lediglich ca. 2,6% der Patienten tiefenpsychologisch fundiert bzw. analytisch behandelt wurden (Scheidt et al. 1998); die Zahlen sind mit meiner Stichprobe vergleichbar. Mögliche Gründe für die nach wie vor niedrige Inanspruchnahme spezifischer Psychotherapie-Verfahren durch ältere Menschen werden in dem genannten Lehrbuch ausführlich diskutiert (Heuft et al. 2000).

Zur eigenen Untersuchung

Anhand einer eigenen Stichprobe – basierend auf meiner Tätigkeit als KBV-Gutachterin für tiefenpsychologisch fundierte und analytische Psychotherapie – bin ich den aufgeworfenen Fragen nachgegangen. In den Jahren 2000 und 2001 sind 3200 Anträge auf tiefenpsychologisch fundierte und analytische Psychotherapie eingegangen. Ich habe mich dafür interessiert, in welchem Umfang diese Psychotherapie-Verfahren im Rahmen der kassenärztlichen Versorgung von über 60-jährigen Patienten in Anspruch genommen wurden.

Bei Erst- und Fortführungsanträgen ergab sich – für Männer und Frauen zusammen – für die über 60-Jährigen ein Anteil von 3,2% davon ca. 1/5 Männer (17,5%) und 4/5 Frauen (82,5%).
Der prozentuale Anteil der Erstanträge bei Frauen betrug insgesamt 1,9% in absoluten Zahlen gliedert sich dieser auf in 17 Anträge auf tiefenpsychologisch fundierte Kurzzeittherapie, 40 Anträge auf tiefenpsychologisch fundierte Langzeittherapie und 3 Anträge auf analytische Langzeittherapie (=0,1%). Anzumerken ist hierzu, daß von mir im Gutachterverfahren nur die Anträge auf Kurzzeittherapie (KZT) derjenigen Therapeuten gesehen wurden, die nicht von der Gutachterpflicht für Kurzzeittherapie befreit sind. Dies betrifft ca. 1/3 der Behandler, so daß die geschätzte Anzahl von KZT-Therapien sich auf 50 belaufen könnte, insgesamt dürften somit 2,9% der Erstanträge auf Frauen über

60 entfallen. Das Durchschnittsalter der Frauen meiner Stichprobe beträgt 65 Jahre (60–84), von den 60 Patientinnen sind 11 über 70 Jahre (0,35% der Gesamtstichprobe) und 2 über 80 Jahre alt. Im Vergleich mit der Untersuchung von Scheidt et al. aus dem Jahre 1998 könnte man demnach bei optimistischer Einstellung aus meinen Zahlen einen Trend zur Verbesserung der psychotherapeutischen Versorgung der über 60-Jährigen ablesen.

Ein weiterer Schwerpunkt meines Interesses bei Durchsicht der Berichte war es herauszufinden, welche problematischen Lebenskonstellationen bei diesen älteren Patientinnen zu einer Krise, zur Symptombildung und zur Inanspruchnahme von psychotherapeutischer Behandlung geführt haben.

Aufgrund der eigenen therapeutischen Erfahrungen sowie der Erfahrungen als Gutachterin sollte das Vorliegen folgender altersspezifischer Probleme in Betracht gezogen werden:
- Verlust des Lebenspartners oder eines Familienmitglieds;
- Einsamkeit;
- Konflikte aufgrund neurotischer Fehlerwartungen und zugehöriger Enttäuschungen;
- narzißtische Kränkungen durch eine ungünstige Lebensbilanz;
- Angst vor den Anforderungen des nächsten Lebensabschnittes (Schwellensituation);
- Angst vor Krankheit und körperlichen Gebrechen; Angst vor dem Tod.

Wie bei jüngeren Patienten ist der Ausbruch einer psychogenen Erkrankung und ihre Dynamik aber auch bestimmt von
- der Persönlichkeitsstruktur des Patienten und ihren hauptsächlichen genitalen und prägenitalen Fixierungen sowie deren Folgeerscheinungen;
- der Reife und Stabilität der Abwehrorganisation;
- der Ich-Organisation bzw. der Plastizität und Flexibilität der Persönlichkeit;
- der Tragfähigkeit der inneren und äußeren Objektbeziehungen;
- den bisherigen hauptsächlichen Formen der Angst- und Krisenbewältigung.

Problematische Lebenssituationen und Konfliktfelder älterer Frauen

Anträge auf Kurzzeittherapie

In den 17 Berichten zum Antrag auf tiefenpsychologisch fundierte Kurzzeittherapie standen folgende Konfliktfelder im Vordergrund:
- Verlust des Lebenspartners oder eines Familienmitglieds (6x)
- Einsamkeit (1x)
- Konflikte aufgrund neurotischer Fehlerwartungen und zugehöriger Enttäuschungen (2x)
- Angst vor den Anforderungen des nächsten Lebensabschnitts (Schwellensituation) (4x)
- Angst vor Krankheit und körperlichen Gebrechen (4x)

In der Zusammenschau mit den o. g. persönlichkeitstypischen Merkmalen kamen 10 Patientinnen in Lebenskrisen, die im neurosenpsychologischen Sinne als aktuelle auslösende Konfliktsituationen im Zusammenwirken mit intrapsychischen Faktoren erstmalig zur Symptombildung geführt hatten, 7 Patientinnen waren bereits im Vorfeld ein- oder mehrmals psychogen erkrankt gewesen. Bei der Symptombildung standen in 15 Fällen depressive Syndrome ganz im Vordergrund (2 mit Suizidversuchen im Vorfeld), teils vergesellschaftet mit ängstlich-phobischer und psychosomatischer Symptomatik. 2 Patientinnen erkrankten ausschließlich psychosomatisch an einem schweren Schulter-Arm-Syndrom bzw. einem generalisierten Juckreiz jeweils im Zusammenhang mit hoch ambivalent besetzten Pflegeverpflichtungen gegenüber Ehemann bzw. Schwiegermutter. Über die Hälfte der Patientinnen, für die KZT beantragt wurde, hatte bisherige Lebenskrisen ohne Krankheitseinbruch bewältigt. Dementsprechend wurde die Prognose für 9 Patientinnen als günstig und für 8 als ausreichend günstig eingeschätzt.

Es gibt aber auch andere prognostische Kriterium, z. B. kam eine 80-jährige Patientin wegen einer dritten depressiven Episode zur Behandlung. Die zwei vorausgegangenen standen im Zusammenhang mit dem Tod des Ehemannes und dem Umzug zur Tochter, die jetzige dritte mit einem Sturz, gefolgt von körperlicher Einschränkung. Trotz anfänglich sehr pessimistischer Einstellung der Patientin: »Von nun an geht's bergab«, erhielt sie eine sehr günstige prognostische Einschätzung, weil sich rasch eine positive Übertragungsbeziehung eingestellt hatte und die Patientin sich flexibel auf Probedeutungen einlassen konnte.

Die schwierigste Prognose ergibt sich für Frauen, die ausschließlich mit Mutter, Schwester oder Partner oder nur für ihren Beruf gelebt haben und ansonsten isoliert geblieben waren. Hier kommt es nach Wegfall der stützenden Strukturen zu schweren Einbrüchen, die sicherlich nicht im Rahmen einer KZT aufgefangen werden können (5 Patientinnen). Besonders schwierig wird es, wenn eine ambivalente Einstellung zur verlorenen Person (Mutter-Partner) bestanden hat, dies zeigt folgendes Beispiel:

Die 64-jährige Frau A. kam wegen panikartiger Angst vor dem Alleinsein seit dem 3 Monate zurückliegenden Tod ihres Mannes zur Behandlung. Er war an seinem dritten Herzinfarkt verstorben. Bei genauerer Nachfrage stellte sich heraus, daß Frau A. bereits seit 6 Jahren an herzphobischen Beschwerden sowie Ein- und Durchschlafstörungen litt, die vom Hausarzt erfolglos medikamentös mit einer Kombination aus Tranquilizern und Neuroleptika behandelt wurden. Zur Vorgeschichte von Frau A. scheint bedeutsam, daß sie mit ihrer Mutter bis zu deren Tod in enger Bindung lebte. Die herzphobische Symptomatik begann, als Frau A. nach dem Tod der Mutter – entgegen ihren stillen Erwartungen – von ihrem seine expansiven Bedürfnisse auslebenden Mann nicht auf eine Angelreise mitgenommen wurde.

Die innere Ambivalenz zwischen aggressiven Ablösungsimpulsen und symbiotischer Bindung konnte Frau A. in der Beziehung zu ihrem Ehemann zu seinen Lebzeiten nicht klären und reagierte mit verstärkter Symptomatik bei seinem Tode. Außer der zwiespältigen Einstellung gegenüber dem Tod des Mannes wird bei der Patientin auch Groll und Traurigkeit über all das spürbar, was sie bislang im Leben versäumt hatte und an dessen Nachholen sie nun durch die Krankheit gehindert wurde.

Anträge auf tiefenpsychologische fundierte Psychotherapie

In den 40 Berichten zum Antrag auf tiefenpsychologisch fundierte Langzeittherapie standen folgende Konfliktbereiche im Zusammenhang mit den zur Erkrankung führenden Krisen der Patientinnen im Vordergrund:
- Trennungswunsch bzw. latenter Todeswunsch gegenüber dem Partner oder Familienangehörigem (7x)
- Verlust des Lebenspartners oder eines Familienmitglieds (7x)
- Konflikte aufgrund neurotischer Fehlerwartungen und Enttäuschungen (11x)

- Narzißtische Kränkungen durch ungünstige Lebensbilanz (5x)
- Angst vor den Anforderungen des nächsten Lebensabschnittes (Schwellensituation) (5x)
- Angst vor Krankheit und körperlichen Gebrechen (4x)
- Angst vor dem Tod (1x)

16 Patientinnen erkrankten im Zusammenhang mit einer aktuellen, psychodynamisch relevanten Konfliktsituation erstmalig, 21 waren bereits mehrfach erkrankt. Bei 3 Patientinnen handelte es sich um ein chronifiziertes Krankheitsgeschehen, z. B. einer Zwangserkrankung, die sich aktuell verschlimmert hatte.

Bei 33 Patientinnen stand eine depressiv-(ängstliche) Symptomatik mit psychosomatischer Beteiligung im Vordergrund, 6 Patientinnen erkrankten psychosomatisch (Durchfälle, Hauterkrankungen, rheumatische Schmerzen, Magenulcus – übrigens alle im Zusammenhang mit Pflegeverpflichtungen für Partner oder Angehörige), eine Patientin bot ein Konversionssyndrom.

Die prognostische Einschätzung wurde 16x (bei begrenzter Zielsetzung) als günstig, 24x lediglich als ausreichend günstig gesehen. Bei 3 Patientinnen hätte ich aus gutachterlicher Sicht angesichts der persönlichkeitsbedingt sich wiederholenden Konflikte und der gegebenen persönlichen Voraussetzungen, vor allem Introspektionsfähigkeit, Flexibilität und Zuverlässigkeit, eine analytische Psychotherapie empfohlen.

Im folgenden möchte ich zu den hauptsächlichen Konfliktbereichen einige Fallbeispiele skizzieren. In den ersten Fallvignetten geht es um Beispiele aus den ersten beiden Konfliktbereichen (zusammen 14x), in denen Verluste, Trennungen oder ein latenter Todeswunsch im Vordergrund stehen.

Die 68-jährige Frau B. hatte sich in 40-jähriger Ehe – gemäß dem Beispiel ihrer Mutter – stets um Anpassung und Harmonie bemüht. Ihr Mann war Alkoholiker, sie und die Kinder waren seiner Willkür ausgesetzt. Nun pflegte sie ihn nach 4 Schlaganfällen, seine Zornesausbrüche hatten sich verstärkt, die Kinder wandten sich von beiden ab. Sie ertappte sich bei Todeswünschen gegen den Peiniger, fühlte sich schuldig, pflegte ihn umso intensiver und erkrankte akut mit einer Hautsymptomatik, in der sich Schuld, Scham und die Unmöglichkeit weiterer Annäherung ausdrückten.

Die als unerwünschter Nachkömmling aufgewachsene 65-jährige Frau C. hoffte auf ein unbeschwertes Leben nach ihrer Berentung. Gerade jetzt erblindete ihre 94-jährige Mutter vollends, aus Sicht der Geschwister sollte Frau C. die Pflege übernehmen. Sie verspürte einen heftigen Unwillen, wagte sich nicht zu wehren, träumte vom Tod der Mutter und erkrankte an einer schmerzhaften Blasenentzündung (Frau C. war als Kind Bettnässerin), in der ihr innerer Konflikt vorerst seine Kompromissbildung fand.

Die 62-jährige Frau D. erkrankte depressiv, als sich der Ehemann nach über 40-jähriger Ehe von ihr trennte. Sie war aus der Streitehe der Eltern bereits 16-jährig in diese Beziehung geflohen, war darin zwar nicht glücklich, bemühte sich jedoch – am Beispiel ihrer Mutter – um größtmögliche Anpassung und versäumte dabei die Entwicklung eigener Lebensmöglichkeiten. So blieb sie nach der Trennung hilflos zurück und verfiel in eine passiv-regressive Haltung.

Die 70-jährige Frau E. wurde nach dem Tod ihrer Mutter schwer depressiv. Sie hatte sich von ihr nie geliebt gefühlt, wurde geprügelt und gefordert bis ins Erwachsenenalter. Vom Tod der Mutter hatte sie sich Erleichterung erhofft, nun träumte sie, daß die Mutter sie verfolge und holen wolle. Die zaghafte Hoffnung auf Befreiung beantwortete das Mutter-Introjekt umso strenger, die Schuldgefühle führten in die Depression.

Die nun folgenden Beispiele beziehen sich auf den Konfliktbereich ›neurotische Fehlerwartungen und Enttäuschungen‹ (11x); auf diesen Bereich entfielen die meisten Fälle.

Die ödipale Fixierung einer 61-jährigen Patientin an ihren früher fremdgehenden Vater führte zu plötzlich aufflammender nachhaltiger Beunruhigung und heftigen Vorwürfen an den immer zuverlässigen und treuen Ehemann, nachdem dieser sich zu einem Barbesuch hatte verführen lassen.

Ein ebenfalls ungelöster ödipaler Konflikt zeigte sich bei der attraktiven 60-jährigen Frau F. in einem vielfach sich wiederholenden Verhaltensmuster des Anlockens und Zurückstoßens von Männern. Aufgrund ihrer nachlassenden Attraktivität mußte sie auf diesem Feld nun ungewohnte Niederlagen hinnehmen, worüber sie depressiv erkrankte.

Eine andere Form derAktualisierung früherer Konflikte zeigte sich bei Frau G.: Die 74-Jährige wurde von ihrer Tochter zur Behandlung gebracht. Vor

2 Jahren hatte sie einen Schlaganfall ohne bleibende körperliche Folgen überstanden. Sie litt seit Jahren unter Ein- und Durchschlafstörungen und Kopfschmerzen, akut kam eine »Angst vor unerwarteten Ereignissen« hinzu. Sie zog sich in letzter Zeit immer mehr depressiv zurück, sah nicht einmal mehr fern. Nur noch zu einer ihrer 4 Töchter hatte sie sporadisch Kontakt. Weinend berichtete sie, daß ihr Schwiegersohn, ein Alkoholiker, ihre Tochter sehr quäle und sie nun auch noch verlassen wolle. Zunächst war es nicht recht verständlich, weshalb sich die Patientin in die Problematik der Tochter so sehr verwickelt fühlte. Als Hintergrund ergab sich schließlich, daß sich Frau G. als junge Frau mit 4 kleinen Kindern in einer ähnlich unterdrückten Lage gegenüber ihrem Ehemann – ebenfalls einem Trinker – befunden hatte. Unter heftiger Angst und erheblichen Schuldgefühlen gestand sie, daß sie damals in ihrer Not den Mann bei seinem Vorgesetzten angeschwärzt habe. Er sei daraufhin sofort an die Front gekommen und bald danach gefallen. In der gespannten familiären Lage der Tochter wiederholte sich nun die frühere aggressive Versuchungssituation für die Patientin, einhergehend mit der »Angst vor unerwarteten Ereignissen« und der Mobilisierung der zugehörigen Schuldgefühle – hier möglicherweise verschärft durch ein gefäßsklerotisch bedingtes leichtes hirnorganisches Psychosyndrom mit beeinträchtigter affektiver Steuerungsfähigkeit.

Die an einer Eßstörung mit zunehmender Adipositas leidende 66-jährige Frau H. bewältigte ihr Leben bisher durch eine kompensatorische Leistungshaltung mit Anstrengung und Pflichterfüllung. Bis zu ihrer Berentung hatte sie ihren Vater gepflegt, der dann starb, und den Sohn unterstützt, der jetzt zu ihrem Kummer ausgezogen war. Nun wartete die Mutter auf Pflege. Ihr bisher sie stabilisierendes Berufsleben war weggefallen. Sie bieb mit großer innerer Leere zurück, die sie per oraler Zufuhr füllen mußte.

Das folgende Beispiel ist dem Konfliktbereich ›narzißtische Kränkungen durch ungünstige Lebensbilanz‹ (5x) entnommen.

Narzißtische Kränkungen führten bei der 62-jährigen Frau I. zu einem Konversionssyndrom. Altersbedingt mußte sie ihren Beruf als Sängerin aufgeben, damit fielen frühere narzißtische Gratifikationen weg. Der bislang stützende Ehemann erkrankte und ihr Liebhaber hatte sich von ihr abgewendet. Latente Verletzbarkeit und Groll zeigten sich im Symptom des Globusgefühls, einhergehend mit schweren Erregungszuständen und Konzentrationsstörungen.

Ängste vor der Bewältigung des nächsten Lebensabschnitts spielen bei der Krise der nächsten Patientin eine Rolle (5x).

Die 60-jährige Frau J. hatte sich in der Ehe mit ihrem autoritären Mann nie glücklich gefühlt, aus Sicherheitsgründen aber auch nicht scheiden lassen. Sie fand Erfüllung in der Beziehung zu ihrem Sohn und im beruflichen Feld. Aus betrieblichen Gründen mußte sie in den vorzeitigen Ruhestand gehen und der Sohn zog (für sie überraschend) aus. Nun sah sie sich dem engen und ausschließlichen Zusammenleben mit dem bereits pensionierten Ehemann ausgesetzt, eine Aufgabe, deren Lösung sie bislang ausgewichen war, was zu der Krise mit Symptombildung führte.

Die nächsten beiden Fälle sind den Konfliktbereichen ›Angst vor Krankheit und körperlichen Gebrechen‹ und ›Angst vor dem Tod‹ (zu-sammen 5x) entnommen.

Angst vor körperlicher Erkrankung und deren Bewältigung brachte die 66-jährige Frau K. zur Behandlung. Als Kind fühlte sie sich zurückgesetzt und ungerecht behandelt. Ihr eigenes Lebensideal war von der Sehnsucht nach Harmonie geprägt. Ein symbiotisches Zusammenleben mit ihrem Ehemann sollte sich nach ihrer beider Berentung ungetrübt entfalten. Umso größer waren Enttäuschung, latente Wut und Ängste, als Frau K. kurze Zeit nach ihrer Berentung an einem Mammacarzinom erkrankte. Wie früher als Kind fühlte sie sich nun ungerecht behandelt. Mit Hilfe der psychotherapeutischen Begleitung wollte sie einen Weg aus ihrer inneren Konfusion finden.

Ängste vor dem eigenen Tod wurden bei der 64-jährigen Frau L. im Zusammenhang mit dem überraschenden Tod ihrer engen Freundin mobilisiert. Beide hatten sich auf einen gemeinsamen Lebensabend eingerichtet. Möglicherweise spielten verdrängte aggressive Impulse gegen die Freundin, die sie ja verlassen hatte sowie die zugehörigen Schuldgefühle eine Rolle dabei, daß die Patientin sich mit Fragen der eigenen Endlichkeit befassen mußte und ihre eigenen Möglichkeiten des Weiterlebens nicht erkennen konnte.

Anträge auf eine psychoanalytische Langzeittherapie

Bei den drei Patientinnen, für die zur Bewältigung ihrer Lebenskrise eine analytische Langzeittherapie beantragt wurde, handelte es sich jeweils um Ersterkrankungen im Zusammenhang damit, daß ein bis dahin unter hohem strukturspezifischen Einsatz erhaltenes Gleichgewicht nicht länger tragfähig war.

Eine 60-jährige körperbehinderte Patientin hatte sich bislang unter Aufbietung aller körperlichen und geistig-intellektuellen Kräfte auf ihre berufliche Arbeit konzentriert und ihre Behinderung verleugnet. Sie wurde nun durch eine zunehmende berufliche Kompetenzeinbuße von ihrer mit vielen Mängeln behafteten Lebensrealität eingeholt und mußte sich dieser – vorläufig mit depressiver Symptombildung verbunden – stellen.

Frau M., einer 64-jährige Patientin, war es bislang durch expansive und ungebundene Lebensgestaltung gelungen, ihre stark ausgeprägten narzißtischen Bedürfnisse zu befriedigen. Misserfolge hatte sie vermeiden, Schwierigkeiten überwinden können. Dies gelang ihr nicht bei ihrer Erkrankung an einem bedrohlichen Karzinom, die sie als schwere Kränkung erlebte. Anlässlich von Ängsten und depressiven Symptomen wurde ihr bewußt, daß sie ihr ganzes Lebenskonzept neu überdenken müsste. Sie suchte daher um analytische Psychotherapie nach.

Folgerungen für die Therapie

Die Gutachteranträge zeigen, daß es vorwiegend ältere Frauen sind, die sich in eine psychotherapeutische Behandlung begeben, während Männer nur in wenigen Fällen eine solche Hilfe in Anspruch nehmen. Auch vermitteln die Anträge ein Bild der psychodynamischen Konflikte und Entwicklungsprobleme dieser älterer Frauen, die zu ihrer Erkrankung geführt haben. Mit Hilfe der beantragten Behandlungen sollen Wege der Gesundung, bzw. Lösungen für die Lebenskrisen gefunden werden, die sie alleine nicht zu bewältigen vermochten. Welche Folgerungen ergeben sich daraus für die Psychotherapie älterer Frauen?

Obwohl K. Abraham bereits 1920 über günstige Heilerfolge bei alten Patienten durch eine psychoanalytische Behandlung berichtete, wurden bei der Indikationsstellung immer wieder prognostisch ungünstige Faktoren wie geringere Flexibilität, verminderte Plastizität und Entwicklungsfähigkeit sowie äußere Einschränkungen bei Menschen im höheren Lebensalter ins Feld geführt. Dem gegenüber betonte z. B. Grotjahn (1955), daß ältere Menschen häufiger in einer Behandlung ihre letzte Chance sehen. Im lebenslangen Kampf mit der Realität sah er eine gute Vorbereitung für die Psychotherapie, so daß die Retrospektive des Älteren therapeutisch in eine introspektive Haltung umgewandelt werden kann; der Widerstand gegen unangenehme Einsichten werde im Alter geringer. Auch C. Müller (1982) sah in der psychotherapeutischen Begegnung die Möglichkeit, eine gewisse spontane Bereitschaft des alten Menschen zur Lebensbilanzierung und zur Selbstanalyse zu unterstützen und zu fördern.

Wie in jeder psychotherapeutisch-psychoanalytischen Behandlung geht es auch beim älteren Menschen um die Wiederbelebung und Bearbeitung pathogenetischen Materials im Rahmen der durch die Übertragungsbeziehung ermöglichten therapeutischen Regression. Einen Schwerpunkt bildet dabei die Trauerarbeit um die mehrfachen Verluste in dieser Lebensphase. Loch (1982) berichtete anschaulich von der Bearbeitung dieser Problematik. M. Klein (1963) wies auf die u. U. späte Bearbeitung von Neid und Rivalität hin, damit letztlich die Identifizierung mit der Jugend anstatt des Neides auf die Jugend möglich wird. Ein intensiver Lebensrückblick gibt auch Gelegenheit zu Annäherung und Versöhnung mit ambivalent gebliebenen Introjekten und damit zu einer späten Autonomie. In *Der mühselige Aufbruch* lassen H. Radebold und R. Schweitzer (1996) den Leser an einer erfolgreichen Psychoanalyse im Alter teilhaben.

Das narzißtische Gleichgewicht unterliegt beim alten Menschen besonders leicht Störungen (Kernberg 1977). Enttäuschungen und Kränkungen können oft nicht mehr mit besonderen Leistungen und Fähigkeiten kompensiert werden. Große Beachtung sollte deshalb in der Therapie der Schutz der narzißtischen Bedürfnisse des Patienten finden. Therapeutische Schwierigkeiten können sich gerade durch Ängste und Kränkungsbereitschaft in der Beziehung zwischen einem jungen Therapeuten und einem alten Patienten (C. Müller 1982) sowie durch komplizierte Übertragungs-Gegenübertragungskonstellationen (Hinze 1984) ergeben. Es besteht Einigkeit darüber, daß Therapeuten die Beziehung zu ihren Eltern und Großeltern geklärt haben sollten, wenn sie ältere Patientinnen behandeln. Auch sollten sie ihr eigenes Altern akzeptieren können.

Bei eigenen Erfahrungen mit der Behandlung von Patienten in höherem Lebensalter hat sich das therapeutische Gespräch i. S. einer erweiterten tiefenpsychologisch orientierten biographischen Anamnese sehr bewährt. Hierbei werden gemeinsam sowohl konfliktbesetzte Bereiche als auch gesunde Anteile der Persönlichkeit aufgespürt und die ursprünglichen Erwartungen an das Leben mit dem Erreichten verglichen. Im Gegensatz zum Infragestellen der Gesamtpersönlichkeit im Rahmen eines (eher seltenen) regressionsfördernden Verfahrens ist dabei die therapeutische Grundhaltung, sich mit den sichtbar werdenden positiven Ansätzen der Lebensbilanz des Patienten zu identifizieren und von da ausgehend schrittweise neurotische Behinderungen durchzuarbeiten, sinnvoll. So ist die Wahrung der Integrität bzw. des narzißtischen Schutzbedürfnisses des älteren Patienten am ehesten gewährleistet. Einsichten und Trauer um Verlorenes kommen oft erstaunlich schnell in Gang.

Methodisch bieten sich bei der eher aktiven Einstellung des Therapeuten sehr häufig tiefenpsychologisch orientierte Gespräche in niedriger Frequenz an oder auch die Teilnahme an einer psychoanalytischen Gruppentherapie (vgl. Thilo 1979). Die Bevorzugung des tiefenpsychologisch fundierten Verfahrens spiegelt sich ja auch in meiner Stichprobe wieder. Ich persönlich halte außerdem die analytische Gruppenpsychotherapie für ein sehr wirksames Verfahren, gerade bei älteren Patienten. Eine aktuelle Mitteilung zum gruppentherapeutischen Setting verdanke ich Reger (2002), der seine Erfahrungen mit der Gruppentherapie älterer Menschen folgendermaßen zusammenfasst:

> »Die Patientengruppe setzt sich aus der Klientel meiner psychiatrischen Praxis zusammen (...). Es handelt sich dabei um 6 Frauen und 3 Männer im Alter zwischen 54 und 75 Jahren. Älteste Patientin in den vergangenen Jahren war eine Frau von 86 Jahren, die für ihre weitere Lebensplanung bestens von der Gruppe profitierte. Diagnostisch handelt es sich zum größten Teil um depressive Krankheitsbilder, zumeist längere depressive Reaktionen, z. T. rezidivierende depressive Störungen, wobei allen gemeinsam die Auslösefaktoren sind, die mit dem Älterwerden im Zusammenhang stehen. So spielt die Bearbeitung und Verarbeitung von Verlusterlebnissen, vom Fortgang der Kinder über Berufsaufgabe bis zum eigenen Gebrechlichwerden die Hauptrolle. Gerade auch Themen zunehmender Erkrankungen und Gebrechlichkeit erfordern eine differenzierte Betrachtung im Hinblick auf beteiligte Somatisierungsstörungen und funktionelle Störungen. Suchterkrankungen sowie fortgeschrittene kognitive Beeinträchtigungen sind Ausschlusskriterien. Nach meiner Erfahrung kann bei diesem Psychotherapieangebot für Ältere die Methodik tiefenpsychologisch fundierter Therapie weitgehend uneingeschränkt angewendet werden; eine etwas aktivere Haltung, z. B. bei Schweigephasen in der Gruppe oder gegenüber dem immer wieder auftauchenden Informationsbedürfnis über psychoso-

matische Zusammenhänge halte ich dennoch für sinnvoll (...). Es zeigen sich immer wieder die faszinierenden Phänomene der umgekehrten Übertragung auf mich als jüngeren Therapeuten neben klassischen Übertragungsphänomenen auf mich als mit väterlicher Autorität ausgestattetes Objekt.«

Sicherlich kann nicht jede Patientin ihre Therapie für notwendige Entwicklungs- und Reifungsschritte nutzen. Daß aber auch bei schwer gestörten Patienten Wandlungen möglich sind, belegt der skizzierte Therapieverlauf einer 72-jährigen Patientin nach Dekompensation eines zwanghaft-narzißtischen Abwehrsystems durch zahlreiche Verluste und eigene Krankheiten:

Nachdem sich im Laufe der 50 Therapiestunden eine stabile Vertrauensbasis gebildet hat, die auch Enttäuschungen aushielt, konnte sich die Patientin langsam auf ›Wirklichkeit‹ einlassen und den Wunsch nach ›Geborgenheit in der Welt‹ allmählich hinterfragen. Sie erfuhr, daß ihre Angstbereitschaft durch die sich immer mehr verstärkenden Angst- und Ungeborgenheitsphantasien aus der Kindheit herrührten, unterhalten und verstärkt wurden. Diese Phantasien waren durch das Wahrnehmen und Aktivieren eigener kreativer, autonomer Ideen und Handlungsweisen auflösbar. In diesem Prozess benötigte die Patientin noch nachhaltige Unterstützung, wobei die Therapeutin teils als Begleiterin, teils als Katalysator diente (Rohlffs 2002).

Wenn auch manche therapeutischen Misserfolge das Vorurteil vom »starrsinnigen Greis« zu bestätigen scheinen, sollte sich der Therapeut/in nicht entmutigen lassen, älteren Menschen in Lebenskrisen mit psychotherapeutischen Maßnahmen gefühlshaft das Umlernen zu ermöglichen.

Literatur

Abraham, K. (1920): Zur Prognose psychoanalytischer Behandlungen im vorgeschrittenen Lebensalter. In: Internationale Zeitschrift für Psychoanalyse 6, S. 113–117.

Arolt, V. & Schmidt, E. H. (1992): Differentielle Typologie und Psychotherapie depressiver Erkrankungen im höheren Lebensalter – Ergebnisse einer epidemiologischen Studie in Nervenarztpraxen. In: Zeitschrift für Gerontopsychologie und Psychiatrie 5, S. 17–24.

Bergmann, K. (1978): Neurosis and personality disorder in old age. In: Isaacs, A. D. & Post, F. (Hg.): Studies in geriatric psychiatry. J. Wiley and Sons (Chichester,New York,Brisbane,Toronto).

Erikson, E. H. (1966): Identität und Lebenszyklus. Suhrkamp (Frankfurt/M.).

Freud, S. (1906): Meine Ansichten über die Rolle der Sexualität in der Ätiologie der Neurosen. GW V.
Grotjahn, M. (1955): Analytic psychotherapy with the elderly. In: Psychoanalytic Review XLII, S. 419–427.
Heuft, G.; Rudolf, G. & Öri, G. (1992): Ältere Patienten in psychotherapeutischen Institutionen. In: Zeitschrift für Psychosomatische Medizin und Psychotherapie 38, S. 358–370.
Heuft, G.; Kruse, A. & Radebold, H. (2000): Lehrbuch der Gerontopsychosomatik und Alterspsychotherapie. Reinhardt (München, Basel).
Hinze, E. (1984): Ängste des alten Menschen. In: Rüger, U. (Hg.): Neurotische und reale Angst. Vandenhoeck & Ruprecht (Göttingen).
Kernberg, O. F. (1977): Normal psychology of the aging process, revisited – II. Discussion. In: Journal of Geriatric Psychiatry 10, S. 27–45.
Klein, M. (1963): Our Adult Ward. Basic Books (New York).
Linden, M.; Förster, R.; Oel, M. & Schlötelborg, R. (1993): Verhaltenstherapie in der kassenärztlichen Versorgung. Eine versorgungsepidemiologische Untersuchung. In: Verhaltenstherapie 3, S. 101–111.
Linden, M.; Förster, R.; Oel, M. & Schlötelborg, R. (1999): Wen behandeln Verhaltenstherapeuten wie in der kassenärztlichen Versorgung? In:Fortschritt der Neurologie – Psychiatrie 67, S.14.
Loch, W. (1982): Psychoanalytische Bemerkungen zur Krise der mittleren Lebensphase. In: Beland, H. et al. (Hg.): Jahrbuch Psychoanalyse. Fromman-Holzboog (Stuttgart), Bd. 14, S. 107–157.
Müller, C. (1982): Psychotherapie in der Alterspsychiatrie. In: Helmchen, H.; Linden, M. & Rüger, U. (Hg.): Psychotherapie in der Psychiatrie. Springer (Berlin).
Radebold, H. & Schweizer, R. (1996): Der mühselige Aufbruch. Fischer (Frankfurt/M.).
Reger, K. H. (2002): Schriftliche Mitteilung.
Rohlffs, M. (2002): Schriftliche Mitteilung.
Rudolf, G.; Grande, T. & Persch, U. (1988): Die Berliner Psychotherapiestudie. In: Zeitschrift für Psychosomatische Medizin und Psychotherapie 54, S. 24–29.
Scheidt, C.; Seidenglanz, K.; Dieterle, W.; Hartmann, A.; Bowe, N.; Hillenbrand, D.; Sczudlek, G.; Strasser, F.; Strasser, P. & Witsching, M. (1998): Basisdaten zur Qualitätssicherung in der ambulanten Psychotherapie. Ergebnisse einer Untersuchung in 40 psychotherapeutischen Praxen. Teil I: Therapeuten, Patienten, Interventionen. In: Psychotherapeut 43, S. 91–101.
Thilo, H.-J. (1979): Psychoanalytische Gruppentherapie in der 2. Lebenshälfte. In: Internistische Praxis 19, S. 699–713.

Der alternde Mann: Spiegelungen seiner Entwicklung in psychoanalytischen Behandlungen

Eike Hinze

Männer und Frauen

Die sozialen Erfahrungen, die man als Radfahrer machen kann, sind oft sehr viel unmittelbarer und lebendiger als die eines Autofahrers. Man ist nicht nur der Witterung direkter ausgesetzt, sondern auch den Aktionen und Reaktionen anderer Verkehrsteilnehmer. Ein typisches Erlebnis: Ich nähere mich einem Fußgänger, der gerade auf dem Radweg geht oder den Radweg überqueren will. Bei dieser Begegnung beobachte ich im allgemeinen zwei Verhaltensmuster. Der Fußgänger reagiert auf mein Klingeln, hält inne oder tritt zur Seite, oft kommt es zu einem mitunter freundlichen Blickkontakt. Die andere Variante besteht darin, daß der Fußgänger zwar den Zusammenstoß vermeidet, aber sich so verhält, als existiere ich gar nicht. Er marschiert scheinbar unbeeindruckt auf mich zu oder tut so, als träte er rein zufällig vom Radweg herunter. An diesem Punkt muß ich eine Differenzierung vornehmen, die ich bisher unterlassen habe. Der ersten Version begegne ich meist bei Fußgängerinnen, der zweiten beim männlichen Pendant. Viele männliche Fußgänger, und zwar unabhängig vom Alter, verhalten sich so, als würde man als Urmensch bzw. -mann einem anderen in der Steppe begegnen und müsse sehr klar signalisieren, daß man sich nicht einschüchtern lasse, auch wenn der andere gerade eine etwas größere Keule, das Fahrrad, mit sich führt. Eine Alltagsbeobachtung, die einen Hinweis auf Besonderheiten der männlichen und weiblichen Psyche geben könnte. Aber hat sie auch etwas mit dem Thema der Entwicklung des alternden Mannes zu tun? Ich glaube, ja. Es geht ja darum, eventuelle geschlechtsspezifische Besonderheiten nicht zu übersehen, auf denen ein Entwicklungsprozeß des alternden Mannes aufbauen kann. Und der Klärung kann es dienlich sein, diese mit den Gegebenheiten beim weiblichen Geschlecht zu vergleichen.

Frauen und Männer unterscheiden sich nicht nur anatomisch. Das Erbe unserer Evolution und kulturelle Prägungen rufen Differenzen hervor, die zwar im Einzelfall durch interindividuelle Schwankungen überlagert sein können, aber doch nachweisbar sind. So wird z. B. in der ersten Nummer der neu erschienenen Zeitschrift *Gehirn und Geist* über eine elektroenzephalographische Untersuchung berichtet, die nachweist, daß Frauen deutlich schneller merken, ob Tonfall und Inhalt von Gesagtem zueinander passen. Sie haben also ein besseres Gespür dafür, wenn jemand nicht fühlt, was er sagt. Dieses Ergebnis mag nicht unbedingt sehr beeindruckend sein, aber es weist doch auf etwas hin, was für die hier vorgetragenen Überlegungen von Belang sein soll, die größere soziale Kompetenz von Frauen. In einem Editorial der Zeitschrift *Nervenheilkunde* geht M. Spitzer (2001) der Frage nach, warum wir alt werden. Er vertritt die plausible These, daß die Evolution auch Langlebigkeit in einem gewissen Maße selektiert hat, obwohl sich dadurch zunächst keine direkte Auswirkung auf die reproduktive Fitness herleiten läßt. Aber die früher so notwendige Erfahrung der Älteren wirkte sich ohne Zweifel positiv darauf aus. Er erwähnt in diesem Zusammenhang, daß von den auf Neuseeland lebenden Maori gesagt wurde, bei Expeditionen zur Erschließung neuer Lebensräume müsse das entsprechende Boot mit 6 jungen starken Männern, 12 jungen dicken Frauen und einem alten Mann besetzt sein. Der alte Mann war notwendig als Quelle von Wissen und Erfahrung, für deren Übermittlung es in früheren Zeiten keine andere Möglichkeit gab. Hier taucht also zum ersten Mal der ältere Mann auf, wenn auch bei den Antipoden aus früheren Zeiten. Aber dann referiert Spitzer eine Untersuchung an afrikanischen Elefanten, die in Familiengruppen leben, die jeweils von einer alten Elefantenkuh angeführt werden (McComb et al. 2001). Das Alter und die Erfahrung dieser Anführerinnen bestimmte ganz wesentlich das Verhalten der Gruppe gegenüber anderen Elefantenfamilien. Und zwar konnte umso besser zwischen Freund und Feind unterschieden werden, je älter das weibliche Oberhaupt war. Darüber hinaus ergab eine Analyse, daß das Alter des leitenden weiblichen Tieres ein signifikanter Prädikator für die Anzahl der Nachkommen in der Familie je weiblichem Tier und pro Jahr war. Das vom ältesten Tier gespeicherte Wissen steigerte offensichtlich den Reproduktionserfolg. Spitzer schließt mit den folgenden Überlegungen:

> »Zusammenfassend kann gesagt werden, daß die Studie insbesondere deswegen von hohem Wert ist, da sie lang gehegte Spekulationen über den Wert des Alters auf eine solide Datenbasis stellt. Durch die genaue Analyse des Sozialverhaltens einer Spezies, die eine ganze Reihe von Merkmalen mit der Spezies Mensch gemeinsam hat, wurde der Wert der über eine ganze Lebensspanne erworbenen sozialen Erfahrung direkt nachgewiesen: Das vom ältesten Tier über Jahrzehnte

gespeicherte und zur Strukturierung späterer sozialer Interaktionen genutzte Wissen dient der gesamten Gruppe und steigert hochsignifikant die Anzahl der Nachkommen jedes einzelnen Gruppenmitglieds und damit den Reproduktionserfolg. Damit ist klar, daß Mutationen, die für ein Älterwerden gerade der weiblichen Tiere sorgen, einen Reproduktionsvorteil darstellen können. Dieser Vorteil ist auch dann noch vorhanden, wenn das leitende weibliche Tier selbst keine Nachkommen mehr haben kann. Vielleicht ist es im Lichte dieser Daten kein Zufall, daß Frauen sozial kompetenter sind als Männer und länger leben. Es ist die über ein langes Leben gespeicherte Erfahrung, die ein Individuum für die Gruppe so wertvoll macht.«

Der ältere Mann bei den Maori, das weibliche Alttier bei den Elefanten: Mag das Älterwerden von Mann und Frau gleichermaßen von der Evolution begünstigt worden sein? Die Mischung von Alltagsbeobachtung, neurophysiologischer Untersuchung, anthropologischer Erzählung und verhaltensökologischer Beobachtung macht – in Übereinstimmung mit anderen Befunden – ein hiervon abweichendes Szenarium wahrscheinlicher. Die Frau scheint im Laufe der Evolution mit einer größeren sozialen Kompetenz ausgestattet worden zu sein, die also nicht nur sozio-kulturell vermittelt ist und die auch in der Hand von älteren Frauen der genetischen Gesamtfitness zugute kommt. Es kann also ein gewisser Selektionsdruck in Richtung auf ein höheres Lebensalter von Frauen vermutet werden. Demgegenüber stellt manches eher für Männer typische Verhaltensrepertoire, wie z. B. das geschilderte kämpferische Rivalisieren mit anderen Männern, im Alter keinen Gewinn an Gesamtfitness mehr dar und wird zunehmend unangepaßt. Spitzers Spekulation über evolutive Ursachen der unterschiedlichen Lebenserwartung von Männern und Frauen erscheint angesichts dieser Überlegungen nicht unplausibel.

Dieser Exkurs in die Evolutionsbiologie bzw. -psychologie soll nun jedoch keinen unabhängigen Argumentationsfaden spinnen, sondern eine Ahnung davon vermitteln, daß der alternde Mann sich mit einer im Laufe der Evolution erworbenen Grundausstattung auf den weiteren Entwicklungsweg begibt, die größere Schwierigkeiten erwarten läßt als bei der alternden Frau.

Zwei Behandlungen

Auf drei verschiedene Weisen kann sich die Entwicklung des alternden Mannes in psychoanalytischen Behandlungen darstellen. Er ist selber der Patient, er taucht als Vater oder Partner von anderen Patienten in deren Erzählungen auf oder der Analytiker selber ist ein alternder Mann (wie im vorliegenden Fall: Jahrgang 1940). Im Folgenden werde ich alle drei Wege als Beobachtungs- und Erkenntnisquelle nutzen.

Unter der Überschrift *Merkmale derzeitiger Psychotherapie-Patienten über 60 Jahre* heißt es in dem *Lehrbuch der Gerontopsychosomatik und Alterspsychotherapie* (Heuft, Kruse & Radebold 2000, S. 223): »In der ambulanten Praxis überwiegen die Frauen gegenüber den Männern im Verhältnis 3:1. Männer suchen offensichtlich in Folge ihres Selbstbildes und der mit der Überweisung verbundenen narzißtischen Kränkung kaum eine derartige Behandlung.« In meiner eigenen Praxis kann ich dies nur bestätigen. Meine Erfahrungen mit Therapien älterer Männer sind daher, verglichen mit derjenigen älterer Frauen, relativ begrenzt. Ich habe darüber hinaus den Eindruck, daß auch in jüngeren Altersklassen weniger Männer um eine Psychotherapie nachsuchen als Frauen. Das Zitat postuliert eine Ursache für die vergleichsweise wenigen Psychotherapien mit älteren Männern, nämlich eine größere narzißtische Vulnerabilität. Sind Männer narzißtischer, kränkbarer, narzißtisch verwundbarer als Frauen? Hierüber findet sich wenig in der psychoanalytischen Literatur. Ist man seit Freuds Hypothesen zu Unterschieden in der seelischen Entwicklung und daraus resultierender Struktureigentümlichkeiten im Seelenleben des Mannes und der Frau (er hielt sie u. a. für narzißtischer. Freud 1932, S. 141), die der Psychoanalyse so viel Feindschaft zugezogen haben (man denke nur an die nicht enden wollende Penisneid-Diskussion), vorsichtiger geworden mit derartigen Aussagen?

Es fällt auf, daß in Kernbergs bekanntem Buch *Borderlinestörungen und pathologischer Narzißmus* (1975) in den Fallvignetten zum Narzißmus-Thema fast ausschließlich männliche Patienten vertreten sind. Teising (1996) hat, ausgehend von der hohen Suizidrate älterer Männer, eine interessante Hypothese über eine größere narzißtische Vulnerabilität der Männer im Alter entwickelt. Die Geschlechtsidentität der alten Männer sei labiler und vulnerabler als die gleichaltriger Frauen.

> »Psychisch beginnt die männliche Geschlechtsidentität mit einer Entidentifizierung, die den Jungen vom mütterlich-weiblichen Primärobjekt trennt. Auf die Wahrnehmung, in geschlechtlicher Hinsicht anders zu sein als die Mutter, reagiert der Junge und spätere Mann mit einer narzißtischen Besetzung phallischer Funktionen, die wiederum Grundlage für das gesellschaftliche Dominanzstreben der Männer ist. Die narzißtische Besetzung phallischer Funktionen ist ein normaler Entwicklungsschritt, der aber auch der Abwehr narzißtischer Kränkungen dienen kann. Im höheren Alter wird die

Anwendung dieser, auf die Bestätigung der Männlichkeit ausgerichteten Abwehr, zunehmend schwierig. Alte Männer werden nicht mehr als phallische Helden gefeiert. Wenn die gewohnten Abwehrmechanismen versagen, werden im Sinne der Regression frühere Mechanismen angewandt (S. 44).«

Herr A. suchte mich im Alter von 68 Jahren auf wegen einer quälenden phobischen Symptomatik und schwerer depressiver Verstimmungen, die ihn an den Rand des Suizids zu bringen drohten. Es schloß sich eine fünfjährige niederfrequente analytische Psychotherapie an. Fünf Jahre nach Beendigung dieser Therapie kam er noch einmal für zwei Jahre in meine Behandlung nach einer Reihe von Objektverlusten. Der Patient war in seiner frühen Kindheit in einer ungeborgenen Familienatmosphäre mit einer seelisch sehr kranken Mutter schwer traumatisiert worden. U. a. versuchte seine Mutter, einen erweiterten Suizid zusammen mit ihm zu begehen. Er entwickelte einen ausgesprochen anal-narzißtischen Charakter. In seinen Objektbeziehungen schwankte er oft zwischen brutaler Härte und Empfindsamkeit. In der Rüstungsindustrie und als Soldat lebte er seinen Haß auf gleichaltrige Männer, denen er sich immer unterlegen fühlte, aus und schaffte es, den Krieg zu ästhetisieren. Frauen zog er an, ließ sich aber nie auf eine engere Bindung ein. Unter einer Ejaculatio praecox litt nicht so sehr er selber, als daß sie seine Ambivalenz Frauen gegenüber symbolisierte. Er heiratete schließlich eine einfache, sehr handfeste Frau. Die Ehe blieb kinderlos, weil er im Grunde immer selbst das Kind sein wollte. Nach erfolgreicher Berufstätigkeit wurde er unter kränkenden Umständen im Rahmen einer Umstrukturierung seiner Firma vorzeitig in den Ruhestand gedrängt. Trotz der schweren und frühen Traumatisierungen und der oft auch starren Charakterabwehr gelang es Herrn A., der schon am Leben verzweifelte, in der Behandlung neue Perspektiven zu entwickeln. Im Rahmen einer zuweilen auch recht ambivalenten Vater- bzw. Geschwisterübertragung gelang es, seine ödipalen Aggressionen und sein Rivalitätsimpulse zu bearbeiten. Immer wieder stand die Analyse seiner narzißtischen Abwehr im Vordergrund. Großen Raum nahm die Analyse seiner latenten Homosexualität ein, wobei die Pubertät und Adoleszenz wiederbelebt wurden. In diesem Zusammenhang wurde auch seine ambivalente Einstellung Frauen gegenüber Thema: Teils idealisierte er sie und teils quälte er sie, indem er sie nicht an sich heranließ. Wir tasteten uns auch an das frühe Unglück seiner Kindheit heran. Im Rahmen einer Vaterübertragung konnte er emotional beteiligt darüber sprechen. Sobald sich aber Aspekte einer Mutterübertragung andeuteten, verstärkte sich die narzißtische Abwehr. Trotzdem beeindruckte mich immer wieder seine Flexibilität. Im Schutze der therapeutischen Beziehung konnte er sich den Gefühlen seiner Adoleszenz nähern. So verschaffte es ihm große Erleichterung, als er erzählte, wie selten er sich auf der Straße als alter Mann fühlte, sondern die Mädchen oft mit den Augen eines Pubertierenden erlebte. Kriegstraumatische Erlebnisse tauchten auf. Schließlich gewann auch die Beziehung zu seiner Frau wieder an Leben.

Ich habe mich im nachhinein oft gefragt, was es Herrn A. trotz seiner schweren Pathologie ermöglichte, die Therapie so gut für seine Entwicklung nutzen zu können. Ein Faktor war sicher, daß er bereits während des Krieges gute Erfahrungen mit einer kurzfristigen Psychotherapie machte, die er wegen einer neurasthenischen Symptomatik begann. Aber auch in dieser Erfahrung zeigte sich seine Fähigkeit, sich neue Umstände zunutze zu machen, sich nicht nur anzupassen, sondern sie aktiv in seiner inneren Welt zu verdauen, auch wenn dabei der neurotische Wiederholungszwang oft im Vordergrund stand. In der Rüstungsindustrie lebte er aggressive, rivalisierende Regungen aus. Im Krieg zerbrach er trotz einer schweren Verwundung nicht, sondern überhöhte das traumatische Geschehen durch Ästhetisierung, wertete sich narzißtisch auf und setzte sich rivalisierend mit anderen Männern auseinander. Im Lazarett agierte er Mutterübertragungen aus, verzweifelte trotz unsicherer Heilungsaussichten nicht und nutzte die Nachkriegszeit schließlich, um seine technischen Fähigkeiten zu entwickeln. Obwohl sich sein Leben in der Folgezeit um die erfolgreiche Berufstätigkeit herum stabilisierte, verkraftete er den Ruhestand zunächst ohne Zusammenbruch. Als er schließlich dekompensierte, war er in der Lage, einen Therapeuten zu finden. Diese Aufzählung soll nicht etwa demonstrieren, wie gesund Herr A. im Grunde war, sondern sie soll zeigen, wie er immer wieder imstande war, auf wechselnde Situationen einzugehen. Das Ganze bewegte sich im Rahmen seiner Charakterpathologie. Aber er war in der Lage, diese sozusagen flexibel einzusetzen und sich in Zeiten des Wechsels und der Unruhe ein gewisses Maß an nutzbarer Regression zu bewahren, wie es in der Therapie zu beobachten war. Ich kenne Therapien mit älteren Männern und auch Vorgespräche, die dann nicht zu einer Behandlung führten, in denen sich diese Flexibilität nicht manifestierte, obwohl die Pathodynamik nicht schwerwiegender als bei Herrn A. erschien.

Herr B. war 70 Jahre alt, als er seine zwei Jahre dauernde niederfrequente analytische Psychotherapie begann. Er war depressiv geworden und litt unter schweren psychosomatischen Symptomen, die eine aufwendige somatische Diagnostik notwendig gemacht hatten, nachdem er durch die politische Wende in Deutschland eine einflußreiche und ihn sehr befriedigende berufliche Tätigkeit aufgeben mußte. Rein klinisch gesehen, war die Therapie recht erfolgreich. Die depressiven Verstimmungen bildeten sich zurück, und die psychosomatische Symptomatik verschwandt. Auch war Herr B. in der Lage, Durchblutungsstörungen diagnostisch abklären zu lassen und sich erfolgreich und mit einem deutlichen Gewinn an Lebensqualität einer Gefäßoperation zu unterziehen. Andererseits bestand auch nach Abschluß der Behandlung eine subdepressive Gestimmtheit. Herr B. entwickelte keine Ansätze von neuen Lebensperspektiven, eine wirkliche Entwicklung war nicht zu erkennen. Er hatte weiterhin das Gefühl, im Leben auf der Stelle zu treten.

Worin lag der Unterschied zwischen den beiden Psychotherapien? Beide Männer wiesen eine erhebliche in ihrer Persönlichkeit geronnene Pathodynamik auf. Herr A. schien in seiner frühen Entwicklung sogar noch stärker beeinträchtigt bzw. traumatisiert worden zu sein. Beide wiesen auch starke narzißtische Charakterzüge auf. Im Unterschied zu Herrn B. war aber Herr A. in der Lage, in der therapeutischen Beziehung seine Adoleszenz wiederaufleben zu lassen. Homosexuelle Schwärmereien für Gleichaltrige, Ängste vor dem anderen Geschlecht, Unsicherheiten in seiner männlichen Identität, Rivalität mit seinen Brüdern mit passiv-homosexueller Unterordnung, all das wurde in der Übertragung reaktualisiert und konnte bearbeitet werden. Dagegen blieben diese Zeit und die dazugehörigen Konflikte auf eine eigenartig starre Weise bei Herrn B. aus dem analytischen Dialog ausgespart. Liegt hierin ein Grund für die so unterschiedliche Entwicklung der beiden Patienten in ihren Psychotherapien? Hier müssen wir erst einmal innehalten, um weitere Fälle aus der psychoanalytischen Literatur zu berücksichtigen und anschließend einen Exkurs in die Dynamik von Adoleszenz und Pubertät zu unternehmen.

Erster Exkurs: Psychoanalytische Arbeiten

In seinem Beitrag zum Buch *How Psychiatrists Look at Aging* (In: Pollock 1994, S. 8) drückt Louis A. Gottschalk seinen Standpunkt aus, daß die Qualität der Mutter-Kind-Beziehung ganz wesentlich mitbestimme, wie erfolgreich man den Alterungsprozeß im gesamten Lebenslauf meistert. Als Psychoanalytiker kann man dem sicher beipflichten. Auch die Ergebnisse der Hirnforschung weisen in dieselbe Richtung (Roth 2001) und bestätigen das alte Wissen der Psychoanalyse von der entscheidenden Prägekraft der frühen Objektbeziehungen für das ganze weitere Leben. Nun zeigen aber die beiden geschilderten Therapien, daß Entwicklungsmöglichkeiten im Alter noch andere Mit-Determinanten haben müssen. Werfen wir einen Blick auf zwei Fallgeschichten von Pearl King in ihrer bahnbrechenden Arbeit über die Psychoanalyse mit Älteren (1980).

Sie beschreibt die Analyse mit zwei über 60-jährigen Patienten, einem Mann und einer Frau. In beiden Fällen findet sie ihre Erfahrung bestätigt, »daß die Entwicklungsphasen, die am häufigsten in der Übertragung von älteren Patienten durchgearbeitet werden müssen, jene der Pubertät und Adoleszenz sind, wobei der Analytiker (ungeachtet seines Alters) als bedeutsamer Erwachsener aus diesen Phasen im Lebenslauf des Patienten erlebt wird.« Über die Analyse von Frau A. schreibt sie:

> »In der Rückschau wird mir klar, daß sie in ihrer Analyse viele ihrer adoleszenten Probleme wiedererlebte, die es ihr erschwert hatten, die Entwicklung vom Kind zur Erwachsenen zu vollziehen, aber daß mit der Analyse der paranoiden und depressiven Ängste, die mit diesem Abschnitt ihres Lebenszyklus verbunden waren, Ich-Wachstum und phasen-entsprechende Sublimierung stattfinden konnten.«

Die Analyse des Mannes kommentiert sie mit:

> »Ich glaube, die Analyse half dem Patienten, ein Ausagieren seiner sexuellen Phantasien zu vermeiden, die durch den Wunsch gespeist wurden, die schöne Mutter seiner Adoleszenz zu besitzen, und durch die omnipotente Überzeugung, in ihr seines Vaters Penis zu finden, der ihm Unsterblichkeit verleihen könnte (Übersetzung der Zitate E. H.).«

King ist überzeugt, daß in der Analyse von Älteren die Traumata und die Psychopathologie der Adoleszenz wiederbelebt und in der Übertragung durchgearbeitet werden müssen – ungeachtet dessen, was an infantilem

Material auch behandelt wird. Als einen wesentlichen Grund hierfür sieht sie die Parallelen zwischen der Adoleszenz und dem Altern. In beiden Phasen des Lebenszyklus ist man biologischen und sexuellen Veränderungen ausgesetzt. Die Veränderungen der gesellschaftlichen Rollen können gleichermaßen Ängste hervorrufen und Konflikte um Autonomie und Abhängigkeit aktivieren. In beiden Perioden wechselt man im allgemeinen von einem Mehrgenerationen-Haushalt in einen Eingenerationen-Haushalt und sieht sich vor die Aufgabe gestellt, neue Beziehungen einzugehen. Veränderungen im Selbstbild, narzißtische Belastungen und Identitätskrisen treten auf.

Kutter (1996) bestätigt diese Gewichtung der Adoleszenz in Analysen mit Älteren und hebt dabei besonders auch einen Punkt hervor, der nicht nur die Therapie im engeren Sinne berührt, sondern mehr den Entwicklungsaspekt. Es können die konflikthaften Erfahrungen der Adoleszenz nicht nur wiederbelebt und durchgearbeitet werden, es können vereinzelt auch versäumte Erfahrungen nachgeholt und blockierte Interaktionsmuster wieder aufgegriffen und zu Ende geführt werden. Neben zwei Analysen älterer Männer erwähnt er als literarische Beispiele den alternden Goethe, den Geheimrat Clausen in Gerhard Hauptmanns *Vor Sonnenuntergang* und Shakespeares *König Lear*. In allen drei Fällen betont er nicht so sehr den regressiven Aspekt im Wiederaufleben der Adoleszenz beim alten Manne, sondern die damit verbundenen Chancen zur Entwicklung und zur Korrektur von Selbst- und Objektbildern.

Das in Zusammenarbeit mit seiner Analysandin von Radebold veröffentlichte Buch über eine Psychoanalyse im Alter weist mit dem Titel *Der mühselige Aufbruch* ebenfalls auf den Entwicklungsaspekt in Analysen mit Älteren hin: Ein, wenn auch mühseliger Prozeß, der aber zum Aufbruch führte (Radebold/Schweizer 2001). Im Zusammenhang mit diesem Gesichtspunkt der Entwicklung bzw. des Aufbruchs möchte ich auch ein anderes Buch von Radebold erwähnen, das 2000 erschienene Buch *Abwesende Väter*. Unter dem Fokus der Kriegskindheit in Psychoanalysen werden acht abgeschlossene Analysen vorgestellt, drei mit weiblichen Analysanden und fünf mit männlichen. In der Darstellung der Behandlungsergebnisse aus der Sicht der Patienten stellt der Autor den einzelnen Abschnitten jeweils ein Motto voran, das wohl von den Patienten z. T. selbst so gewählt wurde. Ich werde diese Leitsprüche hier einmal zitieren, und zwar zunächst diejenigen der Frauen und dann diejenigen der Männer.

Frau C.: Meine Psychoanalyse – »Das Abenteuer meines Lebens«,
Frau A.: »Die Frau, die auszog, um das Fühlen (wieder) zu lernen – die Frau, die sich das Blaue vom Himmel wünschte«;
Frau W.: »Nach der dunklen Nacht kommt der helle Tag – jetzt bin ich mir dessen sicher«,
Herr G.: »Der Aufbruch von der Hallig« – »Ich bin nicht nur meine Beine«,
Herr R.: »Ich bin erwachsen geworden«,
Herr D.: »Ich bekam eine Chance«,
Herr L.: »Teja kann seine Rüstung ablegen«,
Herr K.: »Die Nebel lichten sich«.

Alle, Analysandinnen wie Analysanden, versuchen mit ihrem Motto, einen guten Behandlungserfolg auszudrücken und auch dessen Bedeutung für ihr Leben zu beschreiben. Ich habe aber den Eindruck, daß in den Äußerungen der Frauen sowohl das Gefühlselement als auch der Aspekt des Aufbruchs und der weiteren Entwicklung stärker betont werden. Dies ist ein ganz unsystematischer, eher impressionistischer Ansatz, um sich einem Thema zu nähern, das gar nicht Gegenstand des Buches war. Aber vielleicht weist er doch auf einen Unterschied zwischen den Geschlechtern in der Bewältigung des Alterns hin. In diesem Zusammenhang sei noch einmal auf die erwähnte Arbeit von Pearl King verwiesen.

Die Autorin schickt ihren Überlegungen über den Stellenwert der Adoleszenz in der Übertragung von älteren Patienten die Berichte von zwei Analysen voraus. Es handelt sich um die Analyse einer Frau und um die eines Mannes. Im Fall der so genannten Miss A. macht sie auch Angaben zur Katamnese und berichtet, wie die Analysandin nach Beendigung der Analyse ihr Leben gestaltete. Sie zog nach ihrer Berentung auf das Land, kaufte sich ein Haus und nahm Kontakte mit ihrer neuen Umgebung auf. P. King betont das zufriedene und kreative Leben, das sie seither führt. Anders die Darstellung der Analyse mit einem männlichen Analysanden. Er bleibt namenlos und die Schilderung ist kürzer. Die Zweifel der Analytikerin während einer langen Zeit der Analyse werden beschrieben, ob der Patient überhaupt vom analytischen Prozeß werde profitieren können. Und als Ergebnis beschreibt sie eine Ich-Entwicklung, die eine schwache Brücke zwischen Kindheit und Erwachsenenalter herstellen konnte. Diese Nachreifung war von einer beginnenden Fähigkeit begleitet, Ersatzobjekte anstelle einer direkten Triebbefriedigung zu akzeptieren und besser Zustände von Unsicherheit zu ertragen. Auch diese Schilderungen können die Vermutung unterstützen, daß ältere Frauen ein stärkeres Ent-wicklungspotential aufweisen. Es sei hier H. Radebold zitiert, als er ein Symposium zum Thema *Der alternde Mann* kommentierte, das ein Jahr nach dem Symposium über die *Identität der alternden Frau* stattfand (1996):

> »Die Vorjahrestagung zur *Identität der alternden Frau* (vgl. Psychosozial 60) vermittelte in Referaten und Diskussionsbeiträgen eindeutige affektive Signale. Sie handelten von (endlich erreichbarer) Selbstverwirklichung und Autonomie, weiteren Entwicklungsschritten und erfüllterer (auch sexueller) Befriedigung in selbstdefinierten (veränderten oder neu gesuchten) Partnerbeziehungen. Manchmal hatte ich im vergangenen Jahr den Eindruck, daß die relativ wenigen anwesenden Männer Mühe hatten, sich neben diesen Vorstellungen und der sich darin ausdrückenden Power für das weitere Leben zu behaupten. Ganz im Gegenteil dazu vermittelte diese Tagung häufiger eine resignative, wenn nicht sogar depressive Stimmung. Möglichkeiten weiterer Entwicklung wurden – auch in dargestellten Behandlungen – kaum erwähnt, keinesfalls als wichtiges und notwendiges Thema therapeutischer Arbeit akzeptiert. Bearbeitung und Klärung früherer und aktueller Konflikte dienten weitgehend der Adaption an die Situation des Alterns.«

Aus dem bisher Gesagten lassen sich mit gebotener Vorsicht zwei Hypothesen formulieren. Erstens: Die Wiederbelebung der Adoleszenz, besonders auch in psychoanalytischen Behandlungen, stellt einen wichtigen Faktor dar, Ressourcen für eine weitere Entwicklung im Alter zu mobilisieren. Zweitens: Frauen scheinen leichter ein Potential für kreative Entwicklungen im Alternsprozeß aktivieren zu können. Um diese Vermutungen zu vertiefen und auch eventuell eine Synthese diese voneinander scheinbar unabhängigen Aussagen anzustreben, sei zunächst kurz auf die Adoleszenz eingegangen.

Zweiter Exkurs: Die Adoleszenz

Die Adoleszenz mit ihrer einzigartigen Mischung von regressiven und progressiven seelischen Prozessen ist Gegenstand vieler psychoanalytischer Untersuchungen und auch ein geläufiges Thema der Literatur. Von den vielen Gesichtspunkten, unter denen man sie betrachten kann, soll hier vor allem der adaptive hevorgehoben werden. Im Durchleben der Adoleszenz verläßt der junge Mensch die Welt seiner Kindheit und tritt in die Gesellschaft der Erwachsenen ein, um seine Rollen und Aufgaben dort zu übernehmen. Dabei sind immense Entwicklungsaufgaben zu bewältigen: Verarbeitung der körperlichen Veränderungen, vielfältige Objektwechsel, innere Lösung von der Primärfamilie, Umarbeitung von Objekt- und Selbstrepräsentanzen mit Erarbeitung einer Identität, Gewinnung von Stabilität, ohne jedoch zu starr und rigide zu werden. Es ist eine Zeit seelischer Labilität, die ein deutliches Erkrankungsrisiko in sich birgt, aber auch von Entwicklungsdynamik und Kreativität. Menschen, die den Kontakt zu ihrem adoleszenten Erleben zu radikal verlieren und die Regungen ihres adoleszenten Seelenlebens zu nachhaltig verdrängen, verarmen innerlich.

Die oft dramatischen Erscheinungen der Adoleszenz können dazu einladen, vor allem die regressiven Prozesse zu beachten und die heftigen Konflikte zwischen Triebregungen und Abwehr. Dabei kann, wie früher in der Psychoanalyse, das Progressive der Entwicklung etwas in den Hintergrund treten. Daß aber gerade der Rückgriff auf die Regression eine adaptive Progression ermöglicht, wird besonders deutlich, wenn man den Prozeß der Adoleszenz sowohl unter psychoanalytischen als auch unter evolutionspsychologischen Gesichtspunkten betrachtet. Ein solcher Versuch wird selten unternommen. Denn im allgemeinen wird auf Seiten der Evolutionspsychologen bzw. Soziobiologen die Psychoanalyse nicht verstanden und dementsprechend angegriffen oder nicht ernst genommen. Auf der anderen Seite herrscht auf Seiten der Psychoanalytiker der anderen Disziplin gegenüber ebenfalls Uninformiertheit und Desinteresse vor. Umso verdienstvoller ist es, daß die Psychoanalytiker M. O. Slavin und D. Kriegman den Versuch unternommen haben, beide Gesichtspunkte zu integrieren (1992). Bezogen auf Fragen der Adoleszenz können ihre Überlegungen folgendermaßen skizziert werden. Die Autoren gehen von dem adaptiven Wert der Verdrängung aus und sehen sie als einen Prozeß, in dem aktuell nicht angemessene bzw. nicht brauchbare Beziehungen zwischen Selbstaspekten und inneren Objekten im Unbewußten sozusagen gespeichert werden, um sie bei passender Gelegenheit wieder abrufen zu können. Ausgehend von der komplexen Dialektik zwischen Subjekt und Objekt, in der das Individuum immer wieder das wohlverstandene eigene genetische Interesse im Verkehr mit den jeweiligen Objekten neu verhandeln muß, sind in verschiedenen Situationen und Lebensphasen unterschiedliche Objektbeziehungsmodalitäten adaptiv am sinnvollsten. Die Tiere, und damit letztlich auch der Mensch, verhalten sich im allgemeinen dergestalt, daß sie ihre genetische Gesamteignung, die »inclusive fitness«, unter den jeweils herrschenden Bedingungen zu optimieren versuchen.

»Inclusive fitness« besagt, daß das Agens der Evolution, die Gene, nicht nur das einzelne Individuum betrifft, sondern daß Familien und Sippen ja einen Großteil ihrer Gene gemeinsam haben, so daß einem phänotypischen Altruismus durchaus ein genotypischer Egoismus entsprechen kann. Ein junger Mensch, der geschlechtsreif wird und sich fortzupflanzen trachtet, wird sich im Sinne dieser fitness anders verhalten müssen als in seiner Kindheit und z. B. in Konflikte mit den Eltern und den Geschwistern eintreten können, deren genetisches Interesse nicht mit dem seinigen identisch ist, auch wenn es sich überlappt. Solche Überlegungen mögen sehr krude und grobgeschnitzt klingen und dem Gegenstand der Betrachtung nicht angemessen zu sein scheinen. Hier kann ja auch nur ganz kurz die biologische Basis angedeutet werden. Aber sie können vielleicht veranschaulichen, daß darauf ein psychoanalytisches Modell entwickelt wird, daß eine immer wieder notwendig werdende Neu-Organisation von Objektbeziehungsmodalitäten im Lebenslauf in psychoanalytischen Begriffen zu konzipieren versucht. Slavin und Kriegman betrachten die Adoleszenz nur als ein Beispiel, wenn auch ein besonders wichtiges, dieser dem seelischen Apparat inhärenten Tendenz.

Wichtig in unserem Zusammenhang ist nun, daß diese immer wieder notwendigen Neu-Orientierungen regressive Prozesse voraussetzen, und zwar ganz im Sinne der bekannten Regression im Dienste des Ich. Erst muß die Verdrängung gelockert werden, um an das seelische Reservoir des Verdrängten heranzukommen. Es ist interessant, daß diese seelische Dialektik von Regression und Progression Parallelen aufweist zu Bions Betonung des Wechselspiels zwischen paranoid-schizoider Desintegration und depressiver Integration als notwendiger Voraussetzung für die Entdeckung des »selected fact« im schöpferischen Prozeß (Eigen 1985). Damit können wir uns jetzt wieder den beiden am Ende des letzten Abschnittes geäußerten Hypothesen zuwenden. Es wird verständlich, warum ein Wiederbeleben der Adoleszenz in einer Analyse wichtig sein kann, um Ressourcen für weitere Entwicklungen zu mobilisieren. Dabei besagen aber die Überlegungen von Slavin und Kriegman, daß die Adoleszenz nur ein Sonderfall einer solchen seelischen Neu-Orientierung darstellt. Dem entsprechen auch meine Erfahrungen, daß die Durcharbeitung einer adoleszenten Übertragung nicht unbedingt das Kernelement einer Psychoanalyse mit Älteren darstellt. Solche regressiv-progressiven Entwicklungen können auch in anderen Phasen einer Analyse auftreten. Sicher ist aber, daß sich ein Zugang zur fluiden Dynamik der Adoleszenz herstellen lassen muß, wobei im negativen Fall ein Unvermögen dazu als Symptom seelischer Starrheit oder als ein Hinweis auf das Dominieren eines falschen Selbst verstanden werden kann.

Welche Bedeutung haben nun aber diese Überlegungen bzw. Beobachtungen für die zweite Hypothese eines Geschlechtsunterschiedes hinsichtlich der Entwicklungspotentiale im Alter? Mädchen und Jungen durchleben doch gleichermaßen Pubertät und Adoleszenz und sind dabei mit vergleichbaren Entwicklungskonflikten konfrontiert. In seiner Arbeit *Über neurotische Erkrankungstypen* bezieht sich Freud (1912, GW VIII, S. 324) auf die weibliche Entwicklung und schreibt:

> »Wie bekannt, sind solche eher plötzliche Libidosteigerungen mit der Pubertät und der Menopause, mit dem Erreichen gewisser Jahreszahlen bei Frauen, regelmäßig verbunden; (...). Die Libidostauung ist hier das primäre Moment, sie wird pathogen infolge der relativen Versagung von seiten der Außenwelt, die einem geringeren Libidoanspruch die Befriedigung noch gestattet hätte.«

Hier sei weniger auf die Libidotheorie eingegangen als auf die Verbindung von Phasen im Lebenslauf der Frau mit erhöhter Bereitschaft zu seelischer Erkrankung. Das ist ja ein sehr geläufiger Gedanke. Man denke nur an die Involutionsdepressionen älterer Frauen. Die Betonung spezifischer Phasen und auch Belastungssituationen im Lebenslauf der Frau kann aber auch zu ganz anderen Überlegungen führen. Das Erleben des Menstruationszyklus, Schwangerschaften, die regressive Einstellung auf den Säugling, Stillen, Menopause stellen Situationen dar, welche die Anpassungsfähigkeit der Frau stark beanspruchen, aber weniger im Sinne von potentiell krankheitsauslösenden Stressoren als vielmehr von evolutiv sinnvollen Konstellationen, für deren Bewältigung im Laufe der Evolution die notwendigen Strukturen bereitgestellt worden sein dürften. So gesehen, mag die Frau nicht nur körperlich widerstandsfähiger als der Mann sein und Hunger und Kälte besser ertragen, sondern auch mit einem seelischen Apparat ausgestattet sein und damit in ihr Altern eintreten, der flexibler auf Veränderungen und Neu-Orientierungen reagieren kann.

Eine weitere Analyse

Herr C. begann seine langjährige Analyse, als er Mitte fünfzig war, seinen Ausstieg aus seinem Berufsleben betrieb und unter heftigen Angstanfällen sowie einer sich vertiefenden Depression litt. Wie von Radebold (2000) beschrieben, trug auch er die Spuren einer Kriegs- bzw. Nachkriegskindheit in sich mit einem im Krieg schwer verwundeten Vater, der mit einer gespaltenen Identität überlebte. Teils war er ein feinsinniger Künstlertyp, der die Wiederaufrüstung im Nachkriegsdeutschland zutiefst ablehnte, teils war er aber nach wie vor der schneidige Offizier, der seinem Sohn unempathisch Härte und Erfolg abverlangte. Die elterliche Ehe war nicht glücklich. Aber die teils auch tätlichen Auseinandersetzungen wurden nach außen verborgen gehalten. Der Patient zog sich in eine narzißtisch-omnipotente Welt zurück und war in der Lage, ein äußerlich auch recht erfolgreiches Leben zu führen. Das nahende Altern und die Auseinandersetzung mit dem in Identifizierung mit dem Vater gewählten Beruf führten zu einer tiefen existentiellen Krise, die sein bisher so gut funktionierendes narzißtische System ins Wanken brachte. In der Analyse stellte sich bald eine narzißtische Spiegelübertragung ein. Ich sollte ihn als ein idealer Vater begleiten, am besten wortlos verstehen und ihn eines Zustandes ständigen narzißtischen Wohlbefindens versichern. Jegliche klärende und deutende Arbeit blieb letztlich im oberflächlichen intellektuellen Eingehen auf mich stecken. Verachtung und Entwertung meiner Arbeit wurden dahinter spürbar, in der Abwehr auch eines mütterlichen, bedrohlichen Introjektes. Immer wieder kam es vor, daß ich meine Gegenübertragung nur schwer ertrug und dann zu konfrontierend und kritisch eindringend deutete. Immer wieder konnte ich beobachten, daß Herr C. die Zeit seiner Postadoleszenz (da sich seine Adoleszenz sehr verlängerte, ging es auch dabei im Grunde um seine Adoleszenz) zwar immer wieder anschnitt, aber ein vertiefendes Gespräch darüber vermied. Das Thema fiel sehr rasch seiner zynischen Selbstentwertung anheim. Mir wurde erst sehr langsam klarer, daß eine besondere Art, auf ihn einzugehen, von mir gefordert war: nicht nur spiegelnd, aber auch nicht kritisch konfrontierend oder deutend, sondern behutsam der Entfaltung seines Selbst lauschend, mit einem wachen Ohr für die leisesten Nuancen. Ein elterliches Objekt, das einmal keine eigenen Regungen in ihn hineinzupressen versuchte, sondern behutsam und sehr aufmerksam seiner Entwicklung lauschte, wobei die Gegenübertragung einer imperativen Müdigkeit oft sehr ausgeprägt war. Ich verstand dies als Projektion einer inneren Mutter, die zu sehr mit sich, ihrem eigen Elend und ihrer schweren Erkrankung beschäftigt war. Dieses empathische Zuhören galt aber nicht nur dem adoleszenten Patienten, es konnte auch um andere Aspekte seiner Entwicklung und seines Erlebens gehen. Mir wurde klar, daß dies der einzige Weg war, um Quellen einer weiteren Entwicklung in ihm zu erschließen.

In solchen Momenten konnte er auch aus seiner starren narzißtischen Abwehr herausfinden und etwas weniger ängstlich und defensiv regredieren. Die Analyse ist noch nicht beendet, der Ausgang ist nach wie vor offen. Sicher ist, daß wir uns mehr dem verzweifelten und oft auch hoffnungslosen Kind nähern. Welche Entwicklung möglich sein wird, auch im Hinblick auf das nahende Altern, vermag ich noch nicht zu sagen.

Dieser Patient hat noch nicht ganz sein sechzigstes Lebensjahr erreicht. Wie ich bereits eingangs erwähnte, habe ich zwar Erfahrungen mit Analysen von Frauen in diesem Alter, aber nicht von Männern. Herrr C. erscheint mir jedoch in mancherlei Hinsicht typisch. Gezeichnet von den Einwirkungen der Kriegs- und Nachkriegszeit, hat er eine narzißtische Charakterstruktur entwickelt und konnte sein Leben bisher äußerlich einigermaßen stabil meistern. Das beginnende Altern brachte jedoch das mühsam aufrechterhaltene seelische Gleichgewicht ins Wanken. Und trotz der Betonung einer differenzierten inneren Welt, manifestierten sich im analytischen Prozeß eine erhebliche Kargheit und Starre, die seine weiteren Anpassungs- und Entwicklungsmöglichkeiten in Frage stellen.

Diskussion

Sicher ist die Qualität der frühen Beziehung zur Mutter entscheidend für die Gestaltung und Bewältigung des gesamten weiteren Lebenslaufs, auch des Alterns. Aber damit ist nicht alles gesagt über die Fähigkeit, in Umwälzungsphasen des Lebens regressiv-progressive Prozesse zu neuen Anpassungen und Entwicklungen zu nutzen. Es hat den Anschein, als ob die Frauen aufgrund ihrer in der Evolution entwickelten biologischen Ausstattung (in guter Freudscher Tradition ist auch die Seele ein biologisches Phänomen) gegenüber den Männern etwas günstigere Voraussetzungen mitbringen, um den Alterungsprozeß produktiv und kreativ zu gestalten. Ein äußeres Indiz dafür mag die trotz allgemein gestiegener Lebenserwartung gleichbleibende Differenz zwischen Männern und Frauen sein. Aber es handelt sich eben auch um Männer und Frauen in ihrer konkreten gesellschaftlich und zeitgeschichtlich bedingten Besonderheit. Die älteren Männer, die ich in meiner Praxis kennenlernte, trugen die direkten oder indirekten Verwüstungen durch den Krieg, die Nachkriegszeit oder die Verheerungen der Nazizeit in sich. Als Analytiker stehe ich nicht außerhalb dieser Zusammenhänge. Diese Männer haben im allgemeinen keine männlichen

Vorbilder dafür, wie man altert. Auf einer Fortbildungsveranstaltung für Alternspsychotherapie, wurde mir, überraschend und erschreckend, bewußt, daß ich im Grunde nur ein ganz bestimmtes Bild vom Tod eines Mannes in mir trage, nämlich den gewaltsamen Tod durch Kriegseinwirkungen. Die relative Kargheit und Starre vieler älterer Männer angesichts der Möglichkeiten, ihr Altern aktiv zu gestalten, mag viel mit den traumatisch beeinträchtigten Umständen ihrer Kindheit zu tun zu haben. Stabilisiert haben sich viele durch den Beruf, aber dabei haben sie oft ihr kreativ-regressives Potential völlig vernachlässigt. Es bleibt weiteren Untersuchungen und weiterem Nachdenken vorbehalten zu ergründen, warum es aber dennoch so deutliche Unterschiede gibt. Was hat es Herrn A. ermöglicht, sich trotz einer traumatischen frühen Beziehung zur Mutter im Rahmen seiner neurotischen Möglichkeiten ein Potential ich-gerechter Regression zu erhalten?

In der Praxis sind mir ältere Männer nicht nur als Patienten, sondern auch indirekt in den Erzählungen anderer Patienten begegnet. Ob als Väter oder als aktuelle bzw. potentielle Partner älterer Patientinnen: relativ unverändert fand sich das geschilderte Bild einer recht starren, narzißtischen Lebens-bewältigung, immer auf dem Hintergrund schwerer zeitgeschichtlicher Beschädigungen. Aber auch hier gab es eindrucksvolle Ausnahmen. Z. B. den 70-Jährigen, der anläßlich eines Krankenhausaufenthaltes, sehr zum Mißfallen seiner Partnerin, mit einem noch älteren Mitpatienten in einer Art Rollenspiel das Kommißleben wieder auferstehen ließ. Aus der Entfernung gewann ich aber den Eindruck, daß es sich hierbei um einen regressiv eingeleiteten Bewältigungsversuch handelte. Für die Behandlungen älterer Männer halte ich es für ganz entscheidend, sehr sorgsam die eigene Gegenübertragung bzw. auch Übertragung zu beachten. Die eigene Verwobenheit in die gleichen zeitgeschichtlichen Zusammenhänge – mag die Altersdifferenz auch größer sein: über unsere Familiengeschichten sind wir darin verstrickt – kann es schwer machen, das Ideal einer gleichen Distanz zu Ich, Es und Über-Ich zu erreichen. Entscheidend ist aber ein sorgsames Eingehen auch auf narzißtische Entwicklungsaspekte unter Zügelung eigener wertender Impulse. Das klingt so selbstverständlich, ist aber bei dieser Klientel immer wieder bedroht. Die Wiederbelebung der Adoleszenz ist sicher ein wichtiger Aspekt. Aber das gilt wohl für alle Analysen. Der Keim für weitere Entwicklungen mag auch bei der Durcharbeitung anderer Themen aufquellen. Christa Rohde-Dachser nannte ihr Buch über die Weiblichkeit im Diskurs der Psychoanalyse *Expedition in den dunklen Kontinent* (1991). Ich glaube, das Seelenleben und die Entwicklung alternder Männer ist noch unerforschter.

Literatur

Eigen, M. (1985): Toward Bion's Starting Point: Between Catastrophy and Faith. In: International Journal of Psycho-Analysis 66, S. 321–330.
Freud, S. (1912): Über neurotische Erkrankungstypen. GW VIII.
Freud, S. (1932): Neue Folge der Vorlesungen zur Einführung in die Psychoanalyse, GW XV.
Gottschalk, L. A. (1994): On Aging. In: Pollock, G. H. (Hg.): How Psychiatrists Look at Aging. Internationl Universities Press (Madison, Connecticut).
Heuft, G.; Kruse, A. & Radebold, H. (2000): Lehrbuch der Gerontopsychosomatik und Alterspsychotherapie. Ernst Reinhardt Verlag (München).
Kernberg, O. (1975): Borderlinestörungen und pathologischer Narzißmus. Suhrkamp (Frankfurt/M.).
King, P. (1980): The Life Cycle as Indicated by the Nature of the Transference in the Psychoanalysis of the Middle-Aged and Elderly. In: International Journal of Psychoanalysis 61, 153–160.
Kutter, P. (1996): Wiederbelebung, Korrektur und Integration der Adoleszenz im dritten Lebensalter. In: Psychosozial 66, S. 33–42.
McComb, K.; Moss, C.; Durant, S. M.; Baker, L. & Sayialel, S. (2001): Matriarchs as repositories of social knowledge in african elephants. In: Science 292, S. 491–504.
Radebold, H. (1996): Abschließende Bemerkungen zum Symposioum »Der alternde Mann«. In: Psychosozial 66, S. 69–70.
Radebold, H. (2000): Abwesende Väter. Folgen der Kriegskindheit in Psychoanalysen. Vandenhoeck & Ruprecht (Göttingen).
Radebold, H. & Schweizer, R. (2001): Der mühselige Aufbruch. Eine Psychoanalyse im Alter. Ernst Reinhardt Verlag (München).
Rohde-Dachser, C. (1991): Expedition in den dunklen Kontinent. Springer (Heidelberg).
Roth, G. (2001): Fühlen, Denken, Handeln. Wie das Gehirn unser Verhalten steuert. Suhrkamp (Frankfurt/M.).
Slavin, M. O. & Kriegman, D. (1992): The Adaptive Design of the Human Psyche. Psychoanalysis, Evolutionary Biology and the Therapeutic Process. The Guilford Press (New York).
Spitzer, M. (2001): Die Weisheit des Alters. In: Editorial. Nervenheilkunde 6, S. 302–305.
Teising, M. (1996): Suizid im Alter – Männersache. In: Psychosozial 66, S. 43–51.

Wege in die ›Lieblosigkeit‹ – Lebensverlaufsmuster und seelische Gesundheit bei Männern und Frauen im Kontext von Scheidungen oder Trennungen nach langjährigen Ehen

Insa Fooken

Scheidungen oder Trennungen nach langjährigen Ehen – Normalität der ›Ehe light‹?

In der Scheidungsstatistik läßt sich seit einigen Jahren ein noch andauernder Trend zu einem »neuen Verhaltensmuster« ausmachen: Das sogenannte Phänomen der »späten Scheidung« (vgl. Dorbritz/Gärtner 1998, S. 431). Von den 190.590 geschiedenen Ehen im Jahre 1999 (Statistisches Bundesamt 2001) betrug bei 17,7% die Ehedauer 21 und mehr Jahre, 9,3% aller Trennungen betrafen Ehen jenseits der »Silbernen Hochzeit«. Dies mag ein zeitgebundenes Übergangsphänomen sein, da für die Angehörigen der Generationen, die vor 25 und mehr Jahren geheiratet haben (objektive und subjektive) Scheidungsbarrieren bestanden, deren Wirksamkeit bei den nachfolgenden Generationen zwischenzeitlich nachläßt. Möglicherweise wird es in Zukunft ohnehin weitaus weniger Paare geben, die überhaupt in einer langjährigen ehelichen Beziehung verbleiben, weil Scheidung als ein mehr oder weniger akzeptiertes Konfliktlösungsmuster bei bestehenden Partnerschaftskonflikten angesehen wird und sequentielle Beziehungsgestaltungsmuster im Sinne von ›Lebensabschnittsgefährtenschaften‹ selbstverständlicher und ›normaler‹ geworden sind. Zumindest geht man heute davon aus, daß die Aufrechterhaltung einer sehr unglücklichen, erodierten Beziehung zunehmend unwahrscheinlicher wird, weil – austauschtheoretisch gesprochen – die psychischen Kosten zu hoch sind, der Nutzen zu gering ist und die Suche nach attraktiveren und befriedigenderen Alternativen gesellschaftlich akzeptiert wird. War früher der ›Status quo‹ einer lang andauernden Beziehung, unabhängig von ihrer Qualität, per se schon ein ehestabilisierender Faktor, so kann es zwischenzeitlich sein, daß gerade die subjektive Wahrnehmung und Bewertung dieser Dauerhaftigkeit

(»Das läuft schon seit 25 Jahren so unbefriedigend und kann möglicherweise noch 25 Jahre so weitergehen!«) – in Anbetracht der deutlich gestiegenen Lebenserwartung und den damit verbundenen bzw. phantasierten Möglichkeiten – Ausbruchsphantasien nährt und Bedürfnisse nach anderen Lebensentwürfen weckt.

Wie sieht der öffentliche Scheidungs-Diskurs aus? Glaubt man manchen medial inszenierten Berichten, scheinen Scheidungen in unserer Gesellschaft ein kaum vermeidbarer, quasi normativer Bestandteil von partnerschaftlicher und familialer Entwicklung geworden zu sein. »Ehe light« – so lautete die Titelgeschichte des Magazins *Der Spiegel* am 21. Oktober 1996, die vorgab den Zeitgeist einzufangen. Aber die ›Ex-und-hopp‹-Variante stellt eben nur ein Szenario dar. So titelte kurze Zeit später das Magazin *Focus* am 11. November 1996 »Die gute Ehe - Neue Lust auf ›Lebenslänglich‹« und postulierte angesichts eines neuen ›Trends zur Treue‹ ein alternatives Szenario. Vier Jahre später wird das Thema wieder ›aufgewärmt‹: *Focus* titelt am 13. März 2000 »Beziehungs-Glück kann man lernen« und *Der Spiegel* entdeckt am 23. Oktober 2000 nun auch »Die neue Zweisamkeit«. Wo die vorgebliche ›Wahrheit‹ liegt, ist schwer zu entscheiden. Man wird davon ausgehen können, daß alle Trendskizzen gleichzeitig und parallel existierende Varianten von aktuell praktizierten Partnerschafts- und Familienformen widerspiegeln. Die Sozialstruktur unserer Gesellschaft ist weitaus pluraler als es modische Trendanalysen signalisieren (vgl. Geißler 1996). So gibt es zum einen große regionale Unterschiede, zum anderen ein deutliches Stadt-Land-Gefälle: Wird beispielsweise in bestimmten Stadtteilen der Stadtstaaten bereits jede zweite Ehe geschieden und ist dies somit eine erwartungsgemäße Norm, so kann eine Scheidung in bestimmten geographischen Regionen und/oder im ländlichen Raum durchaus noch eine Ausnahmeerscheinung sein. Auch die in der Öffentlichkeit immer wieder beschworene Zahl, jede dritte Ehe werde geschieden, erweist sich als missverständlich, da bislang noch kein Heiratsjahrgang eine Scheidungsquote von mehr als 26% erreicht hat (z. B. Hammes 1994; Ostermeier & Blossfeld 1998). Dies heißt eben auch, daß fast drei Viertel der Heiratskohorten der 70er Jahre höchstwahrscheinlich bis zum Tod eines Partners als Ehepaar zusammenleben werden. Auch wenn für die Zukunft zu erwarten steht, daß im Schnitt mindestens 30% der Ehen, die in den 80er Jahre geschlossen wurden, langfristig durch Scheidung beendet werden (vgl. Fooken & Lind 1997), so kann dennoch davon ausgegangen werden, daß auch

»immer noch beträchtliche Scheidungsbarrieren existieren« (Wagner 1997, S. 320). Als Subsystem innerhalb der gesellschaftlichen Institution Familie ist auch die Institution Ehe nicht per se von Verfall bedroht, sondern vielmehr einem Wandlungsprozess unterworfen. In diesem Sinne zeichnen sich die real existierenden Heirats-, Ehe- und Beziehungskulturen durch eine wachsende Vielfalt aus. Scheidungen und Trennungen stellen eine mehr oder weniger übliche Variante davon dar.

Selbst wenn sich die gesellschaftlichen und sozio-strukturellen Rahmenbedingungen von Scheidungen stark gewandelt und zu einer ›Normalisierung‹ des Geschehens geführt haben, bedeutet gegenwärtig eine ›späte Scheidung‹ für die Betroffenen im subjektiven Erleben zumeist einen einschneidenden, wenn nicht sogar dramatischen Bruch im Lebensvollzug. So müssen beispielsweise sowohl in materieller als auch in immaterieller Hinsicht viele der ›Früchte‹ der gemeinsamen ehelichen Beziehungsgeschichte und -ökologie aufgeteilt werden. Auch wenn hier durchaus unterschiedliche Bewertungs- und Bilanzierungsprozesse stattfinden, handelt es sich dabei sowohl in objektiver Hinsicht als auch im subjektiven Erleben zumeist um erhebliche Verlusterfahrungen: Verlust des langjährigen Intimpartners, selbst wenn dies auch in manchen Fällen als Befreiung aus einer unerträglichen Partnerschaft erlebt wird; Verlust von Teilen des sozialen Netzwerkes; Verlust bzw. Beeinträchtigung von Lebenszielen, Selbstwertgefühl und Bewältigungskompetenz und nicht zuletzt Verlust von materiellem Besitz und gesellschaftlichem Statusmerkmalen. Insofern stellt eine ›späte Scheidung‹ oft eine Risikolage sowohl in Bezug auf die materiellen Lebensumständen als auch hinsichtlich der sozialen Integration dar und ist darüber hinaus eine Quelle möglicher Vulnerabilität von Selbstwertgefühl, Wohlbefinden und seelischer Gesundheit (vgl. Fooken 1999; 2000).

Die häufig angeschnittene Frage, welcher der beiden Partner am Ende des Trennungsprozesses als ›Gewinner‹ oder ›Verlierer‹ angesehen werden kann, ist gerade bei den ›späten Scheidungen‹ nach langer Beziehungszeit schwer zu entscheiden. Nimmt man eine lebensspannenbezogene, biographische Perspektive ein, dann ergeben sich komplexe Lebensverlaufsmuster, die ihren Ursprung zumeist in den Erfahrungen der Kindheit und der Herkunftsfamilie haben und die sukzessiv vom Erleben beziehungsrelevanter Stationen und Phasen bestimmt werden. Darüber hinaus wird man von unterschiedlichen, insbesondere von geschlechtstypischen Risikolagen ausgehen können.

Stichprobe, Methoden und Fragestellung

Die hier erfasste Stichprobe besteht aus insgesamt 111 geschiedenen/ getrennten Personen (46 Männern, 65 Frauen), die drei unterschiedlichen Geburtskohorten angehören: sie sind um 1930 (n=28), 1940 (n=45) und 1950 (n=38) herum geboren. Die durchschnittliche Ehedauer beträgt in den beiden älteren Kohorten etwa 27 Jahre, in der jüngeren 21 Jahre. Die Trennungen liegen im Schnitt 6,8 Jahre zurück. 75% der Stichprobe sind geschieden, ein kleiner Teil lebt dauerhaft getrennt, einige wenige Personen sind wiederverheiratet. Von den ältesten Befragten leben 82% allein, in der mittleren Kohorte beträgt der Anteil 60% und bei den jüngsten Befragten sind es ein Viertel, die in einem Ein-Personen-Haushalt leben. 41% sind eine neue Partnerschaft eingegangen, zu zwei Dritteln bei den Jüngsten, ein Drittel in der mittleren Kohorte und 14% bei den Ältesten. Nur ca. ein Drittel der Stichprobe lebt in Großstädten bzw. Ballungsgebieten; mehrheitlich leben die Befragten in Klein- und Mittelstädten. Bemerkenswert ist, daß bei etwa 75% der Stichprobe Wohneigentum im Laufe der Ehe erworben wurde. Dieser Anteil liegt deutlich höher als es für die Gruppe dieser Jahrgänge in der Gesamtbevölkerung zu erwarten wäre (Wagner & Mulder 2000, Bezugsjahr 1988).

Die Datenerhebung fand schwerpunktmäßig mittels themenzentrierter, mehrstündiger biographischer Tiefen-Interviews statt, die qualitativ inhaltsanalytisch ausgewertet und in ein ordinal- bzw. nominal skaliertes Kategoriensystem überführt wurden. Erkenntnis- und forschungsleitend sowohl bei der Erstellung des Interviewleitfadens als auch bei der Entwicklung des Auswertungskategoriensystems waren eine Vielzahl von theoretischen bzw. empirisch fundierten Konzepten, die sich im Rahmen einer umfassenden Literaturrecherche als themenrelevant erwiesen hatten (vgl. Fooken/Lind 1997):

Dies gilt für den Aspekt möglicher früher Traumatisierungen, Vulnerabilitäten und Ressourcen sowohl im Bereich der materiell-dinglichen Umwelt als auch im sozio-emotionalen Bereich; so gingen auch Überlegungen zum Lebenslage-Konzept in Bezug auf die subjektiv erlebten Spielräume der materiell-dinglichen Welt im Lebensverlauf mit ein. Weiterhin wurden tiefenpsychologisch fundierte bzw. psychoanalytisch orientierte Konzepte, die ja den Zusammenhang zwischen frühkindlichen Erfahrungen bzw. Traumatisierungen und späteren psychosozialen Störungen und Partnerschaftsproblemen im Erwachsenenalter stärker als andere theoretische Ansätze akzentuieren, mit einbezogen. Als demgemäß vielversprechend wurden auch bindungstheoretische Komponenten mit berücksichtigt (»adult attachment«, vgl. Lind 2001). Hinsichtlich der psychosozialen Situation wurden insbesondere Informationen zum sozialen Netzwerk und zur sozialen Unterstützung eingeholt, bezüglich der familiären Situation wurden Betrachtungsperspektiven, wie sie beispielsweise in den verschiedenen Familienstreßmodellen Verwendung finden, ermittelt. Darüber hinaus wurde dem intergenerativen Austausch Aufmerksamkeit geschenkt, sowohl in Richtung der Elterngeneration als auch in bezug auf die eigenen Kinder. Für die Erfassung von Persönlichkeitsmerkmalen wurden Aspekte von seelischer Gesundheit und Kontrollüberzeugung als themenrelevant eingeschätzt. Desgleichen sind Komponenten des Identitätskonstruktes mit in die Konzeption der Fragen und Auswertungskategorien eingeflossen. Weiterhin ging es um Fragen der Bewältigung (coping) angesichts des wahrgenommenen Streß' bzw. der als Bedrohung oder Herausforderung eingeschätzten Belastungen. Nicht zuletzt haben zahlreiche Konzepte, die sich mit Partnerschaftsentwicklung und Trennungen in Partnerschaften befassen, Eingang in die vorliegende Studie gefunden. Dies betrifft zum Beispiel austauschtheoretische Annahmen, kommunikationstheoretische Konzepte, handlungs- bzw. entwicklungstheoretische Ansätze, Fragen der Intimität und die Berücksichtigung von Liebesstilen.

Zudem kamen zwei Fragebogen, der *Trierer Persönlichkeitsfragebogen* von Becker (1989) und der *Fragebogen zu Kompetenz- und Kontrollüberzeugungen* von Krampen (1991) zum Einsatz. Zentrales Kriterium in diesem Beitrag ist dabei insbesondere der Faktor »Seelische Gesundheit« aus dem TPF sowie die Skala »Selbstwertgefühl«.

Im vorliegenden Beitrag geht es um die Identifizierung von spezifischen lebenslaufbezogenen Entwicklungsmustern in einer Stichprobe von Personen, die sich nach vergleichsweise langer Ehedauer trennen bzw. scheiden lassen. Dabei werden auch mögliche Gründe des Scheiterns der Ehe angesprochen und die aktuellen Deutungsmuster und Bilanzierungsprozesse der Betroffenen berücksichtigt. Des weiteren werden Vorhersage-Modelle zwischen zentralen biographischen Merkmalen einerseits und »seelischer Gesundheit« und »Selbstwertgefühl« andererseits ermittelt.

Ergebnisse

Trennungsbiographien – Entwicklungs- und Bewältigungsmuster

Die Ermittlung typischer Entwicklungsmuster wurde mittels einer Clusteranalyse (Ward-Methode) über insgesamt neun Indikatorvariablen durchgeführt, die sich im Rahmen anderer statistischer Analysen als hinreichend trennscharf in den verschiedenen Lebensphasen erwiesen haben. Die Lebensphasen und die jeweils als repräsentativ bestimmten Indikatorvariablen sind im Folgenden aufgeführt:

- Kindheit: »Emotionale Gesamtbilanz Kindheit«
- Jugendalter: »Selbstwertgefühl/soziale Kompetenz«
- Kennenlernen (Brautzeit): »Sicherheit vs. Ambivalenz bzgl. Partnerwahl und Eheschließung«
- Eheanfang: »Zufriedenheit mit Ehe/Partnerschaft«
- Eheverlauf: »Familienklima: Positive emotionale Qualität«
- Trennung 1 (Beginn): »Ausmaß sozialer Ressourcen/soziales Netzwerk«
- Trennung 2 (Prozess): »erlebte Einsamkeit nach räumlicher Trennung«
- aktuelle Lebenssituation (akt. Kompetenz): »Kompetenz bei Alltagsbewältigung«
- aktuelle Lebenssituation (akt. Stimmung): »Ausmaß emotionaler Einsamkeit«

Die über diese Variablen durchgeführte Clusteranalyse führte zu einer brauchbaren Lösung mit vier Clustern, die als deutlich unterscheidbare »Entwicklungs- und Bewältigungsmuster« angesehen werden können. Die Unterschiede zwischen diesen vier Verlaufsmusters erweisen sich in allen neun Indikatorvariablen als signifikant (Mann-Whitney U-Test). Für eine prägnante Ergebnisdarstellung sind die mittleren Rangwerte dieses statistischen Prüfverfahrens in eine Prozentrang-Skala transformiert und so gepolt worden, daß ein hoher Wert jeweils ein »positives« Erleben ausdrückt (vgl. Abb. 1).

Die Geschlechtsunterschiede in den vier Gruppen sind signifikant (p .032). Desgleichen unterscheiden sie sich signifikant bezüglich ihrer Ausprägung in den TPF-Skalen »seelische Gesundheit« (p .033) und »Selbstwertgefühl« (p .050). In der folgenden Skizzierung der einzelnen Cluster werden noch eine Reihe themenrelevanter Ergebnisse aus anderen bereits durchgeführten Datenanalysen mit heran gezogen.

Skizzierung der vier Verlaufsmuster:

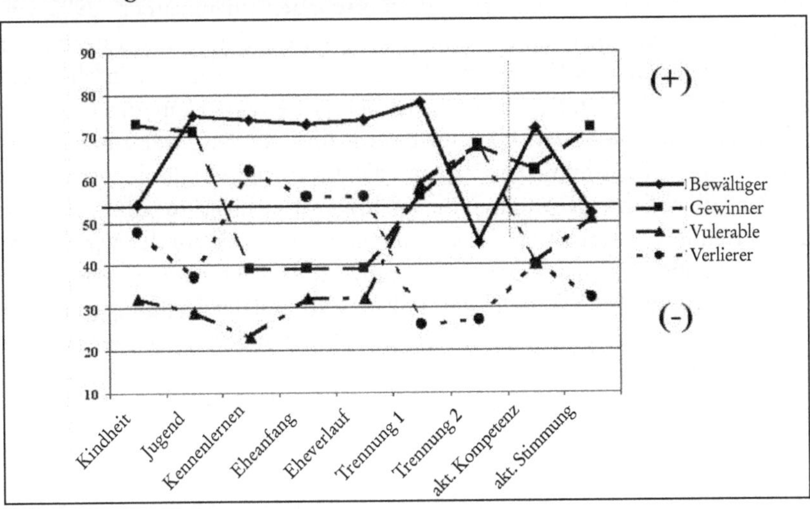

Abbildung 1: Lebensverlaufsmuster über verschiedene Lebensphasen (Werte = transformierte %-Ränge der zentralen Tendenzen; hoher Wert=positive Ausprägung)

I ›Bewältiger‹ (Gesamt: 21=19%; Männer: 7=15%; Frauen: 14=22%)
In diesem Cluster sind etwas mehr Frauen als Männer vertreten. Die T-Werte des TPF für »seelische Gesundheit« sind in dieser Gruppe leicht herabgesetzt, liegen aber im mittleren Normbereich (46), ähnlich wie auch die Ausprägung des »Selbstwertgefühls« (49).

Die Valenz der Kindheit wird als durchschnittlich bis tendenziell leicht positiv erinnert. Mit dem deutlich positiv bewertetem Jugendalter beginnt dann aber eine lange Lebensstrecke, die bis zum Ende der Ehe durchgängig als ›selbstbestimmt‹ und ›emotional bereichernd‹ skizziert wird. Selbst bei Beginn des Trennungsgeschehens gelingt es diesen Menschen, ihre sozialen Ressourcen zu nutzen wie auch in der aktuellen Lebenssituation ihre Alltagskompetenz fast uneingeschränkt funktioniert. Daß die Trennung dennoch einschneidende Spuren hinterlassen hat, wird an der großen emotionalen Einsamkeit und Trauer deutlich, die das Erleben im Verlauf des Trennungsprozesses bestimmt und die auch in der aktuellen Lebenssituation noch anhält.

Die Trennungsinitiative ging in dieser Gruppe mehrheitlich von den jeweiligen Partnern aus (81%), es handelt sich demnach überwiegend um

›verlassene‹, aber nicht ›gebrochene‹ Menschen. Ihre aktuelle Lebenssituation ist bezüglich der Existenz neuer Partnerschaften uneinheitlich: 29% von ihnen haben eine neue Partnerschaft, 38% äußern den Wunsch nach einer solchen, während ein Drittel von ihnen aktuell kein Bedürfnis nach einem neuen Partner äußert. Für die Mehrheit dieser Befragten kam die Trennung plötzlich und unerwartet. Hauptgrund für die Trennung war zumeist eine außereheliche Beziehung des Partners, die das abrupte Ende einer bis dahin als sehr glücklich eingeschätzten langjährigen Ehe auslöste. Alle Personen reagierten mit heftigen Emotionen; dennoch zeigten sie auf der Verhaltensebene ein eher aktives Verhalten und nutzten die Unterstützungsangebote ihrer sozialen Netzwerke. Im unmittelbaren Vorfeld der Trennung gab es für einen Teil der Befragten noch andere soziale Veränderungen: bei etwa der Hälfte waren Eltern oder Schwiegereltern gestorben bei einem Drittel hatten Kinder den elterlichen Haushalt verlassen (bei 19% trafen beide Ereignisse gleichzeitig zu). Die Trennung wurde aus der bilanzierenden Rückschau entweder als ein Konsensbruch (des Eheversprechens) seitens des Partners erlebt oder im nachhinein als ein Scheinkonsens bewertet bzw. als eine trügerische Illusion, an deren Aufrechterhaltung man selber mit beteiligt war.

II ›Gewinner‹ (Gesamt: 24=22%; Männer: 8=17%; Frauen: 16=25%)
Auch in diesem Cluster sind geringfügig mehr Frauen als Männer vertreten. Die T-Werte für ›seelische Gesundheit‹ (49) und ›Selbstwertgefühl‹ (50) liegen im mittleren Normbereich und sind in dieser Gruppe am höchsten ausgeprägt.

Die Befragten dieses Clusters skizzieren eine deutlich unbeschwerte Kindheit und eine sehr positiv bewertete Jugendzeit. Anders als bei den »Bewältigern« destabilisiert sich aber ihr Erleben in der Folgezeit: Mit der als deutlich ambivalent eingeschätzten Partnerschaft beginnt bei ihnen eine eheliche Entwicklung, die während der ganzen Dauer durch Unzufriedenheit und ein belastendes emotionales Klima gekennzeichnet ist. Erst mit der Trennung stellt sich wieder ein Kompetenzgewinn (›Nutzung sozialer Ressourcen‹) und eine deutliche emotionale Verbesserung ein. Auch in der aktuellen Lebenssituation gelingt die Lebensbewältigung. Die geäußerte Lebensfreude knüpft in ihrer Qualität wieder an das für Kindheit und Jugend berichtete Lebensgefühl an.

Die Initiative zur Trennung ging bei zwei Drittel dieses Clusters von den Befragten selber aus. Gut ein Drittel lebt aktuell in einer neuen Partnerschaft, ein weiteres Drittel äußert Partnerwünsche, während das letzte Drittel kein Interesse an einer neuen Partnerschaft zeigt. Im Hinblick auf die Zeit der Ehe werden viele äußere Belastungen und innere, in der Partnerschaft liegende Probleme berichtet. Als Hauptgründe für die Trennung werden keine bzw. nur noch negative Gefühle für den Partner, zum Teil auch jahrelang andauernde außereheliche Beziehungen des Partners und die eigene psychische Überlastung genannt. Darüber hinaus spielen ständig eskalierende Konflikte und Suchtkrankheiten des Partners eine Rolle sowie nicht zuletzt das Bedürfnis, ein unabhängiges Leben beginnen zu wollen. Auch in dieser Gruppe gab es im unmittelbaren Vorfeld Veränderungen im intergenerativen Beziehungsgefüge: bei 42% starben (Schwieger-)Eltern und in 54% der Fälle waren die Kinder aus dem Haus gegangen (in 25% passierte beides). Gut die Hälfte der Befragten hat die Trennung letztlich aktiv herbeigeführt; die anderen haben geahnt, daß Trennung ›endlich‹ anstand. Es wurde überwiegend mit Erleichterung und entsprechender eigener Aktivität reagiert. Die Trennung wird aus heutiger Sicht als mehr oder wenige logische Konsequenz aus einem langjährig bestehenden Dissens erlebt.

III ›Vulnerable‹ (Gesamt: 28=25%; Männer: 8=15%; Frauen: 20=31%)
In dieser Gruppe befinden sich deutlich mehr Frauen als Männer. Im TPF schreiben sich diese Befragten nur eine am unteren Rand der Norm liegende »seelische Gesundheit« zu (T-Wert 41), hingegen ist ihr »Selbstwertgefühl« »normal« ausgeprägt (48).

Das Nachzeichnen der biographischen Entwicklung weist die Befragten dieses Clusters als langjährig belastete Personen aus. Bereits die Kindheit wird als negativ und restriktiv, zum Teil als traumatisch erlebt. Auch der weitere Lebenslauf stellt sich als eine Kette von deprivierenden und unglücklichen Erfahrungen dar. Erst die Trennung scheint als befreiender Ausbruch, verbunden mit der erstmaligen Erfahrung von sozialer Unterstützung erlebt zu werden. Langfristig scheint aber die im Lebensverlauf erworbene Vulnerabilität eine schwierige Hypothek zu sein, denn in der aktuellen Lebenssituation sind Alltagsbewältigung und Lebensfreude nur begrenzt vorhanden.

Die Initiative zur Trennung ging fast ausschließlich von den Befragten selber aus (83%). Aktuell hat die Hälfte von ihnen eine neue Partnerschaft, etwa ein Viertel wünscht sich eine solche, während die übrigen keinen Partnerwunsch äußern. Die Zeit der Ehe war erwartungsgemäß von vielen inneren und äußeren Belastungen geprägt. Dementsprechend lassen sich zahlreiche Gründe für die Trennung bestimmen: Sehr viele von ihnen nennen nur noch negative Gefühle, bzw. deren Absterben, ständig eskalierende Konflikte und das ausgeprägte Bedürfnis, endlich ein eigenes, unabhängiges Leben beginnen zu wollen. Daneben gibt es eine Vielzahl unterschiedlicher Gründe wie psychische Überlastung, Langeweile, Gewalttätigkeit und Suchterkrankung des Partners, außereheliche Beziehungen des Partners, aber auch das eigene Verlieben in einen anderen Partner. Dennoch war zunächst etwa nur die Hälfte psychisch auf die Trennung vorbereitet bzw. hatte es ›geahnt‹. Letztendlich reagierten fast alle mit Erleichterung und zeigten ein vergleichsweise aktives und sozial bezogenes Bewältigungsverhalten. Auch hier gab es im Vorfeld Veränderungen in der intergenerativen Beziehungsdynamik: die Kinder verließen das Haus (60%) und bei einem Drittel waren (Schwieger-) Eltern verstorben (beide Ereignisse: 24%). Aus heutiger Sicht wird die Trennung überwiegend als Ausdruck eines langjährigen Dissens erlebt.

IV ›Verlierer‹ (Gesamt: 38=34%; Männer: 23=50%; Frauen: 15=23%)
In dieser Gruppe sind deutlich mehr Männer als Frauen vertreten. Sowohl die »seelische Gesundheit« (T-Wert 43) als auch das »Selbstwertgefühl« (T-Wert 44) sind eher im unteren Normbereich angesiedelt.

Der Entwicklungsverlauf beginnt in dieser Gruppe mit einer in emotionaler Hinsicht eher unauffälligen, ›durchschnittlichen‹ Kindheit. Das Jugendalter allerdings wird als eine eher problematische Zeit skizziert, gerade hinsichtlich des Selbstwertgefühls und der sozialen Kompetenzen. Mit dem Beginn der Partnerschaft fängt dann eine deutlich positiv akzentuierte Zeit an, wie auch in der Ehe überwiegend Zufriedenheit und ein gutes Familienklima erlebt wurden. Mit der Trennung erfolgt ein ›Absturz‹ aus dieser ›heilen Welt‹. Es kann kaum auf soziale Ressourcen zurückgegriffen werden und die emotionale Einsamkeit ist groß. Auch in der Gegenwart bestimmen Überforderung im Alltag und emotionale Einsamkeit das Befinden. Die Initiative zur Trennung ging in dieser Gruppe zu zwei Dritteln von den jeweiligen Partnern aus. Die Befragten selber äußern sehr deutlich ihre Wünsche nach einer neuen Partnerschaft (45%), 42% haben eine solche und nur ein kleiner Teil wünscht keine Beziehung. Für etwa die Hälfte der Befragten ereignete sich die Trennung »aus heiterem Himmel«, die andere Hälfte ahnte zumindest, daß etwas geschehen würde. Fast alle reagierten mit starken Emotionen, die meisten aber nachfolgend mit sozialem Rückzug und Passivität. Als Gründe für die Trennung wurden von der

Hälfte eine außereheliche Beziehung des Partners genannt, von einem Drittel aber auch Langeweile in der Beziehung. In dieser Gruppe ist das Ausmaß intergenerativer Veränderungen im Vorfeld des Trennungsgeschehens am größten: bei 55% waren (Schwieger-)Eltern verstorben, in 58% der Fälle hatten die Kinder das Elternhaus verlassen und für 37% trafen beide Ereignisse zu. Aus der heutigen Rückschau wird die Trennung entweder als Ausdruck eines langjährig bestehenden Dissens oder als massiver Konsensbruch erlebt.

Vorhersage von ›seelischer Gesundheit‹ und ›Selbstwertgefühl‹

Da sowohl in der Literatur als auch in den eigenen Daten sich durchgängig geschlechtstypische Besonderheiten im Erleben und Verhalten ›spät geschiedener‹ Menschen gezeigt haben, werden die folgenden Regressionsanalysen zur Vorhersage von ›seelischer Gesundheit‹ und ›Selbstwert‹ separat für Männer und Frauen gerechnet. Es wurden, blockweise eingeteilt nach Lebensbereichen bzw. -phasen, insgesamt 17 Variablen eingegeben, welche zum einen soziodemographische Angaben und zum anderen den Lebensverlauf in zentralen psychosozialen Aspekten repräsentieren.

Angewandt wurde die sogenannte »Vorwärtstechnik« (Kriterium: aufgenommene Variablen mit Wahrscheinlichkeit von F-Wert für Aufnahme ≤ 0,050). Bei der hier vorgenommenen Ergebnisdarstellung werden der Wert der von dem Modell aller aufgenommener Variablen aufgeklärten Varianz (korrigiertes R) und die Regressionsgewichte (Beta-Werte mit Signifikanzangaben) der einzelnen Variablen angegeben (s. Tab. 1).

Die hier herangezogenen Modelle mit der jeweils höchsten Varianzaufklärung weisen Gemeinsamkeiten, aber auch Unterschiede zwischen den Geschlechtern und den beiden Konstrukten auf. Interessant ist, daß insbesondere das Ausmaß von persönlichen Selbstwertproblemen und sozialen Schwierigkeiten im Jugendalter bei Männern und Frauen einen negativen Einfluss auf ›seelische Gesundheit‹ und ›Selbstwertgefühl‹ ausübt. Umgekehrt scheint das ausgeprägte Bedürfnis, mit den Gegebenheiten der eigenen Lebenslage zufrieden zu sein, einen positiven Effekt zu haben. Gleichwohl ist die Gesamt-Konstellation, in der die verschiedenen Aspekte der Biographie, der Partnerschaft und der gegenwärtigen Lebenssituation die ›seelische Gesundheit‹ und das ›Selbstwertgefühl‹ beeinflussen, bei Männern und Frauen eher unterschiedlich.

Bei den Männern zeigen sich die beiden bereits genannten Merkmale der ›jugendlichen Selbstwertproblematik‹ und der aktuellen ›Lebenszufriedenheit‹ in Kombination mit einer ausgeprägt langen Ehedauer als zentral für die Vorhersage des aktuellen ›Selbstwertgefühls‹. Diese Variablen finden sich auch im Vorhersage-Modell der ›seelischen Gesundheit‹, allerdings ergänzt durch drei weitere Variablen: Zum einen spielt die Zufriedenheit mit der ehelichen Sexualität eine wichtige Rolle, zum anderen die Einschätzung der materiell-dinglichen Lebenslage als nicht eingeschränkt und – paradoxerweise – die Unzufriedenheit mit Freundeskreis und sozialem Netzwerk.

Bei den Frauen finden sich drei Variablen bei der Vorhersage sowohl der ›seelischen Gesundheit‹ als auch des ›Selbstwertgefühls‹: Neben den bereits erwähnten ›persönlichen Problemen im Jugendalter‹ ist es das ausgeprägte Ambivalenzerleben bezüglich der Eheschließung und der deutliche Anstieg

Männer		Frauen	
„Seelische Gesundheit“			
Variablen (Modell: R_ 63%)	Beta	Variablen (Modell: R_ 53%)	Beta
Ehedauer	3,805***	Selbstwertprobleme im Jugendalter	- 2,482*
Selbstwertprobleme im Jugendalter	- 1,478	erlebte Ambivalenz bzgl. Eheschließung	1,626
Zufriedenheit mit Sexualität im Eheverlauf	3,042**	Trennungsprozess: Perspektivenübernahme gegenüber Partner	1,496
aktuell: Erleben der materiell-dinglichen Lebenslage	2,564*	Kompetenz im Alltag	3,446***
aktuell: Zufriedenheit mit Freundeskreis/sozialem Netzwerk	- 2,529*	aktuell: Bestimmtsein von Zufriedenheit mit Gegebenheiten	2,433**
aktuell: Bestimmtsein von Zufriedenheit mit Gegebenheiten	3,915***	aktuell: Veränderung des Selbstbewusstsein im Vergleich mit Ehe	2,843**
„Selbstwertgefühl“			
Variablen (Modell: R_ 41%)	Beta	Variablen (Modell: R_ 35%)	Beta
Ehedauer	4,597***	Selbstwertprobleme im Jugendalter	- 1,426
Selbstwertprobleme im Jugendalter	- 3,061**	erlebte Ambivalenz bzgl. Eheschließung	3,039**
aktuell: Bestimmtsein von Zufriedenheit mit Gegebenheiten	3,555***	Erste Ehejahre: Zufriedenheit mit Ehe	2,585*
		Soziale Ressourcen in der Trennungszeit	2,206*
		aktuell: Veränderung des Selbstbewusstseins im Vergleich mit Ehe	3,033**

Tabelle 1: Vorhersage von ›seelischer Gesundheit‹ und ›Selbstwertgfühl‹ bei Männern und Frauen; Ergebnisse der Regressionsanalysen

des Selbstbewußtseins im Vergleich mit der Zeit der Ehe. Im Vorhersage-Modell für die ›seelische Gesundheit‹ spielt darüber hinaus vor allem die ›Kompetenz bei der Alltagsbewältigung‹ eine entscheidende Rolle, wie auch die aktuelle ›Lebenszufriedenheit‹. Daneben ist die Fähigkeit und Bereitschaft, in der Trennungssituation eine ›Perspektivenübernahme‹ gegenüber dem Partner vorzunehmen in das Modell mit aufgenommen worden. Das Vorhersage-Modell für das ›Selbstwertgefühl‹ verweist auf die Bedeutung der anfänglichen ehelichen Zufriedenheit sowie auf die Ressourcen im sozialen Netzwerk in der ersten Zeit der Trennung.

Da die Interkorrelation zwischen ›seelischer Gesundheit‹ und ›Selbstwertgefühl‹ hoch ist (R= .741), erscheint es gerechtfertigt, die beiden Vorhersage-Modelle zusammenfassend zu interpretieren. So ist es sicherlich zum einen bemerkenswert, daß die retrospektive Wahrnehmung der persönlichen und sozialen Kompetenzen im Jugendalter für die aktuelle Befindlichkeit bei beiden Geschlechtern eine so wichtige Rolle spielt. Zum anderen gibt es aber eine Reihe interessanter, geschlechtstypischer Spezifika: So fällt bei den befragten Männern auf, daß es gerade soziale Desintegration und Unzufriedenheit mit dem sozialen Netzwerk sind, die in Kombination mit der Zufriedenheit über die (ehemalige) eheliche Sexualität und die aktuelle Statussicherheit/materielle Lage ein positives Befinden vorhersagen. Hier deutet sich unter Umständen eine defensive Abwehr möglicher Gefühle von sozialer Einsamkeit und Enttäuschung an und eine entsprechend absichernde Identifikation mit gängigen Merkmalen des männlichen Geschlechtsrollenstereotyps (Sexualität, Besitz). Bei den Frauen hingegen fällt einerseits die hohe Bedeutung der Autonomie (Alltagskompetenz) und die als wiedergewonnen eingeschätzte Selbstsicherheit auf, andererseits die Nutzung sozialer Ressourcen in Notzeiten, wie auch die Möglichkeit der sozialen Perspektivenübernahme. In dieser Konstellation scheint der erlebten Ambivalenz bei der Frage der Partnerwahl und Eheschließung ein zentraler Stellenwert für die Bestimmung der aktuellen Befindlichkeit zuzukommen: Aus der Retrospektive bestimmen zu können, daß man schon ganz früh eine mehr oder weniger bewußte (und zutreffende) ›Ahnung‹ über die Risiken dieser Eheschließung hatte, scheint aktuell eine Quelle von positiver Selbstbestätigung zu sein. Auf diesem Hintergrund können durchaus soziale Sensibilität und Anteilnahme (Perspektivenübernahme gegenüber dem Partner trotz Trennung) und Wahrnehmung punktueller positiver Aspekte (Zufriedenheit mit erster Zeit in der Ehe) geäußert werden.

Zusammenfassende Diskussion

Auf der Suche nach ›typischen‹ lebenslaufbezogenen Entwicklungsmustern bei 111 befragten Männer und Frauen, die sich nach langjährigen Ehen getrennt haben, konnten mittels Clusteranalysen vier solcher Verlaufsmuster identifiziert werden: Während die als ›Bewältiger‹ bezeichneten Personen (19%) fast bis zum Zeitpunkt der (vom Partner intiierten) Trennung ein als sehr positiv und glücklich eingeschätztes Leben geführt haben, werden sie in der Zeit der Trennung und auch noch in der Gegenwart von deutlichen Einbrüchen in ihrem Wohlbefinden belastet. Sie trauern und erleben emotionale Einsamkeit. Dennoch scheinen sie von Jugend an genügend Kompetenzen und Ressourcen sozialer Art entwickelt zu haben, die sie vor sozialer Einsamkeit weitgehend schützen und ihnen die Bewältigung ihres Alltags ermöglichen. Bei den sogenannten ›Gewinnern‹ (22%) stellen sich Partnerschaft und Ehe als eine langgestreckte, aber durchgehend unerfreuliche Phase in ihrem Lebensablauf dar. Die ›Fehlentscheidung‹ der Eheschließung mit diesem Partner lässt sie nach glücklicher Kindheit und Jugend einen Absturz in Konflikte, Überforderung und emotionale Entfremdung erleben. Mit der durch die Trennung freigesetzten Aktivität ›gewinnen‹ sie ihre alte Kompetenz und Lebensfreude wieder. Unter den als ›Vulnerablen‹ (25%) bezeichneten Befragten überwiegen die Frauen. Erst mit der fast ausschließlich von ihnen selbst herbeigeführten Trennung nimmt bei ihnen der biographische Verlauf zum ersten Mal eine positive Richtung. Von Kindheit und Jugend an haben sie bis dahin ihren Lebenslauf als eine Kumulation von Unglück und Leid erlebt. Auch wenn sie in der Zeit der Trennung Stärke zeigen und soziale Unterstützung erfahren haben, können sie sich angesichts ihrer früh erworbenen Vulnerabilität dieser neu gewonnenen Kompetenz nicht vollständig sicher sein. Die als ›Verlierer‹ (34%) bezeichnete Gruppe besteht zu einem großen Teil aus Männern, die nach unauffälliger Kindheit und eher schwieriger Jugend die Zeit der Partnerschaft und Ehe als Verbesserung ihrer Lebenssituation empfinden. Die Trennung lässt sie aus ihrem arbeitsteiligen Lebensarrangement herausfallen, sie ›verstehen die Welt‹ nicht mehr, verlieren ihr emotionales Gleichgewicht, soziale Bezüge, ihre Alltagskompetenzen und erscheinen deutlich gefährdet.

Die unmittelbare Art und Weise der Auseinandersetzung mit der Trennung hängt zum einen sicherlich vom Ausmaß der Eigeninitiative ab: So ist bei den beiden initiativen Gruppen der ›Gewinner‹ und ›Vulnerablen‹

in der Phase der Trennung eine deutliche Verbesserung der Befindlichkeit zu beobachten. Die langfristige Bewältigung scheint aber zum anderen stärker mit den früh in Kindheit und vor allem in der Jugend gemachten positiven Erfahrungen zusammen zu hängen; ähnliches gilt auch für die beiden Gruppen der ›Bewältiger‹ und ›Verlierer‹, die eher ›verlassen‹ wurden und für die die Zeit der Trennung eine Zeit der Trauer und Belastung darstellt. Aber auch hier scheinen sich insbesondere identitätsrelevante und soziale Erfahrungen im Jugendalter nachhaltig auszuwirken. Eine Trennung nach einer langjährigen Ehe wirft in Bezug auf die Neu-Bestimmung der personalen und sozialen Identität ja durchaus ähnliche Fragen auf wie das Jugendalter.

In diesem Zusammenhang erscheint es interessant, daß die Selbstwertproblematik des Jugendalters auch bei der regressionsanalytisch ermittelten Vorhersage von ›seelischer Gesundheit‹ und ›Selbstwertgefühl‹ einen so wichtigen Stellenwert einnimmt. Des weiteren konkretisieren sich hier die schon angesichts der ungleichen Geschlechterverteilung in den vier Verlaufsmustern angedeuteten geschlechtstypischen Charakteristika: Männer ›negieren‹ unter Umständen den stabilisierenden Einfluss sozialer Unterstützung und leiten ihre ›seelische Gesundheit‹ stärker aus ihrer sexuellen und materiellen Potenz ab; sie entwickeln somit unter Umständen eine riskante ›Illusion psychischer Gesundheit‹ (Shedler et al 1993; Sieverding 1998). Frauen hingegen öffnen sich stärker gegenüber den Ambiguitäten von Beziehungen und Lebenslaufentwicklung und entwickeln dabei Kompetenz und Selbstbewußtsein. Die Einschätzung ihrer ›seelischen Gesundheit‹ hätte somit eine andere Basis. Fazit: Sowohl die Wege in die, als auch die Wege aus der ›Lieblosigkeit‹ erweisen sich in und nach langer Beziehungszeit als sehr different.

Literatur

Becker, P. (1989): Der Trierer Persönlichkeitsfragebogen TPF. Hogrefe (Göttingen).

Der Spiegel (1996). Nr. 43 vom 21. 10. 1996.

Der Spiegel (2000). Nr. 43 vom 23.10.2000

Dorbritz, J. & Gärtner, K. (1998): Bericht 1998 über die demographische Lage in Deutschland mit dem Teil B »Ehescheidungen – Trends in Deutschland und im internationalen Vergleich«. In: Zeitschrift für Bevölkerungswissenschaft 23 (4), S. 373–458.

Focus (1996): Nr. 46 vom 11. November 1996.

Focus (2000): Nr. 11 vom 13. März 2000.

Fooken, I. (1999): Scheidung im ›leeren Nest‹ – Seelische Gesundheit und Eltern-Kind-Beziehung bei ›spät‹ geschiedenen Vätern und Müttern. In: Sander, E. (Hg.): Trennung und Scheidung. Die Perspektive betroffener Eltern. Beltz (Weinheim), S. 170–193.

Fooken, I. (2000): Soziale Verluste und Veränderungen ›nach dem Zenit‹ – Zur intergenerativen Beziehungsdynamik ›spät geschiedener‹ Männer und Frauen. In: Perrig-Chiello, P. & Höpflinger, F. (Hg.): Jenseits des Zenits – Frauen und Männer in der zweiten Lebenshälfte. Haupt (Bern), S. 99–117.

Fooken, I. & Lind, I. (1997): Scheidung nach langjähriger Ehe im mittleren und höheren Erwachsenenalter. Expertise im Auftrag des Bundesministeriums für Familie, Senioren, Frauen und Jugend. In: Schriftenreihe des BMFSFJ 113. Kohlhammer (Stuttgart).

Geißler, R. (1996, 2. Auflage): Die Sozialstruktur Deutschlands. Ein Studienbuch zur sozialstrukturellen Entwicklung im geteilten und vereinten Deutschland. Westdeutscher Verlag (Opladen).

Hammes, W. (1994): Ehescheidungen 1992. In: Wirtschaft und Statistik 2, S.128–133.

Krampen, G. (1991): Fragebogen zu Kompetenz- und Kontrollüberzeugungen. Hogrefe (Göttingen).

Lind, I. (2001): Späte Scheidung. Eine bindungstheoretische Analyse. Waxmann (Münster).

Ostermeier, M. & Blossfeld, H.-P. (1998): Wohneigentum und Ehescheidung. Eine Längsschnittanalyse über den Einfluß gekauften und geerbten Wohneigentums auf den Prozeß der Ehescheidung. In: Zeitschrift für Bevölkerungswissenschaft 23, S. 39–54.

Shedler, J.; Mayman, M. & Manis, M. (1993): The illusion of mental health. In: American Psychologist 48, S. 1117–1131.

Sieverding, M. (1998): Gefährdet ein zu instrumentelles Selbstkonzept die Gesundheit? Ein psychologischer Ansatz zur Erklärung der Geschlechtsunterschiede in Streßreaktivität und Gesundheitsverhalten. Habilitationsschrift. Fachbereich Erziehungswissenschaft, Psychologie und Sportwissenschaft. Freie Universität Berlin.

Statistisches Bundesamt (Hg.) (2001): Statistisches Jahrbuch 2000 für die Bundesrepublik Deutschland. Metzler-Poeschel (Wiesbaden).

Wagner, M. (1997): Scheidung in Ost und West. Zum Verhältnis von Ehestabilität und Sozialstruktur seit den 30er Jahren. Campus (Frankfurt/M.)._

Wagner, M. & Mulder, C. H. (2000): Wohneigentum im Lebenslauf. Kohortendynamik, Familiengründung und sozioökonomische Ressourcen. In: Zeitschrift für Soziologie 29, S. 44–59.f

»Dem Tod ein Schnippchen schlagen« – Lebendnierenspende bei älteren Ehepaaren

Margit Venner und Uwe Wutzler

Vorbetrachtungen

Im ersten Buch Mose, Kap. 2, V 21-23 heißt es:

> »Da ließ Gott der Herr einen tiefen Schlaf fallen auf den Menschen, und er schlief ein. Und er nahm eine seiner Rippen und schloss die Stelle mit Fleisch. Und Gott der Herr baute ein Weib aus der Rippe, die er von dem Menschen nahm, und brachte sie zu ihm. Da sprach der Mensch: Das ist doch Bein von meinem Bein und Fleisch von meinem Fleisch; man wird sie Männin nennen, weil sie vom Manne ist.« (Stuttgarter Erklärungsbibel 1992)

Die Geschichte der Menschheit begann in unserer abendländischen Kultur damit, daß die Entnahme eines Körperteiles die Schöpfung eines neuen Lebens ermöglichte. Mit der Entwicklung der Medizin wurde aus diesem Gedanken in Gestalt der Organtransplantation greifbare Realität.

Die erste geglückte Lebendnierentransplantation führte Dr. J. E. Murray 1954 in Boston bei eineiigen Zwillingen durch und erhielt dafür 1990 den Nobelpreis für Medizin. Die Lebendnierentransplantation war in den 60er und 70er Jahren nur zwischen genetisch Verwandten möglich, also zwischen Eltern und Kindern oder zwischen Geschwistern. Seit Beginn der 80er Jahren erlaubt die Weiterentwicklung der medikamentösen Immunsuppression auch die Transplantation von Organen bei nichtverwandten Paaren, wenn eine Kompatibilität der Blutgruppen vorliegt (Land 1993b).

Nach Überwindung der medizinischen Schwierigkeiten gewannen die mit der Lebendorganspende einhergehenden ethischen und psychologischen Probleme enorm an Bedeutung und führten z. B. im Transplantationszentrum des Klinikums München-Großhadern 1988 zur Einstellung der dort seit 1976 praktizierten Lebendnierenspenden. Vor Wiederaufnahme der Lebendnierentransplantationen 1994 wurde eine interdisziplinäre Arbeitsgruppe gebildet, die sich neben den medizinischen Voruntersuchungen auch der Evaluierung der Paarbeziehung und der

Beratung und psychologischen Vorbereitung der Spender-Empfänger-Paare widmete (Hillebrand et. al. 1996; Land 1993a).

1996 wurde in Jena auch eine solche interdisziplinäre Arbeitsgruppe vor der Durchführung der ersten Lebendnierentransplantation zwischen genetisch nicht verwandten Spender-Empfänger-Paaren gegründet. Das 1998 wirksam werdende Transplantationsgesetz schreibt inzwischen ein solches Vorgehen fest (Transplantationsgesetz 1997). Die Autoren wurden als Vertreter der Abteilung Internistische Psychotherapie/Psychosomatik gebeten, die psychologische Evaluation im Jenaer Transplantationszentrum zu etablieren. Das von uns entwickelte Programm umfaßt Einzel- und Paargespräche, Testdiagnostik und die Betreuung der Paare vor und nach der Transplantation (Venner/Wutzler 2000a; 2000b).

Die direkte Begegnung mit den Spender-Empfänger-Paaren und deren Einstellung zu unserem Programm erwies sich als recht problematisch. Wir wurden oft als potentielle Feinde angesehen, die das Spendeanliegen vereiteln könnten. Das zeigte sich in einem reservierten Verhalten bis hin zu direkten Beschimpfungen uns gegenüber. Es wurden regelrechte Komplotte geschmiedet und die Paare stimmten die Teste und ihre Aussagen aufeinander ab. Ausgesprochen hilfreich erwies sich in dieser Situation die Arbeit als Therapeutenpaar, so daß Verwicklungen in der Gegenübertragung gemindert werden konnten. Des weiteren wird die Einzelexploration von Spender und Empfänger vom Untersucherpaar geteilt (Venner/Wutzler 2000b). Für mißtrauische Übertragungsreaktionen sensibilisiert, bemerkten wir bei unserer Arbeit, daß sich die Untersuchungsatmosphäre bei älteren Ehepaaren wesentlich unkomplizierter gestaltete, als bei jüngeren Paaren.

Da die Nierenersatztherapie in Form der Dialyse das Überleben bei terminaler Niereninsuffizienz ermöglicht, ist der Prozentsatz älterer dialysepflichtiger Menschen um ein Vielfaches gestiegen. Das spiegelt sich auch in unserer Statistik wieder; denn unter den bisher 30 untersuchten Paaren sind 9 ältere Ehepaare, (zwischen 50 und 65 Jahre alt), die schon 20 bis 42 Jahre miteinander verheiratet sind.

Lebendnierenspende – Besonderheiten der Beziehungsdynamik

Für ältere Menschen ist das Funktionieren des alternden Körpers die wichtigste Garantie für eine angemessene Lebensqualität. Ob Entwicklungsprozesse auch im Alter möglich sind, ist zu einem großen Teil vom Körper abhängig. Die terminale Niereninsuffizienz stellt erhebliche Anforderungen an die Betroffenen und ihre nächsten Angehörigen, da mit Beginn der Dialysepflichtigkeit alle Bereiche des täglichen Lebens eine Einschränkung erfahren. Das beginnt mit den äußeren Veränderungen, erkennbar am gelblich-blassen Hautkolorit, der deutlich nachlassenden geistigen und körperlichen Leistungsfähigkeit einschließlich der sexuellen Bedürfnisse und Möglichkeiten. Hinzu kommen die Beeinträchtigung durch die Flüssigkeitsbeschränkung und die Diätvorschriften und die zeitliche Belastung durch die 3 bis 5stündigen Dialysen 3 bis 4 mal pro Woche. Des weiteren behindern körperliche Mißempfindungen, wie ein oft unerträgliches Hautjucken die Möglichkeit zur Entspannung und zum erholsamen Schlaf erheblich. Diese starke Beeinträchtigung der Gesundheit hat unmittelbare Konsequenzen auf die Beziehungs- und Lebensgestaltung und deren Qualität. Die ersten Mitbetroffenen sind dabei die Partner der dialysepflichtigen Patienten. Das ganze gemeinsame Leben erfährt eine grundlegende Veränderung und über allem schwebt die Drohung von Verlust und Tod. Die Betroffenen müssen viel Energie aufwenden, um diese enormen Defizite zu kompensieren und das Leben einigermaßen erträglich zu gestalten. Möglichkeiten der Entwicklung zu sehen und zu nutzen erscheint unter solchen Bedingungen fast aussichtslos. Diese Situation für den Lebenspartner und für sich selbst zu verändern, ist deshalb eine wichtige Triebfeder für den Spendewunsch und bedeutet in vielen Fällen Entwicklung und Perspektive.

Die langjährig bestehende Beziehung der Paare ist bei der Begutachtung des Spendewunsches von maßgeblicher Bedeutung. Die ältere Ehe zeichnet sich dadurch aus,

> »daß man sich nicht mehr fortwährend seine Liebe gestehen und bestätigen muß; sie ist einfach da, wird nur gelegentlich gezeigt und findet vor allem in der gegenseitigen Fürsorge ihre Bewährung. (...) Die gemeinsame Sache bindet die Menschen, nicht die gemeinsamen Gefühle« (Knoepfel 1971).

Willi (1990) beschreibt in seinem Buch *Die Zweierbeziehung* die ältere Ehe wie folgt: »Die Partner hängen wieder mehr aneinander. Sie blicken auf viele Jahre gemeinsamen Lebens zurück, sitzen im gleichen Boot, haben einen gemeinsamen Feind in Krankheit, Tod und bedrohlicher Umwelt. Das Paar bildet in vielerlei Hinsicht eine Schicksalsgemeinschaft (S. 45). Diese Schicksalsgemeinschaft erfährt bei unseren Paaren eine sehr starke

Belastung durch die terminale Niereninsuffizienz und die daraus folgende Dialysepflichtigkeit eines Partners.

Wir sehen ausschließlich die Paare, die versuchen, sich nicht nur diesen Defiziten anzupassen, sondern aktiv eine positivere Entwicklung anstreben und bei denen eine Lebendnierentransplantation möglich ist. Dafür werden oft erhebliche Anstrengungen in Kauf genommen. So rief uns eine 62-jährige Bäuerin schon beim Betreten des Raumes von der Tür aus zu: »Ich spende auf jeden Fall!« Wegen ihres Übergewichtes, eines latenten Diabetes mellitus und einer arteriellen Hypertonie mußte sie dafür 16 kg abnehmen. Das schaffte sie in einem Vierteljahr und war dann körperlich so fit, daß der operative Eingriff komplikationslos durchgeführt werden konnte.

Vom Prozess der Integration des Fremdorgans

Die Transplantation ist nicht nur ein kunstvoller medizinischer Eingriff, sondern auch ein Eingriff in das Leben der Betroffenen. Ein Partner der Schicksalsgemeinschaft ist vom Tode bedroht, der andere zeichnet sich durch relative geistige und körperliche Gesundheit aus. Wie bereits ausgeführt, stellt besonders im Alter die Gesundheit eines der höchsten Güter dar. Der Spender aber muß sich erheblich beschädigen lassen. Es wird ihm etwas genommen, was sich der Empfänger aktiv und gegen bisherige Regeln und Tabus verstoßend, aneignet. Die Spendenden geben etwas bzw. es wird ihnen etwas genommen, was die Empfangenden zum Leben benötigen und in sich aufnehmen. Die Eigenheit dieser Beziehung besteht also darin, daß sie durch die Transplantation und Inkorporation des gespendeten Organs intimer wird als irgend eine andere Beziehung (Müller-Nienstedt 2000). Bei den Nachuntersuchungen zeigte sich das u. a. in dem Stolz, dem Tod ein Schnippchen geschlagen zu haben sowie in einer warmherzigen und innigen Verbundenheit der Partner und ebenso darin, wie bewußt die Partner dieses so erworbene Stück gemeinsamen Lebens genießen. Das wird auch wenig beeinträchtigt durch die Tatsache, daß dieser Zustand nur durch regelmäßige Medikamenteneinnahme zur Immunsuppression und durch engmaschige ärztliche Kontrolluntersuchungen aufrecht erhalten werden kann.

Unsere Erfahrungen stehen im Gegensatz zu der Beobachtung, daß 50–70% der Empfänger von post mortem entnommenen Organen unter Persönlichkeitsveränderungen, Identitätsproblemen, Angstzuständen und Depressionen leiden. Das könnte darin begründet sein, daß die Schuldproblematik bei diesen Patienten, die auf den für sie nützlichen

Tod von anderen angewiesen sind, bei den Lebendorganspenden nicht im Vordergrund steht (Bergmann 2000; Müller-Nienstedt 2000). Ebenso konnten wir bei den älteren Ehepaaren nach Lebendnierentransplantation Befürchtungen bezüglich der Übertragung von Persönlichkeitsmerkmalen des Spenders auf den Charakter des Empfängers, also die Angst vor einer Veränderung der eigenen Identität, nicht beobachten. Im Gegenteil ernteten wir Erstaunen und Verwunderung über entsprechende Fragen. Bei jüngeren Paaren und Geschwistern dagegen, finden wir, wie bei der Transplantation von Todnieren, solche Ängste in erheblichem Maße, wie auch das folgende Fallbeispiel zeigt:

Unser Patient (36 Jahre), der vierte von 11 Geschwistern, erkrankte im Erwachsenenalter an einer chronischen Nierenerkrankung. Die bevorstehende Dialysepflichtigkeit machte ihm große Angst, da er damit das Ende seiner Berufstätigkeit und seiner sozialen Kontakte verband. Auf sein Begehren hin erklärte sich die Einfältigste unter seinen Geschwistern zur Nierenspende bereit. Nach seinen Befürchtungen oder Phantasien bezüglich der bevorstehenden Transplantation befragt, berichtete er über seine Ängste, daß mit der Übertragung der Niere seiner Schwester seine Identität verändert würde, sowohl bezüglich seiner Potenz als Mann, als auch bezüglich seiner Potenz an sich.

Bei den älteren Ehepaaren wird oft schon im Vorfeld der Lebendnierentransplantation das zu spendende Organ positiv besetzt. So sagte uns ein Empfänger, daß er eine ähnlich freudige Erwartung hege, wie vor der Geburt seiner Kinder. Ein anderer Patient saß drei Tage nach der Transplantation strahlend und äußerlich positiv verändert in seinem Bett und verkündete uns gleich beim Hereinkommen, daß seine »kleine Waltraut« fleißig arbeiten würde.

Mario Erdheim (1988) beschreibt Vergleichbares in seinem Buch *Die gesellschaftliche Produktion von Unbewußtheit* beim Opferritual der Azteken:

> »Ein makelloser Jüngling wurde auserwählt. 1 Jahr lang wurde er als Gott gefeiert. Dann erfolgte die Opferung, bei der der Priester ihm das Herz herausriß und den Leib zur kannibalischen Kommunion freigab. Nach dem Glauben der Azteken brauchte die Sonne Menschenblut und Menschen-herzen, um sich am Himmel zu bewegen. Würde das Opfer nicht stattfinden, ginge die Welt unter (S. 229).«

Vom ersten Gedanken einer Lebendnierentransplantation bei einem Paar und der Bestätigung einer solchen Möglichkeit durch die Bestimmung der Blutgruppen bis zur Transplantation vergeht mindestens 1 Jahr. Wie bei den Azteken kann man dieses Jahr als eine Zeit der Auserwählung und Vorbereitung ansehen, in der körperlich, psychisch und sozial die Transplantation eingeleitet wird. Der Spender wird zum Hoffnungsträger für das Weiterleben des Empfängers, für sein Verbleiben in der Welt. Nach der Transplantation können beide in neuer Qualität leben, bzw. ihren gewohnten und für sie stabilisierenden Lebensrhythmus wieder aufnehmen. Wenn die psychischen und sozialen Voraussetzungen aber nicht geklärt sind, kann es zu Schwierigkeiten kommen, wie wir sie von anderen Einrichtungen bei Transplantationskonferenzen erfuhren. So hat eine Ehefrau, die eine Niere dem Ehemann gespendet hatte, diesen 6 Wochen nach erfolgreicher Transplantation mit einer Brechstange erschlagen. In einem anderen Fall sprach das Paar nach der Transplantation kein Wort mehr miteinander. Diese Beispiele belegen, daß es nicht reicht, durch die Transplantation neues Leben zu ermöglichen. Die Konsequenzen intrapsychisch und in der Beziehung sind vielschichtig, nicht immer ohne weiteres zu bewältigen und nicht immer nur positiv. Mary Wollstonecraft Shelley hat die Problematik in ihrer Geschichte von Frankenstein bereits 1818 dargestellt. Frankenstein erschafft aus Körperteilen von Leichen einen neuen Menschen, haucht ihm mit einer magischen Maschine Leben ein und überläßt das entstandene Geschöpf, ein Monster, seinem Schicksal. Das Monster rächt sich an seinem Schöpfer und verfolgt ihn bis zu seinem Tode.

Die von uns untersuchten älteren Ehepartner kennen sich gut, haben ein stimmiges Bild voneinander und von dem, was sie vom anderen erwarten können. Ringelnatz (1928) drückt diese aus der langjährigen Erfahrung und Bindung gewachsene Intimität in einem Gedicht an seine Ehefrau wie folgt aus:

»Der du meine Wege mit mir gehst,
Jede Laune meiner Wimper spürst,
Meine Schlechtigkeiten duldest und verstehst –
Weißt du wohl, wie heiß du oft mich rührst?«

Dieses empathische Wissen um den anderen befördert die Integration des gespendeten Organs in den eigenen Körper und in das eigene Leben. Dazu eine Fallvignette:

Bei einem älteren Ehepaar, bei dem der Ehemann der Spender war, beklagte dieser sich in den Voruntersuchungen besonders über seine Überforderung durch den erkrankungsbedingten Ausfall seiner Frau in vielen gemeinsamen Lebensbereichen (Haushalt, Lebensgestaltung, Lebensorganisation). Ein Jahr nach der für alle Beteiligten zufriedenstellend verlaufenen Transplantation beschwerte sich der Ehemann darüber, daß seine Frau regelmäßig ihren Blutdruck kontrolliere. Er habe den Eindruck, sie traue seiner Niere nicht. Es sei, als müsse sie prüfen, daß die transplantierte Niere nicht überfordert werde.

Wir hatten dazu den Gedanken, daß die Ehefrau sehr wohl um die Grenzen der Belastbarkeit ihres Mannes weiß und dies auch in ihrer Fürsorge um die transplantierte Niere berücksichtigt.

Bei den älteren Paaren erleben wir regelmäßig, daß es ihnen vor allem um das Funktionieren des Organs geht. Die Ungeheuerlichkeit und Unnatürlichkeit des Vorganges der Transplantation kommt nicht ins Bewußtsein. Die Phantasie dazu wird abgespalten und auf die mit der Transplantation befaßten Ärzte verschoben. Der kannibalische Aspekt der Einverleibung eines Organs wird von allen Betroffenen vom Bewußtsein fern gehalten.

Freud, Abraham und Klein beschreiben die kannibalischen Triebimpulse als charakteristisch für die Triebentwicklung eines jeden Menschen. Nach Melanie Klein sind solche Triebimpulse durch die Übernahme von Mütterlichem und Väterlichem für die Entwicklung der eigenen Identität wichtig. Der archaische Gedanke des Kannibalismus aber wird verdrängt und ist unbewußt. In früheren Kulturen waren kannibalische Handlungen häufig mit dem Wunsch verbunden, sich Eigenschaften, Fähigkeiten und Macht des Opfers anzueignen (Gerlach 2000). Den Organen wurden bestimmten Eigenschaften zugeschrieben. So galten die Nieren in der hebräischen Medizin bis zum Mittelalter als Sitz der Empfindungen (Toellner 1992), eine Zuschreibung, die sich auch in einer heute noch üblichen Redewendung zeigt, ›daß einem etwas an die Nieren geht‹.

Alf Gerlach (2000) beschreibt in seinem Artikel über die *Verdrängung des Kannibalismus und seine Wiederkehr in Sexualität und Kultur* die Formen der Sublimierung der kannibalischen Triebimpulse in der Entwicklung der Menschheit. So wurde zunächst der Ritus des Menschenopfers durch das Opfern von Tieren ersetzt. Im heiligen Abendmahl des Christentums werden symbolisch der Leib und das Blut Christi als Brot und Wein vom Priester den Gläubigen gereicht.

Dieser imaginäre Kannibalismus ist auch in der Kunst, in Mythen und Märchen allgegenwärtig. Schon in der kindlichen Entwicklung spielen Märchen, in denen sich kannibalische Handlungen wiederfinden, eine nicht unbedeutende Rolle. In den Märchen der Gebrüder Grimm verlangt zum Beispiel die Stiefmutter Schneewittchens vom Jäger, daß er das schöne Mädchen töten und ihr deren Lunge und Leber mitbringen solle. Beides ließ sie sich mit Salz kochen und verspeiste es. Sie meinte, damit nicht nur die Rivalin beseitigt, sondern sich auch deren Schönheit und Liebreiz einverleibt zu haben.

Kein Märchen, sondern die bittere Realität hat Théodore Géricault auf seinem Monumentalgemälde *Das Floß der Medusa* 1818/19 gemalt. Am 2. Juli 1816 war die Medusa, das Flaggschiff eines französischen Flottenverbandes an der senegalesischen Küste auf einer Sandbank gestrandet. 150 Schiffbrüchige treiben auf einem dürftigen Floß 27 Tage lang hilflos und verzweifelt auf dem offenen Meer. Hunger und Durst zwangen die Unglücklichen, von denen 15 überlebten, sich vom Fleisch der Verstorbenen zu ernähren (Baricco 2000; Weiss 1986).

Daß die Ängste vor kannibalischen Triebimpulsen auch in unserer Gegenwart existent sind, belegt das Beispiel des Flugzeugabsturzes in den chilenischen Anden am 12. Oktober 1972. Mit dem nahenden Hungertod konfrontiert, entschlossen sich die Überlebenden zum Verzehr der tödlich verunglückten Mitreisenden. Trotz der Rechtfertigung ihres Handelns durch die extreme Notsituation, war das Tabu nur durch die Ritualisierung in Form einer christlichen Eucharistiefeier zu überwinden. Nach ihrer Rettung holten sie sich zudem eine offizielle Rechtfertigung ihres Handelns durch die katholische Kirche ein (Gerlach 2000; Read 1999). Wie dieses Beispiel zeigt, spielen Riten bei der Überwindung des Tabus kannibalischer Triebimpulse eine wichtige Rolle.

Die rituellen Regeln stellen eine unbewußte Kompromißbildung zwischen Triebimpuls und Abwehr dar, d. h., daß das Ritual die Angst vor Bestrafung und Zurückweisung beim Ausagieren kannibalischer Wünsche neutralisiert. In früheren Kulturen werden bei kannibalischem Handeln, rituelle Normen eingehalten, um diesen Akt in den normalen Lebensrhythmus des Stammes zu integrieren. Die Riten beinhalten Regeln für die kannibalische Mahlzeit, z. B. welche Teile des Erschlagenen gegessen werden durften und wem sie zugeteilt wurden. Überliefert ist u. a. auch, daß der Sieger sich selbst oder seinen Nachkommen den Namen des erschlagenen Feindes gab (Gerlach 2000). Heute regelt das Transplantationsgesetz die Verteilung der post mortem entnommenen Organe ebenso wie die rechtlichen Voraussetzungen der Lebendorganspenden, besonders wenn es um die Spende zwischen Nichtverwandten geht.

Rückblickend müssen wir erkennen, daß auch wir unbewußt ein Ritual etabliert haben, das eine moralische Absicherung unseres Tuns bewirkt. Nach Abschluß aller Untersuchungen am Tag vor der Operation (immer an einem Montag um 14.00 Uhr) treffen sich alle Mitglieder der Transplantationskommission in einem bestimmten Raum der Urologischen Klinik. In kurzen Worten faßt jeder seine Untersuchungsergebnisse zusammen und geht auf die Besonderheiten hinsichtlich der Vorbefunde, der bevorstehenden Operation und der postoperativen Betreuung ein. Abschließend schaut der Rechtsanwalt die Krankenakte durch und überprüft die rechtlichen Formalitäten. Vereint geht dann die gesamte Gruppe auf die Station ins Krankenzimmer. Der Operateur hält dem Paar eine kurze Rede, in der er nochmals die vorliegenden Besonderheiten zusammenfaßt und nach Unklarheiten fragt. Danach wünschen alle Mitglieder der Kommission dem Paar persönlich einen guten Verlauf.

Das beschriebene Ritual ist ein fester Bestandteil der Transplantationsvorbereitung. Als einmal zur Diskussion stand, aus Zeitersparnis mehrere Paare ohne zeitlichen Zusammenhang zum Transplantationstermin zu besprechen, wurde dies von allen Mitgliedern der Kommission abgelehnt, der bestehende Ablauf intuitiv vehement verteidigt.

Nach der Operation pflegen vor allen Dingen ältere Paare, eine liebenswürdige Anhänglichkeit zu uns, während jüngere Paare zum Teil überredet werden müssen, sich wieder vorzustellen. Von den älteren Paaren haben wir deshalb die vollständigsten Nachuntersuchungsergebnisse.

Resümee

Im Alter ist die Auseinandersetzung mit dem eigenen Sterben und die Begegnung mit dem Tod durch das Erleben von Krankheit und Einschränkungen unausweichlich. In der fortbestehenden Bindung der älteren Ehepaare an uns sehen wir die Bestätigung, daß Rituale und soziale Kontakte die Bedrohlichkeit dieser Auseinandersetzung vermindern. Damit kommt unserer postoperativen und betreuenden Präsenz eine besondere Bedeutung bei diesen Paaren zu.

Die gelungene Transplantation bringt für die älteren Ehepaare einen erheblichen narzißtischen Gewinn. Gemeinsam haben sie große Anstrengungen unternommen, um die Defizite durch Alter, Krankheit und Todesbedrohung in einen Entwicklungsschritt mit besserer Lebensqualität umzuwandeln. Wie der Schmied von Jüterbogk, der den Tod im Birnbaum festsetzte (Bechstein 1997), haben sie dem Tod ein Schnippchen geschlagen und sich ein Stück gemeinsamen Lebens neu erworben.

Literatur

Baricco, A. (2000): Oceana mare – Das Märchen vom Wesen des Meeres. Pieper (München).

Bechstein, L. (1997): Der Schmied von Jüterbogk. In: Bechstein, L. (Hg.): Ludwig Bechstein Märchen. Diederichs (München).

Bergmann, A. (2000): Tabuverletzung und Schuldkonflikte in der Transplantationsmedizin. Psychoanalyse. In: Texte zur Sozialforschung. Themenheft »Psychoanalyse und Körper« 4, S. 127–151.

Erdheim, M. (1988): Die gesellschaftliche Produktion von Unbewußtheit. 2. Auflage. Suhrkamp (Frankfurt/Main).

Gerlach, A. (2000): Verdrängung des Kannibalismus und seine Wiederkehr in Sexualität und Kultur. In: Gerlach, A.: Die Tigerkuh. Psychosozial (Gießen), S. 43–84.

Gesetz über die Spende, Entnahme und Übertragung von Organen (Transplantationsgesetz – TPG). 05.11.1997 (98).

Hillebrand, G. F.; Schmeller, M.; Theodorakis, J.; Illner, W. D.; Schulz-Gambard, E.; Schneewind, K. A. & Land, W. (1996): Renal Transplantation from an Unrelated Living Donor: Experiences in Munich. In: Zeitschrift für Transplantationsmedizin 3, S. 101–110.

Knoepfel, H.-K. (1971): Arzt-Patient-Beziehung. In: Schweizerische Rundschau für Medizin (PRAXIS) 60, S. 752–756.

Land, W. (1993a): Editorial: Organspende von gesunden Personen – neue Überlegungen sind angezeigt. In: Zeitschrift für Transplantationsmedizin 5, S. 51.

Land, W. (1993b): Lebendspende von Organen – derzeitiger Stand in der internationalen Debatte. In: Zeitschrift für Transplantationsmedizin 5, S. 59–63.

Müller-Nienstedt, H.-R. (2000): Geliehenes Leben – Konsequenzen und Forderungen aus Organtransplantationen. In: Egner, H. (Hg.): Psyche und Transzendenzen im gesellschaftlichen Spannungsfeld. Walter Verlag (Düsseldorf), S. 125–153.

Read, P. P. (1999): Überleben. Goldmann (München).

Ringelnatz, J. (1928): An M. In: Ringelnatz, J. (Hg.): Allerdings. Rowohlt (Berlin).

Shelley, M. W. (1993): Frankenstein oder Der moderne Prometheus. Hanser (München).

Stuttgarter Erklärungsbibel (1992): Deutsche Bibelgesellschaft Stuttgart. Biblia-Druck (Stuttgart), 2. Auflage.
Toellner, R. (1992): Illustrierte Geschichte der Medizin. Band 2. Andreas Verlag (Vaduz), S. 805.
Venner, M. & Wutzler, U. (2000a): Procedere, bisherige Ergebnisse und Probleme der Integration der psychologischen Untersuchung von Spender-Empfänger-Paaren zur Lebendnierenspende. In: Johann, B. & Teichel, U. (Hg.): Beiträge der Psychosomatik zur Transplantationsmedizin. Pabst Science Publishers (Lengerich), S. 9-21.
Venner, M. & Wutzler, U. (2000b): Psychologische Aspekte der Lebendnierentransplantation. In: Ärzteblatt Thüringen 11, S. 195–197.
Weiss, P. (1986): Die Ästhetik des Widerstandes. Suhrkamp (Darmstadt), S. 343–345.
Willi, J. (1990): Die Zweierbeziehung. Rowohlt (Reinbek).

Entwicklungsorientierte stationäre Behandlung Älterer

Meinolf Peters und Eberhard Beetz

Einleitung

Angeregt durch eine Zunahme der Behandlungszahlen älterer Patienten sowie eine in dieser Zeit sich abzeichnende Tendenz zur Entwicklung störungs- bzw. indikationsspezifischer Konzepte in Rehabilitationskliniken beschäftigt sich die Rothaarklinik für Psychosomatische Medizin in Bad Berleburg seit 1990 als eine der ersten Kliniken dieser Art in Deutschland mit der Behandlung älterer Patienten. Bis dahin wurden diese vereinzelt auf allen Stationen behandelt, wobei die Behandlung am integrativen, vorwiegend gruppentherapeutisch ausgerichteten Konzept orientiert war (Janssen 1987). Als wir nun dieser Gruppe mehr Aufmerksamkeit schenkten, zeigte sich rasch, daß die Behandlung älterer Patienten auf Stationen mit vorwiegend jüngeren Patienten keine günstige Rahmensetzung darstellt, was sich in einer ersten katamnestischen Befragung bestätigte (Peters/Lange 1994). Als ersten Schritt legten wir damals die älteren Patienten zusammen. Um jedoch die Gefahr der Ausgrenzung und Stereotypisierung Älterer zu entgehen, wurde ein Mischkonzept realisiert, d. h. die Stationen wurden zur Hälfte mit älteren und zur Hälfte mit jüngeren Patienten belegt. Somit blieb einerseits der intergenerative Austausch erhalten, andererseits erhielten die Patienten die Möglichkeit, in altershomogenen therapeutischen Gruppen spezifische Themen zu bearbeiten und sich mit Gleichaltrigen auszutauschen und zu identifizieren (Peters 1995). Die Zusammenlegung der Älteren bildete somit Anfang der 90er Jahre den ersten Schritt in der Entwicklung eines geronto-psychosomatischen Konzeptes. Die klinischen Erfahrungen wurden im Rahmen einer externen Supervision durch Prof. Radebold weiterhin kontinuierlich reflektiert und fanden Eingang in eine Begleitstudie, deren Ergebnisse zu weiteren Modifikationen Anlaß gaben (Peters et al. 2000a; Lange et al. 2001), so daß nun von einer Phase der systematischen Konzeptentwicklung gesprochen werden kann. Wesentliche Teile des unten erläuterten, erweiterten Behandlungsangebotes sowie die stärkere Zielorientierung des integrativen

Behandlungskonzeptes durch eine fokaltherapeutische Ausrichtung gehen auf diese Zeit zurück (Peters 1998), die schließlich in die Gründung der Abteilung Gerontopsychosomatik und -psychotherapie im Jahre 1999 mündete.

Derzeit nun bahnt sich eine dritte Entwicklungsphase an, die einerseits durch eine Konsolidierung der Arbeit gekennzeichnet ist, in der andererseits aber weitere Überlegungen der inhaltlichen und thematischen Ausrichtung sowie der theoretischen Begründung in den Vordergrund treten. Ausschlaggebend ist dabei die Überlegung, daß ein Konzept zur Behandlung älterer Menschen nicht allein von einem Krankheitsbild ausgeht, sondern einen Lebensabschnitt bzw. Entwicklungsabschnitt innerhalb der Lebensspanne in den Vordergrund rückt. Damit wird eine Thematik aufgespannt, die in die Domäne der Entwicklungspsychologie fällt. Während das bislang maßgebliche Leitkonzept der Gerontopsychosomatik vom ärztlichen Denken geprägt ist und vom kranken Menschen ausgeht, rückt ein entwicklungspsychologisch fundiertes Konzept den gesunden Menschen als Leitbild in den Vordergrund. Die stärkere Einbeziehung der Entwicklungspsychologie als Referenzwissenschaft bietet ergänzend zu den Überlegungen, die von der Psychopathologie des Patienten ausgehen, wichtige konzeptuelle und empirisch fundierte Anregungen. U. a. geht dieser Trend auf den infolge des Psychotherapeutengesetzes wachsenden Einfluß von Psychologen in den Psychosomatischen Kliniken zurück, wodurch psychologisch fundierte Konzepte stärker in den Vordergrund rücken. Auch die Erweiterung der Entwicklungspsychologie um klinische Fragestellungen erleichtert die stärkere Betonung einer psychologischen und sozialwissenschaftlichen Perspektive. Somit hat sich das Fundament für die Ausformulierung altersspezifischer Konzepte zunehmend erweitert. Umrisse der sich jetzt abzeichnenden Phase in der Weiterentwick-lung und zunehmenden Differenzierung und Spezifizierung eines entwick-lungspsychologisch fundierten Konzeptes zur psychosomatisch-psychotherapeutischen Behandlung Älterer in einem stationären Setting sollen im folgenden beschrieben werden.

Aspekte einer klinischen Entwicklungpsychologie des Alters

Die akademische Entwicklungspsychologie hat sich in neuerer Zeit in zweierlei Hinsicht für klinische Fragestellungen geöffnet. Die Entwicklungspsychopathologie befaßt sich mit der Altersspezifität von Störungen bzw. deren Veränderung im Lebenslauf (Petermann/Niebank 1999) und greift dabei, wie Oerter (1999) nicht verschweigt, eine Tradition auf, die in der

Psychoanalyse lange etabliert ist, nämlich die Untersuchung der Genese von Störungen. Verknüpft damit ist beispielsweise die Feststellung, daß psychologische Therapien bzw. Interventionen zu verschiedenen Zeitpunkten im Verlauf der Erkrankung und Abschnitten des Lebenslaufs unterschiedlich effektiv sein können, was für eine stärkere alterspezifische Ausrichtung von Konzepten spricht (Chiccetti 1999). Die klinische Entwicklungspsychologie schließlich knüpft an dieser Folgerung an und schlägt eine Brücke von der Entwick-lungspsychologie zur klinischen Psychologie (Oerter 1999). Dabei ist die Überlegung ausschlaggebend, daß die Wirksamkeit einer psychologischen Intervention erhöht werden kann, wenn sie auf die jeweilige entwicklungspsychologische Phase abgestimmt ist, d. h. auf die in dieser Phase spezifische Sensitivität und Reagibilität Rücksicht nimmt. Brandstätter und Gräser (1999) heben hervor, daß Entwicklungskrisen und kritische Lebensereignisse strukturell durch ein Ungleichgewicht gekennzeichnet sind und entwicklungsorientierte Therapie und Beratung der Erhöhung der adaptiven Flexibilität dient. Als drei übergeordnete Ziele entwicklungspsychologisch fundierter Interventionen nennt Oerter (1999) – im Unterschied zu individuellen – folgende Therapieziele: Förderung der Prävention, Entwicklungsziele, die sich in Termini von Entwicklungsaufgaben definieren lassen sowie i. S. eines ökologischen Aspektes die Betonung eines entwicklungsfördernden Kontextes. Auch wenn sich die noch junge klinische Entwicklungspsychologie Fragen des Alterns bisher wenig angenommen hat, so lassen sich doch erste Schlußfolgerungen im Hinblick auf ein psychoanalytisch fundiertes Konzept zur stationären Behandlung Älterer ziehen.

1. *Zeitorientierung*: Der Entwicklungsbegriff definiert sich durch Veränderungen von Verhalten und Erleben in der Zeit (Thomae 1978), Zeitlichkeit ist somit konstitutiv für Entwicklung. Diese vollzieht sich in einer Integration von Vergangenheit, Gegenwart und Zukunft, eine Integration, die bei psychisch Kranken zerbrochen oder gestört ist (Loewald 1986). Im Hinblick auf eine klinische Perspektive ergibt sich daraus die Notwendigkeit, nicht nur eine Integration von Vergangenheit und Gegenwart zu erneuern, wie es traditionell in der psychoanalytischen Therapie geschieht, sondern auch der Beziehung von Gegenwart zur Zukunft mehr Beachtung zu schenken und zukunftsgerichtete Entwicklungstendenzen stärker zu betonen (Ermann 1999). Ältere Menschen haben nicht nur Abschiede zu bewältigen und sich somit von Teilen ihrer Gegenwart zu trennen und zur Vergangenheit werden zu lassen, sondern auch die vor ihnen liegende

Zukunft zu gestalten, eine Zukunft, die oftmals ohne Konturen und Strukturen erscheint und aufgrund schon eingetretener oder befürchteter Verluste angstvoll oder doch ambivalent erlebt wird. Sich in die Zukunft hinein zu entwerfen und diese zu antizipieren, um neue, sinnvermittelnde Ziele zu finden, stellt dann eine Voraussetzung dar, zu einer aktiven Lebenseinstellung zurückzufinden.

2. *Entwicklungsaufgaben*: Im höheren Lebensalter steht der Mensch vor mannigfaltigen Wandlungen seiner Lebensbedingungen und Lebensumstände sowie zahlreichen organismischen Veränderungen. Das Konzept der Entwicklungsaufgaben bietet eine Möglichkeit und Orientierung, ein Bild davon zu gewinnen, welchen Anforderungen sich ein Patient gegenübersieht und welche inneren wie äußeren Anpassungsleistungen er zu bewältigen hat. Eine psychische Erkrankung ist dann darauf zu beziehen, daß der Patient für die sich ihm stellenden Aufgaben bisher keine persönliche Antwort gefunden hat und ihm eine Umstrukturierung der Muster seiner inneren Welt bisher nicht gelungen ist (Fürstenau 1992). Die daraus abzuleitende Dekompensation ist dann als Regression zu pathologischen Strukturanteilen, d. h. Lebensbewältigungsmustern zu verstehen, die mehr oder minder überwunden zu sein schienen. Eine Entwicklungsorientierung lenkt nun die Aufmerksamkeit darauf, sich nicht allein an den pathologischen Strukturanteilen, d. h. den Defiziten des Patienten zu orientieren, sondern die zu bewältigende Entwicklungsaufgabe im Blick zu haben, d. h. den Patienten zur Bewältigung des notwendigen Entwicklungsschrittes zu befähigen. Gefordert ist somit ein ›doppelter Blick‹, d. h. einerseits eine Bearbeitung pathologischer Muster, andererseits die Förderung der gesunden, normalen Weiterentwicklung des Patienten (Fürstenau 1992). Erst damit aber kehrt der Patient in die verlorene Zeitlichkeit und zu einer aktiven Gestaltung seiner Zukunft zurück.

3. *Sozialer Kontext*: Die fundamentale Erkenntnis, derzufolge sich Entwicklung auch im Alter nur im Kontext sozialer Beziehungen vollziehen kann, wirkt einem Defizitdenken (›Disengagementtheorie‹) entgegen. Ähnlich wie in der Adoleszenz sind auch in diesem Lebensabschnitt intragenerative Beziehungen von größerer Bedeutung für die innere Anpassung und Identitätsbildung als intergenerative Beziehungen. Bei vielen älteren Patienten ist das Beziehungsnetz nach Verlusten jedoch auf die Beziehung zu den eigenen Kindern oder aber den betagten, noch lebenden Elternteilen

reduziert, während Gleichaltrigenbeziehungen vernachlässigt worden waren. Studien zeigen, daß Ältere mit vorwiegend intergenerativ-familiären Beziehungen ein geringeres Wohlbefinden und weniger Lebenszufriedenheit aufweisen als solche mit überwiegend intragenerativen Beziehungen (Lee/Shehan 1989). Im Lebenslauf übernehmen vornehmlich Gleichaltrige die Rolle des alter ego, d. h. eines Spiegels, der dazu dient, das eigene Ich wahrzunehmen, das Selbstwertgefühl zu regulieren und die innere Anpassung an den Entwicklungsprozeß zu verbessern (Peters 1995). Die Förderung sozialer Beziehungen zu Gleichaltrigen kann somit sowohl die soziale Integration verbessern und damit Einsamkeitsgefühlen vorbeugen als auch eine Aussöhnung mit dem eigenen Lebensalter und dessen positive Aneignung befördern.

Umrisse eines Behandlungskonzeptes

Die Initialphase der Behandlung, die durch die Trennung vom gewohnten Lebensumfeld und der anfangs gegebenen ›partiellen Beziehungslosigkeit‹ (Hau et al. 1984) gekennzeichnet ist, birgt im besonderen die Gefahr einer malignen Regression, sei es durch vermehrte Somatisierung oder aber eines Rückzugs und Sich-Abkapselns. Eine Behandlung kann dadurch rasch scheitern, so daß eine frühzeitige Einbindung und Integration des Patienten erforderlich ist. Der Patient wird am Beginn somit nicht nur in einen diagnostischen Prozeß eingebunden, sondern auch über die Behandlung informiert und aufgeklärt, um so seine Aufgeschlossenheit und seine Identifikationsbereitschaft mit einem Behandlungsangebot zu erhöhen, das ihm in der Regel fremd ist (Peters 2000a). Insbesondere die Krankenschwestern unterstützen den Patienten darin, in die Stationsgemeinschaft hineinzufinden, Stationsregeln und -rituale (z. B. Patenschaften durch länger anwesende Patienten) fördern diesen Prozeß. Die anfänglichen Bemühungen sind darauf gerichtet, eine positive Übertragung zu wecken und damit eine stabile Behandlungsmotivation zu schaffen.

Der psychodiagnostische Prozeß zielt darauf ab, neben der genauen diagnostischen Erfassung der Symptome und des gesamten Krankheitsbildes die Entwicklungsaufgaben zu erfassen, an deren Bewältigung der Patient bislang gescheitert ist, sowie die psychodynamischen Konflikte zu ermitteln, die diesem Scheitern zugrundeliegen. Daraus abzuleitende Therapieziele sollten nicht ausschließlich negativ an einer Reduzierung der Symptomatik oder an einem zugrunde liegenden neurotischen Konflikt orientiert sein, sondern auch eine positive Ausrichtung i. S. der Bewältigung von Entwicklungsaufgaben aufweisen (Peischl/Pontzen 1995). Einfließen sollten dabei vorhandene Ressourcen des Patienten sowie die Antizipation eines Zukunftsbildes, das befriedigendere Lebensmöglichkeiten beinhaltet. Wenn möglich sollten bereits jetzt oder aber zu einem späteren Zeitpunkt der Behandlung Überlegungen darüber angestellt werden, wie der Patient den stationären Rahmen als Raum zum Probehandeln nutzen kann, um sich in der Hier-und-Jetzt-Situation der Station auf zukünftige Ziele hin zu orientieren.

Die überwiegende Mehrzahl der Patienten wurde zuvor ambulant oder stationär psychiatrisch behandelt, so daß die psychopharmakologische Behandlung i. d. R. weitergeführt wird; manchmal sind jedoch Umstellungen oder Neueinstellungen etwa auf moderne Antidepressiva erforderlich, die gerade bei Älteren die Mittel der Wahl sind, aber dennoch nicht immer eingesetzt werden. Von besonderer Bedeutung bei Älteren sind die oft beklagten Konzentrations- und Gedächtnisstörungen; ergeben sich hierfür Anhaltspunkte, erfolgt eine Abklärung mithilfe eines Screening-Instrumentes (z. B. SIDAM) oder durch eine differenziertere neuropsychologische Diagnostik. Dabei geht es entweder um die Abklärung einer beginnenden Demenz bzw. leichten kognitiven Beeinträchtigung oder der Differentialdiagnose von Depression und kognitiver Beeinträchtigung.

Neben der neuropsychologischen Diagnostik und der psychiatrischen Mitbehandlung kommt der internistischen Behandlung aufgrund der oftmals gegebenen Multimorbidität eine zentrale Bedeutung zu. In medizinischer Hinsicht stehen entsprechend ihrer Prävalenz bei Älteren die Behandlung chronischer Herz-, Kreislauf- und Stoffwechselerkrankungen sowie präventive Behandlungsangebote, z. B. Gesundheitsberatung im Vordergrund. Im Sinne der Förderung eines günstigeren Gesundheitsverhaltens als Teil einer aktiv gestalteten Zukunft kommt der Complianceförderung als selbstverantworteter Behandlungsoptimierung z. B. bei metabolischem Syndrom eine besondere Bedeutung zu. Präventive und kurative Aspekte greifen dabei häufig ebenso ineinander wie psychotherapeutische und medizinische Behandlungsangebote, ein Umstand, dem konzeptuell – etwa durch gemeinsame Kurvenvisiten – Rechnung getragen wird. Entsprechend werden die ärztlichen Maßnahmen im engeren Sinne, wie die apparative und labortechnische Diagnostik, durch ökotrophologische Beratung, Kochgruppenteilnahme, Diätschulung oder spezielle sporttherapeutische Angebote (z. B. Hockergymnastik) ergänzt.

Gegebenenfalls erfolgt die Einbindung der Patienten in Gruppen zur Verbesserung des Krankheitsverhaltens und der Krankheitsbewältigung (z. B. Diabetikerschulung).

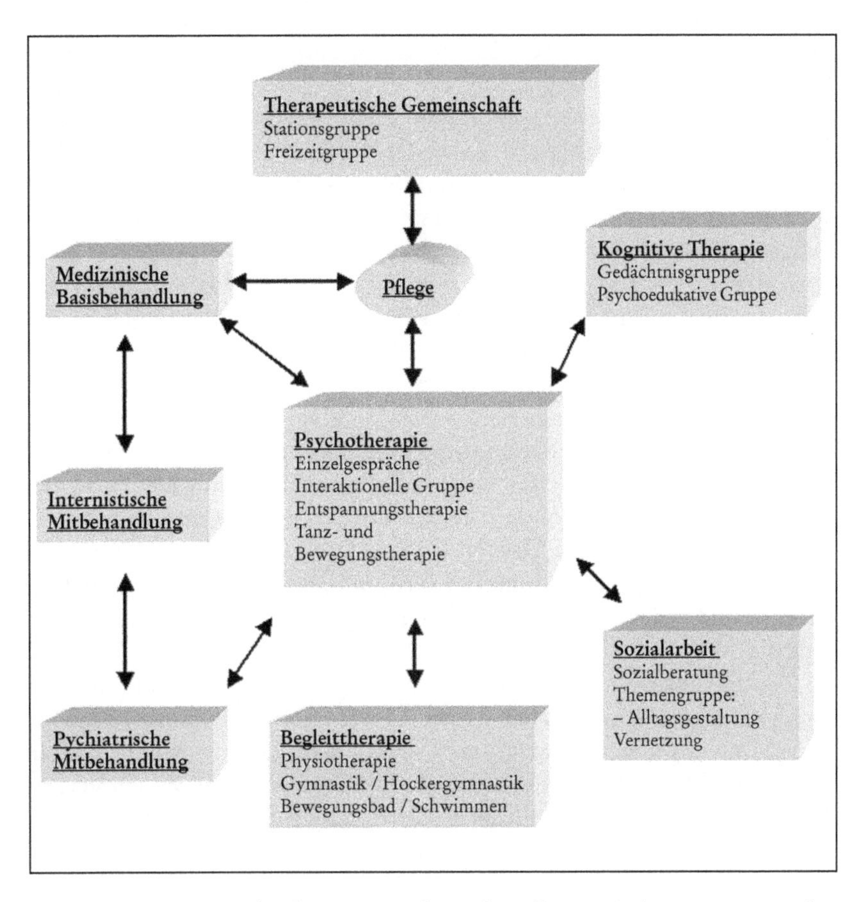

Eine stationäre psychotherapeutische Behandlung wird getragen von der therapeutischen Gemeinschaft, in der eine entwicklungsfördernde Atmosphäre geschaffen werden sollte, die zu Neuerfahrungen anregt. Die dies unterstützenden soziotherapeutischen Elemente wie enge Kontakte zum Pflegepersonal, das Anregungen im Stationsalltag gibt, eine geleitete Freizeitgestaltung sowie Stationsregeln, die die Patienten aktiv in ein Gemeinschaftsleben einbeziehen und zur Übernahme von Verantwortung anregen, bilden eine wesentliche Grundlage und Ergänzung der psychotherapeutischen Arbeit. Eine wesentliche, Sicherheit und Vertrauen schaffende Basis der Behandlung bildet auch die Beziehung zum Einzeltherapeuten, die durch regelmäßige therapeutische Einzelgespräche geschaffen wird und der ältere Patienten eine größere Bedeutung beimessen als Jüngere (Peters 2002b). Ein wichtiges Behandlungselement bildet die Gruppentherapie, der die Patienten je nach Indikation zugewiesen werden. Bei bereits ausgebildeter Psychotherapiemotivation und Introspektionsfähigkeit wird der Patient einer interaktionellen Gruppentherapie zugewiesen, andernfalls kommt eine themenzentrierte Gruppe in Betracht. Mit der themenzentrierten Gruppe wurde ein gruppentherapeutisches Element eingeführt, das es ermöglicht, auch Patienten zu integrieren, die von einer tiefenpsychologisch fundierten Gruppentherapie nicht ausreichend profitieren könnten. Auch in der Tanz- und Bewegungstherapie sowie der Musiktherapie wird zwischen einem aufdeckenden, tiefenpsychologisch orientierten und einem eher ich-stützenden bzw. pädagogisch ausgerichteten Angebot unterschieden. Schließlich bildet das Konzentrations- und Gedächtnistraining nicht nur eine Behandlungsmöglichkeit für kognitiv eingeschränkte Patienten (Hübner/Peters 2002), sondern als strukturiertes Gruppenangebot auch eine ergänzende Möglichkeit für ansonsten schwer zu gewinnende Patienten. Eine psychoedukative Gruppe, an der alle Patienten teilnehmen und in der altersbezogene Themen behandelt werden, ergänzt das Angebot.

Zentral ist nun, auf der Basis der umfangreichen Diagnostik und der entwicklungspsychologischen Erfassung der zu bewältigenden Aufgaben und daraus abgeleiteter Therapieziele aus dem Fundus der Möglichkeiten einen individuell abgestimmten Gesamtbehandlungsplan zu entwerfen. Die Therapiebausteine sollten so aufeinander abgestimmt sein, daß möglichst eine Passung von Behandlungserfordernissen einerseits und Erwartungen bzw. Möglichkeiten des Patienten andererseits erfolgt, gilt doch die Passung von Patientenerwartung und therapeutischem Angebot als zentraler Wirkfaktor in der stationären Therapie (Strauß 1998). Nur wenn dies gelingt, kann der Patient zu optimaler Mitarbeit motiviert werden und ein Regressionsniveau erreicht werden, das Voraussetzung für kreative Lösungen und Weiterentwicklung ist.

Kasuistik

Die 78-jährige Patientin litt seit längerem an depressiven Verstimmungen, diese hatten sich nach dem Tod des 84-jährigen Mannes ein Jahr zuvor zu einer schweren Depression ausgeweitet; sie war bereits stationär in der Psychiatrie behandelt worden und hatte dort Infusionen erhalten. Zuletzt war sie nicht mehr in der Lage gewesen, ihr Leben selbständig zu führen. Zudem litt sie unter Atemnot, für die keine organische Ursache ermittelt werden konnte, die immer wieder die Befürchtung aufkommen ließ, sie könne an einer schweren Atemwegserkrankung leiden. Trotz der negativen Vorbefunde ließen wir dies erneut internistisch abklären. Ihr Atmen war auch dann, wenn sie sich in ihr Schweigen zurückzog, laut und deutlich zu vernehmen, was sie als besonders peinlich empfand. In ihren Bewegungen wirkte sie deutlich verlangsamt und schwerfällig, auch klagte sie über Gedächtnisstörungen, die allerdings testpsychologisch nicht objektiviert werden konnten, dennoch nahm sie am Gedächtnistraining teil, für das sie leicht zu motivieren war und das einen wesentlichen Beitrag zur Entwicklung einer positiven Übertragung leistete. Sie lebte sozial isoliert und vereinsamt, zu einer Tochter hatte sie eine schlechte Beziehung und seit dem Tod ihres Mannes keinen Kontakt mehr. Sie war in zweiter Ehe 55 Jahre mit ihrem Mann verheiratet gewesen, sie hatten sehr isoliert gelebt und keine Kontakte gepflegt. Nachdem wir ihre Geschichte erfahren, ihre Beziehungsgestaltung kennengelernt und das diagnostische Material zusammengetragen hatten, formulierten wir folgenden vorläufigen Fokus: ›Ich habe das Recht verwirkt, weiterzuleben, weil ich meinen Mann im Stich gelassen und dadurch schwere Schuld auf mich geladen habe. Ich habe den Wunsch nach mehr Unabhängigkeit und möchte mein Leben wieder selbst in die Hand nehmen, der unausgesprochene Schuldvorwurf meines Mannes lastet aber auf mir wie eine tonnenschwere Last‹. Diese Hypothese schien uns ein sinnvoller, integrativer Leitfaden für die Behandlung zu sein. Daraus ließen sich folgende Therapieziele ableiten: 1. Bearbeitung der Trennungschuld, 2. Reduktion der Angst vor Unabhängigkeit, 3. Förderung kultureller Interessen, 4. Integration der Fähigkeit, soziale Resonanz zu erzeugen.

Das auffallend laute Atmen der Patientin wirkte einem völligen Rückzug in die Welt des Schweigens, in die sich manche Ältere zurückziehen, entgegen. Nur der Pfeifton ihres Atmens schien einen Weg zu bahnen, andere aufmerksam zu machen und die schweren Schuldgefühlen zu umgehen, die sie in die Welt der Einsamkeit und Depression zogen. Aus zunächst kurzen Kontakten entwickelten sich aber allmählich längere Dialoge, obwohl sie sich auf der Station zunächst völlig von den anderen isolierte. Während sie in der Gruppe diese Isolation beklagte und sich selbst zum Vorwurf machte, schilderten die anderen Gruppenmitglieder, wie sie ihr immer wieder Kontaktangebote gemacht hatten, aber mehrfach teils schroff zurückgewiesen worden waren; der Patientin selbst war dies nicht bewußt gewesen. In der Suche nach den unbewußten Motiven dieser Form der höchst ambivalenten Beziehungsgestaltung fokussierten wir auf ihre Schuldgefühle. Dadurch ermutigt kam sie eingehender auf den Tod des Ehemannes und die schwierige eheliche Beziehung zu sprechen. So warf sie sich vor, beim Tod des Ehemannes nicht zugegen gewesen zu sein, da er die letzten Tage seines Lebens bei der Tochter verbracht hatte. Sie schilderte aber auch, daß sie ein lebenslustiger und fröhlicher Menschen gewesen sei, eine Seite, die ihr Mann nicht gemocht habe. So habe sie sich in der Ehe allmählich in sich zurückgezogen, öfter jedoch Versuche unternommen, sich zu trennen. Dann sei ihr Mann vor ihr auf die Knie gefallen und habe sie angefleht zu bleiben; er habe ihr alles versprochen, auch habe er dann einer gemeinsamen Reise zugestimmt. Sie lebten in einem kleinen Ort, an dem sie sich nicht wohlfühlte, sie floh mehrere Wochen im Jahr in eine Stadtwohnung, die sie geerbt hatte, um Konzerte zu besuchen und die Vorzüge des Stadtlebens zu genießen. Einige Zeit vor seinem Tod, als es ihm kaum noch möglich war, sich zu artikulieren, habe er ihr signalisiert, ein Stück Papier haben zu wollen, auf das er geschrieben hatte, ›Ich liebe Dich‹, er habe ihr bedeutet, dieses über seinem Bett aufzuhängen. Dieses Stück Papier liege wie eine Last auf ihr, sie hatte dies nicht als Liebesbeweis empfunden, sondern so, als wolle er sie an sich ketten. Als sich sein Zustand zuletzt weiter verschlechtert hatte, hatte er ihr den Vorschlag gemacht, gemeinsam in den Tod zu gehen, mit schwerer Stimme schilderte sie, wie sie sich diesem Wunsch entzogen hatte. Es hatte den Anschein, als habe er sich aus Wut darüber zu seiner Tochter zurückgezogen um dort zu sterben, um sie so über Schuldgefühle auch über seinen Tod hinaus an sich zu binden. Die Patientin schilderte diese Geschichte mit zunehmender Offenheit, so, als müsse sie sich in kleinen, mühsamen Schritten von dem Schuldgefühl befreien, das auf ihr lastete, sich im Moment des Todes von ihm distanziert zu haben. Erst dann konnte sie das Ausmaß an Unabhängigkeit aufbringen, das nötig war, sie vor dem Tod zu bewahren, und doch war sie in Depressionen versunken, so, als sei ihr ein Weiterleben nicht möglich, als habe sie jegliches Anrecht auf ein eigenes Leben verwirkt. Im Laufe der Behandlung zeigten sich zunehmend ihre lebendigen Seiten; gleich zu Beginn war ihre sehr enge, modern geschnittene Jeans aufgefallen, die ein Stückchen Jugendlichkeit offenbarte, das sich jetzt auch in ihrem Erleben, wenn auch sehr vorsichtig, entfalten durfte. Hatte sie sich zu Beginn mit sehr schwerfälligen, langsamen Schritte fortbewegt, wurde sie jetzt zunehmend mobiler, so, als dürfe sie wieder mit beiden Beinen im Leben stehen und sich fortbewegen, d. h. leben. Sie entwickelte Kontakte auf der Station und konnte in einem deutlich gebessertem Zustand entlassen werden. Wir hatten sie sehr frühzeitig zur Sozialarbeiterin geschickt, um ihr Möglichkeiten aufzuzeigen, auch zu Hause ins Leben zurückzukehren und ihre Ressourcen, beispielsweise kulturelle Interessen, besser zu nutzen. Sie hatte die feste Absicht, ihren Hauptwohnsitz in die Stadt zu verlegen und somit einem lang gehegten Wunsch nachzukommen.

Schluß

Ein entwicklungsorientiertes stationäres Behandlungskonzept für ältere Patienten stellt nicht allein die diagnostischen und krankheitsbezogenen Beschreibungsmerkmale des Patienten in den Vordergrund, sondern in besonderer Weise die Bewältigung der Entwicklungsaufgaben, die Weiterentwicklung und eine bessere Anpassung an einen Lebensabschnitt erlaubt, der sich in der Gegenwartsgesellschaft als zunehmend komplex und durch Widersprüche gekennzeichnet erweist (vgl. den Beitrag von Backes in diesem Band). Der ältere Mensch soll angeregt werden, das soziale Feld der Station als Entwicklungs- und Möglichkeitsraum zu begreifen, das ihm Neuerfahrungen und eine Ausrichtung auf eine aktiv gestaltete Zukunft erlaubt. Im stationären Rahmen wird ein gewisser Druck erzeugt, regressive Schutzräume zu verlassen, so daß der Patient in einen Prozeß der inneren und äußeren Auseinandersetzung hineingezogen wird (Willi 1992). Gelingt es, verbliebene Möglichkeitsräume zu erkunden und narzißtisch zu besetzen, sind Voraussetzungen geschaffen, die auch im häuslichen Lebensumfeld eine Neuorientierng herbeizuführen vermögen. Ein Transfer dieser Erfahrungen ist durch eine sorgfältige Vorbereitung der Trennung von der Station, des Wiedereinlebens in das gewohnte Lebensumfeld und der Antizipation der zukünftigen Lebenssituation zu unterstützen. Der aktiven Vernetzung der Behandlung – unter frühzeitiger Einbeziehung der Sozialarbeiterin – und eine oftmals erforderliche Anbahnung einer sinnhaften Ausgestaltung des neuen Lebensabschnittes kommen damit höchste Bedeutung zu.

Literatur

Brandstätter, J. & Gräser, H. (1999): Entwicklungsorientierte Beratung. In: Oerter, R.; Hagen von C.; Röper G. & Noam, G. (Hg.): Klinische Entwicklungspsychologie. Psychologie Verlags Union (Weinheim), S. 335–351.

Chiccetti, D. (1999): Entwicklungspsychopathologie: Historische Grundlagen, konzeptuelle und methodische Fragen, Implikationen für Prävention und Intervention. In: Oerter, R.; Hagen von C.; Röper G. & Noam, G. (Hg.): Klinische Entwicklungspsychologie. Psychologie Verlags Union (Weinheim), S. 11–45.

Ermann, M. (1999): Ressourcen in der psychoanalytischen Beziehung. In: Forum der Psychoanalyse 15, S. 253–267.

Fürstenau, P. (1992): Entwicklungsförderung durch Therapie. Pfeiffer (München).

Hau, T.; Niklaus, B.; Muhs, A.; Brüggemann, L. & Hildemann, R. (1984): Die Initialphase in der klinischen Psychotherapie. In: Praxis der Psychotherapie und Psychosomatik 29, S. 271–281.

Hübner, S. & Peters, M. (2002): Gedächtnistraining in der Gerontopsychosomatik. In: Gutzmann (Hg.): Gerontopsychiatrie und ihre Nachbardisziplinen. (Berlin) (im Druck).

Janssen, P. L. (1987): Psychoanalytische Therapie in der Klinik. Klett-Cotta (Stuttgart).

Lange, C.; Peters, M.; Radebold, H.; Schneider, G. & Heuft, G. (2001): Behandlungsergebnisse stationärer psychosomatischer Rehabilitation Älterer. In: Zeitschrift für Gerontologie und Geriatrie 34, S. 387–395.

Lee, G. R. & Shanan, G. L. (1989): Social relations and the self-esteem of older persons. In: Aging 11, S. 427–442.

Loewald, H. (1986): Psychoanalyse. Aufsätze aus den Jahren 1951–1979. Klett-Cotta (Stuttgart).

Oerter, R. (1999): Klinische Entwicklungspsychologie – ein integratives Fach. In: Psychomed 3, S. 132–138.

Peichl, J. & Pontzen, W. (1995): Bedeutung und Erarbeitung des Fokus in der integrativen klinischen Psychotherapie. In: Psychotherapeut 40, S. 284–290.

Petermann, F. & Niebank, K.(1999): Entwicklungspsychopathologie – Konzepte und Ergebnisse. In: Psychotherapeut 44, S. 257–264.

Peters, M. (1995): Entwicklungspsychologische Aspekte eines stationären gruppenpsychotherapeutischen Konzeptes für Patienten in der zweiten Lebenshälfte. In: Gruppenpsychotherapie und Gruppendynamik 31, S. 358–372.

Peters, M. (1998): Einige konzeptuelle Überlegungen zur Behandlung Älterer in einer Psychosomatischen Rehabilitationsklinik. In: Heuft, G. & Teising, M. (Hg.): Psychotherapie Älterer – Quo vadis? Westdeutscher Verlag (Opladen), S.107–121.

Peters, M. (2000a): Psychotherapiemotivation Älterer und Möglichkeiten ihrer Förderung. In: Bäuerle, P.; Radebold, H.; Hirsch, R. D.; Studer, K.; Schmid-Furstross, U. & Struwe, B. (Hg.): Klinische Psychotherapie mit älteren Menschen. Huber (Bern), S. 25–34.

Peters, M. (2000b): Zum Stellenwert von Einzel- und Gruppentherapie in der tiefenpsychologischen stationären Behandlung Älterer In: Bäuerle, P.; Radebold, H.; Hirsch, R. D.; Studer, K.; Schmid-Furstross, U. & Struwe, B. (Hg.): Klinische Psychotherapie mit älteren Menschen. Huber (Bern), S. 116–123.

Peters, M. (2000c): Psychotherapie Älterer in der Psychosomatischen Klinik – konzeptuelle und strukturelle Überlegungen In: Bäuerle, P.; Radebold, H.; Hirsch, R. D.; Studer, K.; Schmid-Furstross, U. & Struwe, B. (Hg.): Klinische Psychotherapie mit älteren Menschen. Huber (Bern), S. 44–51.

Peters, M. & Lange, C. (1994): Katamnestische Ergebnisse stationärer psychotherapeutischer Behandlung über 60-jähriger Patienten. In: Zeitschrift für Gerontopsychologie und -psychiatrie 7, S.47–56.

Peters, M.; Lange, C. & Radebold, H. (2000): Psychotherapiemotivation älterer Patienten in der Rehabilitationsklinik – Eine empirische Studie. In: Zeitschrift für Psychosomatische Medizin und Psychoanalyse 46, S.259–273.

Strauß, B. (1998): Prozeß und Ergebnis stationärer Gruppentherapie – Lehren aus einer empirischen Studie. In: Vandieken, R.; Häckl, E. & Mattke, D. (Hg.): Was tut sich in der stationären Psychotherapie. Psychosozial (Giessen), S. 142–159.

Thomae, H. (1978): Zur Problematik des Entwicklungsbegriffs im mittleren und höheren Erwachsenenalter. In: Oerter, R. (Hg.): Entwicklungals lebenslanger Prozeß. Hoffman und Campe (Hamburg).

Willi, J. (1992): Psychoökologische Aspekte der Abwehr. In: Zeitschrift für Psychosomatische Medizin und Psychoanalyse 38, S. 281–294.

Einfluß von Biographie und psychosozialen Faktoren auf den lebensaltersbezogenen psychischen Durcharbeitungsprozess bei erkrankten alten Menschen – die ELDERMEN-Studie[1]

Gudrun Schneider, Andreas Kruse,
Hans Georg Nehen und Gereon Heuft

Hintergrund

Es besteht eine lebenslange Dynamik zwischen ›Gewinnen‹ und ›Verlusten‹ (Baltes 1987), wobei mit fortschreitendem Entwicklungsprozess im höheren Alter die Bilanzierung zwischen Entwicklungsgewinnen und -verlusten ungünstiger wird (Kruse et al. 1999). Zu nennen sind soziale Verluste, Verluste im Bereich der Gesundheit und Selbständigkeit sowie verringerte Möglichkeiten der Zukunftsplanung. Im Erleben des Individuums kommt es zu einer Diskrepanz zwischen Zielen und Handlungsmöglichkeiten und zur Einsicht, daß persönlich bedeutsame Lebensziele in der verbleibenden Zeit nicht mehr erreicht werden können (Brandstädter/ Renner 1990; Brandstädter/Rothermund 1998).

Das Paradigma eines lebenslangen Entwicklungsprozesses, in dem gesellschaftlich, psychologisch und biologisch beeinflusste Anforderungs- und Gelegenheitsstrukturen altersspezifische Entwicklungsaufgaben definieren, wird für die zweite Hälfte des Erwachsenenlebens fortgeschrieben (Havighurst 1956; Heckhausen 1990). Neben Potentialen, Plastizität und Kapazitätsreserven werden dabei Grenzen von Entwicklungsreserven zunehmend bedeutsam (Kruse 1995a; 1995b; Kruse/Wahl 1999). Das Individuum steht dabei im Spannungsfeld, einerseits aktiv Entwicklungsziele

[1] gefördert von der Deutschen Forschungsgemeinschaft (DFG) (He 1898/2–1; He 1898/2–2).

zu verfolgen, andererseits seine Bestrebungen und Bewertungen den Bedingungen des jeweiligen Lebensalters anpassen zu müssen (Rothermund/Brandtstätter 1998).

Die Bewältigung des körperlichen Alternsprozesses mit seinen physiologischen Veränderungen und Einbussen, evtl. zunehmenden funktionalen Behinderungen (Kruse/Schmitt 1995) sowie körperlichen Erkrankungen, stellt das Individuum vor eine spezifische Entwicklungsaufgabe im Alter, der es nicht ausweichen kann (Heuft 1994; Heuft et al. 2000). Das Ausmaß der körperlichen Veränderungen kann interindividuell aber auch intraindividuell im Zeitablauf sehr unterschiedlich sein: Diese Veränderungen reichen von schwindender Attraktivität, degenerativen Altersveränderungen (z. B. der Gelenke) über zunehmende akute und chronische Erkrankungen bis hin zu ausgeprägten körperlichen Behinderungen mit Einschränkungen oder Verlust der selbständigen Lebensführung, ausgeprägter Hilfsbedürftigkeit und der Auseinandersetzung mit der eigenen Endlichkeit (Kruse 1995b).

Die im Alternsprozess auftretenden natürlichen körperlichen Veränderungen bis hin zu häufig chronischen körperlichen Erkrankungen, einhergehend mit Behinderungen im Alltag und Gefährdung der selbständigen Lebensführung, müssen psychisch bewältigt und in das Selbstbild integriert werden. Groen bezeichnete 1982 den Alternsprozeß als ein psychosomatisches Paradigma (Groen 1982). Die Bewältigung dieser Thematik hat Auswirkungen auf das körperliche und seelische Befinden. Der vorliegende Beitrag stellt dazu Ergebnisse aus der ELDERMEN-Studie vor, die in einer Stichprobe kognitiv nicht beeinträchtigter geriatrischer Patienten gewonnen wurden. Untersucht wurden:

1. die Zusammenhänge zwischen Alter, funktioneller Behinderung im Alltag, psychischer Beeinträchtigung und Lebenszufriedenheit;
2. die Prävalenz und Verteilung psychogener Störungen und
3. Prädiktoren psychogener Störungen in der Stichprobe.

Methodik

Die Einschätzung des Ausmasses psychogener und psychosomatischer Beeinträchtigung erfolgte mit dem *Beeinträchtigungs-Schwere-Score (BSS)* (Schepank 1995), der die Beeinträchtigung durch eine psychogene, nicht körperliche Erkrankung auf den drei Dimensionen »körperlich«, »psychisch« und »sozialkommunikativ« in einem jeweils fünfstufigen Rating (0–4) erfaßt. Dabei entsprechen hohe Punktwerte einem hohen Ausmaß psychogener

Beeinträchtigung. Der BSS war zunächst in Zusammenarbeit mit der Mannheimer Arbeitsgruppe für ≥60-jährige Menschen adaptiert worden (Schneider et al. 1997). Dabei wurde im Sinne der Punktprävalenz die psychogene Beeinträchtigungsschwere für die letzten 7 Tage von 2 Ratern unabhängig voneinander und anschliessend im Konsensusrating bestimmt. Als ›Fall‹ psychogener Erkrankung wurde dem Manual entsprechend definiert, wer einen BSS-Summenscore von ≥5 erreicht und die Kriterien für eine ICD-10-Diagnose, Kapitel F erfüllt (Schepank 1995).

Zur Erfassung der aktuellen körperlichen Situation der Untersuchungsteilnehmer wurden folgende fünf »organischen« Variablen erfasst: (a) das *Alter*; (b) die *internistischen ICD-10-Diagnosen*; (c) die *Anzahl der Diagnosen*. (d) Der ›*Grad Objektiver Gesundheitlicher Belastung (OGB)*‹ wurde als Expertenrating von unserer Arbeitsgruppe für die Studie entwickelt (Schneider et al. 1999a). Er erfasst als fünfstufiges Maß den Grad der durch die somatischen Krankheiten bedingten und dauerhaft vorhandenen körperlichen Beeinträchtigungen unter Berücksichtigung des Alters, um bei der Vielzahl somatischer Diagnosen alter Menschen eine Vergleichbarkeit zu ermöglichen. Der *OGB* wurde von zwei geriatrisch erfahrenen Ärzten mit Kontrolle der Interraterreliabilität (.74) eingeschätzt. Um die funktionale Behinderung im Alltag zu erfassen, wurde (e) die *Activities of Daily Living-Scale (ADL)* (Lawton/Brody 1969) eingesetzt. Diese erfaßt, welche alltäglichen Verrichtungen (z. B. waschen, sich kämmen, Nahrung zu sich nehmen) nur noch mit Schwierigkeiten oder gar nicht mehr selbständig möglich sind. Der erreichbare maximale Summenscore von 46 Punkten wäre mit einer Schwerstpflegebedürftigkeit gleichzusetzen.

Die Lebenszufriedenheit der Untersuchungsteilnehmer wurde mit der in der gerontologischen Forschung weit verwandten *Philadelphia Geriatric Center Morale Scale (PGC)* (Lawton 1976) erfasst, die aus 17 Items besteht.

Reale und gewünschte Beziehungen, Art und die Häufigkeit der Kontakte zu den wichtigen Bezugspersonen und die Zufriedenheit mit diesen Beziehungen wurden mit dem von Kahn und Antonucci (1980) entwickelten Diagramm der konzentrischen Kreise erfaßt. Dabei wurden die Teilnehmer gefragt, welche Personen ihnen emotional am wichtigsten waren und gebeten, diese in 3 konzentrischen Kreisen in eine Rangfolge zu bringen. Erfragt wurden gleichzeitig Art und Häufigkeit dieser Kontakte sowie die Zufriedenheit mit der jeweiligen Beziehung.

Die Art der Auseinandersetzung mit Belastungen wurde mit Hilfe eines in der Gerontologie erprobten Copingfragebogens (Kruse 1990) erfasst, in dem 25 verschiedene Bewältigungsstrategien vom Untersuchungsteilnehmer dahingehend eingeschätzt wurden, inwiefern sie auf sein Verhalten in der letzten Zeit zutrafen.

Die biographischen Erfahrungen der Teilnehmer wurden durch ein ausführliches semi-strukturiertes biographisches Interview von durchschnittlich 2,5 h Dauer erhoben. Nach Tonbandmitschnitt wurde von zwei Ratern unabhängig voneinander und anschliessend im Konsensusrating das Ausmaß der von den Probanden in den einzelnen Lebensabschnitten subjektiv erlebten Belastung, sowie die subjektiv erlebte Förderung zwischen den Polen 0 ›gar nicht belastet/gefördert‹ bis 4 ›sehr stark belastet/gefördert‹ eingeschätzt. Die Einteilung der 6 einzelnen Lebensabschnitte (von Kindheit bis Ruhestand) orientierte sich nicht an starren Altersgrenzen, sondern soziologisch-dynamisch an inhaltlichen Veränderungen der Lebenssituation und des Wechsels der sozialen Rollen (ausführliche Darstellung der Interviewstruktur bei Heuft et al. 1994).

Die Stichprobe

Die Untersuchung erfolgte in einem internistischen Akutkrankenhaus mit geriatrischem Schwerpunkt. Im Studienzeitraum wurden 1283 Patienten ≥60 Jahre im Sinne einer konsekutiven Stichprobe gescreent. Von den 837 Nichtteilnehmern nahmen 760 aufgrund von vor Studienbeginn festgelegten *Ausschlußkriterien* nicht teil: Patienten mit *schwersten Körpererkrankungen* (nicht ausgeheilte Karzinomerkrankungen oder moribunde Patienten) und Patienten mit *dementiellen Prozessen*, *psychotischen Erkrankungen* sowie *manifesten Suchterkrankungen*.

Von den 522 Patienten, die die Einschlußkriterien der Studie erfüllten, nahmen tatsächlich 446 Patienten teil. Nur 14,6% (n = 76) Patienten verweigerten die Teilnahme nach ausführlicher Aufklärung. 184 Patienten (41,3% aller Studienteilnehmer) waren aus den unterschiedlichsten Gründen zu einem psychiatrisch-diagnostischen Gespräch, das auch Experteneinschätzungen z. B. der funktionalen Kapazität sowie der objektiven gesundheitlichen Belastung (OGB) erlaubt, bereit, jedoch nicht in der Lage, die kompletten psychologischen Testinstrumente auszufüllen. 262 Patienten (58,7% der Teilnehmer) haben alle Testinstrumente beantwortet. Bei immerhin 156 Patienten konnte zusätzlich ein ausführliches biographisches Interview mit einer mittleren Dauer von 2,5 Stunden durchgeführt werden.

Ergebnisse und Diskussion

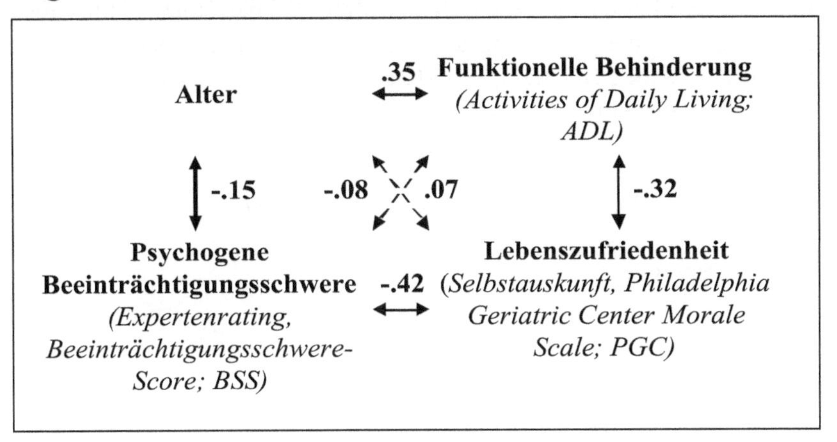

Abbildung 1: Zusammenhänge zwischen Alter, funktioneller Behinderung, psychogener Beeinträchtigungsschwere (BSS) und Lebenszufriedenheit.

Die funktionelle Behinderung im Alltag steigt mit dem Alter erwartungsgemäß und in Übereinstimmung z. B. mit den Ergebnissen der Berliner Altersstudie (Steinhagen-Thiessen et al. 1996) an. Es wird somit deutlich, daß steigendes Alter mit zunehmenden Verlusten an körperlicher Integrität, funktionellen Behinderungen im Alltag und Gefährdung der selbstständigen Lebensführung einhergeht. Das Alter hat dennoch keinen bedeutsamen Zusammenhang zur Lebenszufriedenheit und psychischen Beeinträchtigung, d. h. die älteren Untersuchungsteilnehmer sind mit ihrem Leben nicht unzufriedener als die jüngeren und sind auch nicht psychisch kränker. Dies spricht für erhebliche adaptive Leistungen an die sich verändernde körperliche Situation im Alter. Rothermund und Brandstädter (1998) konnten zeigen, daß eine flexible Anpassung individueller Ziele und Selbstbewertungsmasstäbe an situative Gegebenheiten die Verarbeitung von Verlusten im höheren Lebensalter erleichtern.

Nicht das Alter, wohl aber die steigende funktionelle Behinderung im Alltag korreliert signifikant negativ mit der Lebenszufriedenheit, dennoch zeigt sie keinen Zusammenhang zur psychogenen Beeinträchtigung. Wir interpretieren dies als Hinweis auf eine psychische Labilisierung und erhebliche Forderung psychischer Ressourcen durch die körperlichen

Veränderungen, die jedoch noch nicht zu einer klinisch relevanten psychischen Beeinträchtigung führt, d. h. der Mehrzahl der Untersuchungsteilnehmer gelingt die Anpassungsleistung. Die Ergebnisse belegen die hohe psychische Widerstandsfähigkeit (Resilienz) alter Menschen unter den Belastungen des körperlichen Alternsprozesses.

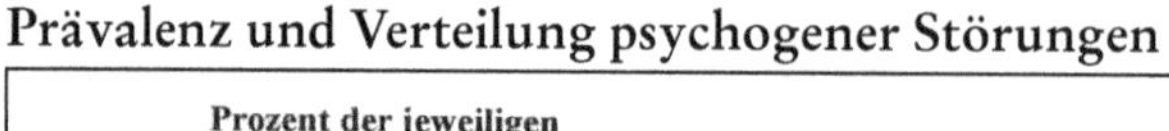

Prävalenz und Verteilung psychogener Störungen

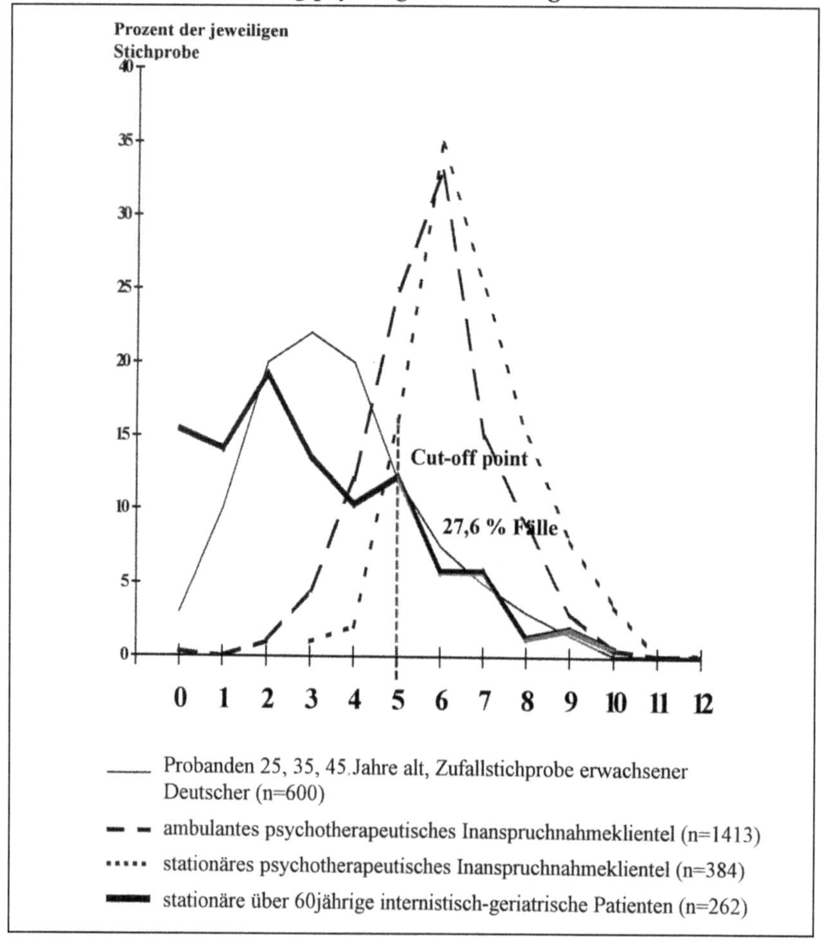

Abbildung 2: Verteilung des Beeinträchtigungs-Schwere-Score (BSS) in unterschiedlichen Stichproben

27,6% der internistisch-geriatrischen Krankenhauspatienten erfüllten die Fall-Kriterien für die Diagnose einer psychogenen Erkrankung (*Abbildung* 2). Als ›Fall‹ psychogener Erkrankung wird eingestuft, wer die Kriterien für eine ICD-10-Diagnose einer psychischen Erkrankung und für einen Beeinträchtigungs-Schwere-Score (BSS) (Schepank 1995) von ≥5 erfüllt. Die Fallprävalenz bei ≥60jährigen Patienten war somit vergleichbar mit Prävalenzen dieser Störungen in nicht altersselektierten Stichproben in internistischen Abteilungen und Allgemeinkrankenhäusern, d. h. nicht höher als bei Jüngeren (Schneider et al. 1997), ebenfalls ein Beleg für die hohe psychische Widerstandsfähigkeit (Resilienz) kognitiv nicht beeinträchtigter alter Menschen.

14% der Patienten wiesen depressive Störungen auf, 34% wiesen subklinische bzw. subsyndromale depressive Syndrome auf, d. h. depressive Syndrome, die die Kriterien der diagnostischen Manuale für die Diagnose einer spezifizierten depressiven Störung nicht erfüllen, dennoch mit klinischer Beeinträchtigung und subjektivem Leiden der Patienten einhergehen. Die Differenzierung zwischen depressiven und subklinisch depressiven Störungen gegenüber einer organisch bedingten depressiven Symptomatik bei alten Menschen, bei denen eine medizinische Komorbidität mit körperlichen Erkrankungen besteht, birgt die Gefahr der Konfundierung

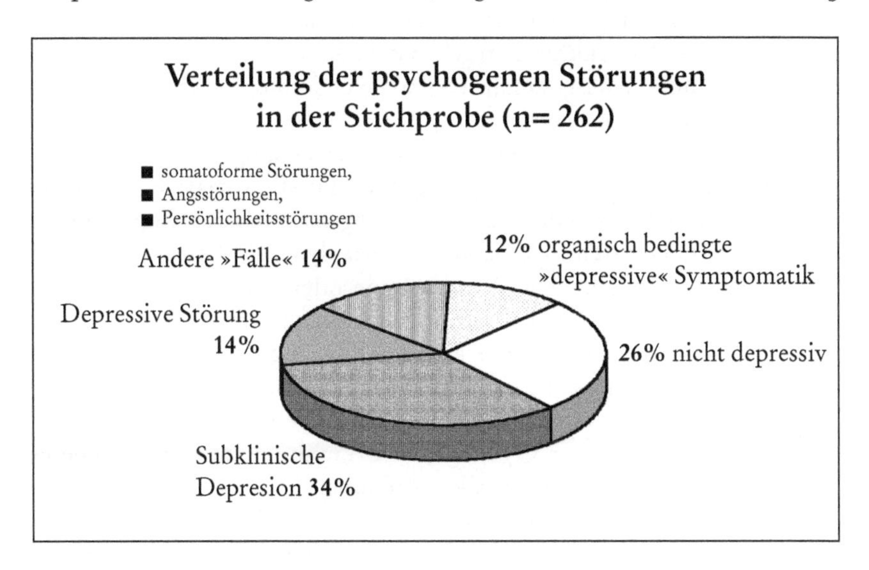

Abbildung 3: Verteilung der psychosomatischen Diagnosen in der Stichprobe.

und erfordert besondere Kompetenz. Die Autoren plädieren für eine interdisziplinäre Kooperation zwischen Internisten, Psychiatern und Psychosomatikern im Allgemeinkrankenhaus z. B. in Form von Liaisondiensten in der Diagnostik und Behandlung depressiver und subklinisch depressiver Störungen in der zweiten Lebenshälfte (Schneider et al. 2000).

Prädiktoren psychogener Störungen in der Stichprobe

Patienten mit depressiven und subklinisch depressiven Störungen wiesen im Vergleich zu den restlichen Probanden ein höheres Ausmass funktioneller Behinderung im Alltag auf, gaben eine geringere Anzahl als ›eng‹ bezeichneter Bezugspersonen an und waren mit ihren Beziehungen signifikant unzufriedener. Dieses Ergebnis zeigt einen Zusammenhang zwischen körperlicher Behinderung und sozialer Isolation mit der Entwicklung depressiver Störungen. Es belegt auch die subjektive Dimension sozialer Unterstützung: vor allem die wahrgenommene Beziehungsqualität und die emotionale Nähe, weniger die Größe des Netzwerkes insgesamt war bedeutsam.

Um die Faktoren herauszufiltern, die am besten zwischen Fällen und Nicht-Fällen psychogener Erkrankung trennen, d. h. als die wichtigsten Prädiktoren für das Fallkriterium gelten können, wurde eine Diskriminanzanalyse gerechnet, in die gesundheits- und behinderungsbezogene Variablen, Variablen des sozialen Netzwerkes, biografische Variablen und Bewältigungsstrategien als potentielle Risikofaktoren eingingen.

Obwohl körperliche Behinderung und aktuelle soziale Isolation im Mittelwertsvergleich mit depressiven Störungen assoziiert waren, trennten diskriminanzanalytisch drei andere Variablen am besten zwischen BSS-Fällen und Nicht-Fällen: Anhaltende oder wiederholt als schwer erlebte Belastungen über mehrere Lebensphasen hinweg, besonders in Relation mit wenig subjektiv erlebter Förderung, zeigten signifikante Zusammenhänge mit einem höheren Ausmass psychogener Beeinträchtigung, einem negativeren Selbstbild und einer erhöhten Wahrscheinlichkeit, im Alter zum ›Fall‹ einer psychogenen Erkrankung zu werden. Dieses biographische Item zeigte von allen Variablen die höchste Trennschärfe zwischen Fällen und Nicht-Fällen, gefolgt von zwei Bewältigungsstrategien: Emotionale Labilität erhöhte das Fallrisiko, während kognitive Umbewertung von Problemen das Fallrisiko verminderte. Dabei war das subjektive Erleben von Belastungen und Förderungen relevanter als ›objektive‹ Belastungen (Schneider et al. 1999b; c). Dieses Ergebnis stützt die Auffassung von Lehr (1987), daß weniger bestimmte Lebensereignisse selbst für die weitere Entwicklung entscheidend sind, als vielmehr die Formen der Auseinandersetzung mit diesen.

Die Ergebnisse der Diskriminanzanalyse interpretierten wir folgendermaßen: Selbst bei gegebenen altersspezifischen Belastungen wie körperlicher Behinderung und sozialer Isolation ist die individuelle Art der Bewältigung dieser Belastungen i. S. des Coping – neben lebensgeschichtlichen Erfahrungen – von entscheidender Bedeutung für die Aufrechterhaltung seelischer Gesundheit. Diese Auseinandersetzungsformen wiederum werden bestimmt durch die Einbettung dieser Ereignisse in die biographische Gesamtsituation und die dadurch gegebene kognitive Repräsentanz. Bewältigte Ereignisse und gemeisterte kritische Lebenssituationen tragen zur Persönlichkeitsentwicklung bei. Die Entwicklung im Alter kann nicht losgelöst von der Entwicklung in früheren Lebensabschnitten gesehen werden. Die Art und Weise, wie die Person aus heutiger Sicht auf ihr Leben zurückblickt, die Erfahrungen gelungener vs. mißlungener Bewältigung von Belastungen sowie die Erfahrung früherer supportiver Faktoren prägen den Stil der Auseinandersetzung mit den Belastungen im Alter.

Ausblick

Die vorgestellten Ergebnisse bestätigen insgesamt, daß der körperliche Alternsprozeß als Entwicklungsaufgabe zu verstehen ist, der sich bis ins höchste Alter fortsetzt, dessen Bewältigung den alternden Menschen fordert und auch überfordern kann. Die hier vorgestellten Ergebnisse liefern Belege für die hohe Stabilität der psychischen Gesundheit und des subjektiven Wohlbefindens und die Effektivität selbstregulatorischer Prozesse im höheren Lebensalter.

Die Deutsche Forschungsgemeinschaft (DFG) hat eine Sachbeihilfe für die Eldermen-II-Studie zugesagt[2]. In der Eldermen-II-Studie sollen zentrale gerontopsychosomatische Theorien zum somatogenen Organisator

---

2 gefördert von der Deutschen Forschungsgemeinschaft (DFG) (SCHN 657/ 1–1).

psychischer Entwicklung im Alter (Heuft 1994) und zur Rolle konflikthafter äußerer Lebensbelastungen (Aktualkonflikt) bei der Entstehung psychogener Störungen im Alter (Heuft et al. 1997a; 1997b) in einem längsschnittlichen Studienansatz, anknüpfend an die Ergebnisse der Eldermen-I-Studie, empirisch überprüft werden. Damit wird auch ein Beitrag zur Erkennung von Risikogruppen und damit zur Entwicklung präventiver und effektiver Interventionen für Menschen jenseits des 60. Lebensjahres geleistet werden.

Literatur

Baltes, P. B. (1987): Theoretical propositions of life-span developmental psychology: On the dynamics between growth and decline. In: Developmental Psychology 23, S. 611–626.

Brandstädter, J. & Renner, G. (1990): Tenacious goal pursuit and flexible goal adjustement: Explication and age-related analysis of assimilative and accomodative strategies of coping. In: Psychology and Aging 5, S. 58–67.

Brandstädter, J. & Rothermund, K. (1998): Bewältigungspotentiale im höheren Alter: Adaptive und protektive Prozesse. In: Kruse, A. (Hg.): Psychosoziale Gerontologie. Bd I: Grundlagen. Hogrefe (Göttingen), S. 223–237.

Groen, J. (1982): Psychosomatic aspects of aging. In: Groen J. (Hg.): Clinical research in psychosomatic medicine. Van Gorkum (Assen).

Havighurst, R. J. (1956): Research on the developmental task concept. In: School Review 63, S. 215–223.

Heckhausen, J. (1990): Erwerb und Funktion normativer Vorstellungen über den Lebenslauf: Ein entwicklungspsychologischer Beitrag zur sozio-psychischen Konstruktion von Biographien. In: Mayer, K. U. (Hg.): Lebensverläufe und sozialer Wandel. In: Kölner Zeitschrift für Soziologie und Sozialpsychologie 31, S. 351–373.

Heuft, G. (1994): Persönlichkeitsentwicklung im Alter – ein psychoanalytisches Entwicklungsparadigma. In: Zeitschrift für Gerontologie und Geriatrie 27, S. 116–121.

Heuft, G.; Ellerbrok, G.; Lohmann, R.; Kruse A.; Nehen, H. G. & Senf, W. (1994): Zum Stellenwert der biographischen Exploration in der gerontopsychosomatischen Grundlagenforschung am Beispiel der ELDERMEN-Studie. In: Lamprecht, F. & Johnen, R. (Hg.): Salutogenese. Ein neues Konzept in der Psychosomatik? VAS (Frankfurt/M.), S.459–468.

Heuft, G.; Hoffmann, S. O.; Mans, E. J.; Mentzos, S. & Schüssler, G. (1997a): Das Konzept des Aktualkonflikts und seine Bedeutung für die Therapie. In: Zeitschrift für Psychosomatische Medizin und Psychotherapie 43, S. 1–14.

Heuft, G.; Hoffmann, S. O.; Mans, E. J.; Mentzos, S. & Schüssler, G. (1997b): Die Bedeutung der Biographie im Konzept des Aktualkonflikts. In: Zeitschrift für Psychosomatische Medizin und Psychotherapie 43, S. 34–38.

Heuft, G.; Kruse, A. & Radebold, H. (2000): Lehrbuch der Gerontopsychosomatik und Alterspsychotherapie. Ernst Reinhardt Verlag (München).

Kahn, R. L. & Antonucci, T. C. (1980): Convoys of social support: A life-course approach. In: Baltes P. B. & Brim O. G . (Hg.): Life-Span-Development and Behavior. Band 3. Academic Press (New York), S. 253–286.

Kruse, A. (1990): Potentiale im Alter. In: Zeitschrift für Gerontologie und Geriatrie 23, S. 235–245.

Kruse, A. (1995a): Entwicklungspotentialität im Alter. Eine lebenslauf- und situationsorientierte Sicht psychischer Entwicklung. In Borscheid, P. (Hg.): Alter und Gesellschaft. Hirzel – Wissenschaftliche Verlagsgesellschaft (Stuttgart), S. 63–86.

Kruse, A. (1995b): Risiken des Alters in Zeiten gesellschaftlicher Umbrüche. In: Senf, W. & Heuft, G. (Hg.): Gesellschaftliche Umbrüche – individuelle Antworten. Verlag Akademische Schriften (Frankfurt/M.), S. 38–57.

Kruse, A. & Schmitt, E. (1995): Die psychische Situation hilfe- und pflegebedürftiger älterer Menschen. In: Zeitschrift für Gerontopsychologie und -psychiatrie 8, S. 273–288.

Kruse, A.; Schmitt, E. & Re, S. (1999): Belastungserleben hilfsbedürftiger älterer Menschen – eine ressourcen-orientierte Sicht. In: Zeitschrift für Psychosomatische Medizin und Psychotherapie 45, S. 246–259.

Kruse, A., Wahl, H.W. (1999): Persönlichkeitsentwicklung im Alter. In: Zeitschrift für Gerontopsychologie und Geriatrie 32, 279–293

Lawton, M. P. (1976): The dimensions of morale. In D. Kent, R. Kastenbaum & S. Sherwood (Eds): Research Planning and Action for the Elderly. Behavioral Publications (New York), S. 144–165.

Lawton, M. P., Brody, E.M. (1969): Assessment of Older People: Self-Maintaining and Instrumental Activities of Daily Living. Gerontologist 9, 179–186

Lehr, U. (1987): Erträgnisse biographischer Forschung in der Entwicklungspsychologie. In: Süttemann, G. & H. Thomae (Hg.): Biographie und Psychologie. Springer (Berlin), S. 217–248.

Rothermund, K. & Brandstädter, J. (1998): Auswirkungen von Belastungen und Verlusten auf die Lebensqualität: alters- und lebenszeitgebundene Moderationseffekte. In: Zeitschrift für Klinische Psychologie 27, S. 86–92.

Schepank, H. (1995): Der Beeinträchtigungs-Schwere-Score (BSS). Ein Instrument zur Bestimmung der Schwere einer psychogenen Erkrankung. Beltz (Göttingen).

Schneider, G.; Heuft, G.; Senf & W., Schepank, H. (1997): Die Adaptation des Beeinträchtigungs-Schwere-Score (BSS) für die Gerontopsychosomatik und Alterspsychotherapie. In: Zeitschrift für Psychosomatische Medizin und psychotherapie 43, S. 261–279.

Schneider, G.; Nehen, H. G. & Heuft, G. (1999 a): Der Grad Objektiver Gesundheitlicher Belastung (OGB) – ein Expertenrating zur diagnose-übergreifenden Schweregradeinschätzung somatischer Erkrankungen in der Geriatrie. In: Zeitschrift für Gerontologie und Geriatrie 32, S. 231–238.

Schneider, G.; Heuft, G.; Lohmann, R.; Nehen, H. G.; Kruse. A. & Senf, W. (1999b): Psychogene Beeinträchtigung und aktuelle Befindlichkeit im Alter – Welche

Chancen eröffnet die biographische Perspektive? In: Psychotherapie, Psychosomatik, medizinische Psychologie 49, S. 195–201.

Schneider, G.; Heuft, G.; Kruse, A. & Nehen, H. G. (1999c): Risikofaktoren psychogener Erkrankungen im Alter. In: Zeitschrift für Psychosomatische Medizin und Psychotherapie 45, S. 218–232.

Schneider, G.; Kruse, A.; Nehen, H. G.; Senf, W. & Heuft, G. (2000): The prevalence and diagnostics of subclinical depressive syndromes in inpatients 60 years and older. In: Psychotherapy and Psychosomatics 69, S. 251–260.

Steinhagen-Thiessen, E. & Borchelt, M. (1996): Morbidität, Medikation und Funktionalität im Alter. In: Mayer K. U. & Baltes, P. B. (Hg): Die Berliner Altersstudie. Akademie-Verlag (Berlin), S. 151–183.

Therapieziele für Ältere – Defizitklärung, Lebensbewältigung oder Entwicklungsförderung?

Hartmut Radebold

Die Geschichte der psychoanalytischen Psychotherapie Älterer im deutschsprachigen Bereich umfasst inzwischen über 30 Jahre (Heuft et al. 2000, S. 211–214). Die erste uns beschäftigende Frage lautete, lassen sich über 60-Jährige überhaupt psychotherapeutisch behandeln? Als weitere stellten sich dann Fragen nach dem Spektrum behandelbarer psychischer Störungen zunächst bei jüngeren Älteren, nach nutzbaren Psychotherapieformen und nach ihrer Anwendung unter unterschiedlichen Setting-Bedingungen. Die nächste Frage bezog sich auf langfristig erreichbare Veränderungen auf der Symptom-, Konflikt- und Verhaltensebene.

Parallel zur ansteigenden Zahl erfolgreich psychotherapeutisch behandelter Patienten stellte sich die Frage nach den Gründen von erfolglosen bzw. missglückten Behandlungen. Als verantwortlich dafür wurden eine ungenügende allgemeine und differentialdiagnostische Abklärung, fehlende Indikationskriterien, eine nicht ausreichend berücksichtigte Übertragungskonstellation sowie Art und Dauer der psychischen Störung angesehen.

Z. Zt. beschäftigen uns Fragen der differentiellen Therapieindikation, der spezifischen Behandlungsmöglichkeiten im stationären Bereich sowie der Behandlung über 75-/80-Jähriger.

Prinzipiell erforderliche Modifikationen?

Von Anfang an wurde die Erkundung der psychotherapeutischen Behandlungsmöglichkeiten Älterer von der Frage begleitet, ob diese eben aufgrund ihres ›Alters‹ prinzipiell Modifikationen der Zielsetzung benötigten. Vorgeschlagen wurden eine geringere therapeutische Behandlungsdosis (geringere Dauer pro Behandlungseinheit, niedrigere Frequenz, kürzere Behandlungszeit) bei einer Beschränkung der Arbeit auf der aktuellen bewußten Ebene – also in Form einer supportiven Hilfestellung. Diese Überlegungen – meist unter Hinweis auf die bekannten diesbezüglich negativen Aussagen von S. Freud (Radebold 1994) – wurden und werden damit begründet, daß diese Menschen mit dem Erreichen des ›Alters‹ jene Lebenszeit erreicht hätten, die weitgehend durch biologischen Abbau und notwendige Vorbereitung auf das Lebensende charakterisiert sei (wohl auch dem Menschenbild der Behandler entsprechend!). Aufgrund der ›self-full-filling-prophecy‹ erhielten die über 60-Jährigen eine geringere therapeutische Wirkdosis bei nachfolgendem Vorwurf, daß aufgrund ihrer ›Rigidität‹ keine größeren Behandlungschancen bestünden (Radebold 1989 a; b; 1992).

Schulenspezifische Therapieziele

Größere Behandlungserfahrungen einerseits und die sich zunehmend durchsetzende entwicklungspsychologische Sicht von über 60-Jährigen als psychosexuell und psychosozial erfahrenen Erwachsenen andererseits bei unveränderter Gültigkeit psychodynamischer Gesetzmäßigkeiten forderten dann die konsequente Übertragung schulspezifischer (hier also psychoanalytischer) Therapieziele bei Erwachsenen auch auf die Phasen jenseits des 60. Lebensjahres ein (Marschner/Heuft 1994). Nicht das erreichte chronologische Alter, sondern erst weitreichende Einschränkungen im physischen und psychischen wie auch im psychosozialen Bereich bedingen möglicherweise zu modifizierende Therapieziele, in Form der Stabilisierung einer adaptativen regressiven Situation, einer eingeschränkten Autonomie oder einer Begleitung während eines fortschreitenden organischen/hirnorganischen Krankheitsprozesses (Radebold 1992). Damit gilt auch bei über 60-Jährigen: Zuerst sind die allgemeinen schulspezifischen Zielsetzungen vorzusehen und erst dann können sich aufgrund der individuellen Situation Modifikationen ergeben.

Schulenübergreifende Therapieziele

Beim Vergleich der Zielsetzungen der verschiedenen psychotherapeutischen Schulrichtungen (Heuft et al. 2000) zeigen sich weitgehend übereinstimmend schulenübergreifende allgemeine Therapieziele, die sich insbesondere auf die aktuelle Lebenssituation und zu lösende psychosoziale Aufgaben beziehen. Folgende werden benannt:

– Fördern von Selbständigkeit und Eigenverantwortung.
– Verbesserung sozialer Fähigkeiten.

- Akzeptanz und Unterstützung des eigenen Körpers.
- Bearbeiten der Verlustthematik.
- Auseinandersetzung mit Altern und Tod.
- Fördern des Gegenwartsbezuges sowie Bilanzziehung.

(Marschner/Heuft 1994; ergänzt durch Radebold)

Therapiezielrelevante Einflüsse

Bereits in der ersten Publikation zur psychotherapeutischen Behandlung Älterer (Abraham 1919) wurde dem Alter der Neurose größere Bedeutung als dem chronologischen Alter zugemessen.

Zeitpunkt der (Erst-)Manifestation sowie Dauer der psychischen Störung ermöglichen unter Kenntnis der Biographie zuerst die diagnostische Zuordnung, dann die differentielle Therapieindikation und abschließend eine generelle Beurteilung möglicher Zielsetzungen (Abb. 1).

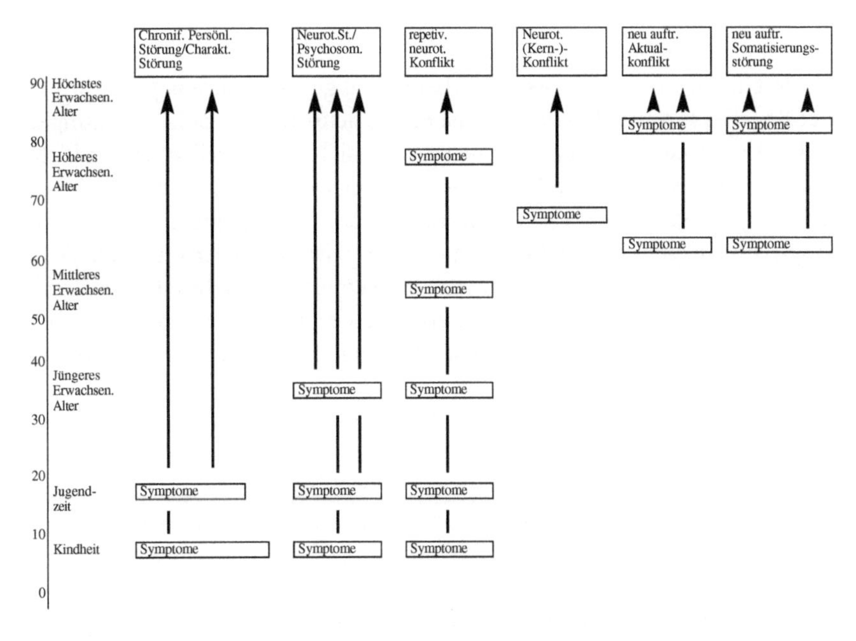

Abbildung 1: Symptom-Manifestation im Lebenslauf.

Als kaum behandelbar bzw. unbehandelbar erweisen sich (wie auch in den vorangehenden Phasen des Lebenszyklus) ichsyntone, chronifizierte Persönlichkeitsstörungen bzw. Charakterstörungen. Als ebenso prognostisch ungünstig sind neurotische/psychosomatische Störungen mit jahrzehntelanger Symptomatik, geringem Leidensdruck und ausgeprägtem sekundären Krankheitsgewinn einzuschätzen.

Als prognostisch günstig erweisen sich im Lebensablauf wiederholt auftretende (repetitive) neurotische Konflikte und sich erstmals in der Alternssituation (häufig anlässlich des Ausscheidens aus dem Arbeitsleben durch Wegfall der beruflichen Identität) in Form schwerwiegender depressiver Störungen manifestierende neurotische (Kern-)Konflikte. Ebenso günstig erscheint die Prognose bei insbesondere in der Alterssituation neu auftretenden Aktualkonflikten. Entsprechend günstig ist die Prognose bei erstmals nach dem 60. Lebensjahr auftretenden Suchterkrankungen im Gegensatz zu jahrzehntelang bestehenden Suchterkrankungen anzusehen. Über die Behandlungsmöglichkeiten von Traumatisierungen (erstmals im Alter eintretend als Trauma-Reaktivierungen oder als Retraumatisierungen) liegen bisher zu wenige Behandlungserfahrungen vor, um Aussagen zur jeweils spezifischen Zielsetzung und damit zur Prognose treffen zu können (Heuft et al. 2000).

Nachdem solche Konflikte bearbeitet und geklärt wurden, gehen wir in der Regel davon aus, daß sich die bisherigen neurotischen Einschränkungen reduzieren bzw. entfallen. Damit ergeben sich (quasi selbstverständlich) weitere psychosexuelle und psychosoziale Entwicklungsschritte (bezüglich Triebimpulsen, Beziehungen, Interessen etc.); sie ermöglichen dann eine langfristige psychische Stabilität mit entsprechender Lebensqualität. Trifft diese idealtypische Annahme, die schon bei vielen Erwachsenen im jüngeren/mittleren Alter nur teilweise zu erreichen ist, wirklich noch für über 60-Jährige zu? Für eine Antwort müssen folgende Fragen geklärt werden:

- Bei welchem psychosexuellen und psychosozialen Entwicklungsniveau setzt die Behandlung ein?
- Welche Veränderungen sind generell erreichbar?
- Bringt Altern als Entwicklungsphase i. d. R. zusätzliche Bedrohungen erreichbarer Stabilität mit sich?

Die Bestimmung eines durchschnittlichen psychosexuellen und psychosozialen Entwicklungsniveaus beinhaltet die im Rahmen dieser Arbeit nicht zu leistende Diskussion psychischer Gesundheit während des Alterns. Aufgrund eigener umfangreicher Behandlungserfahrungen und insbesondere langfristiger Katamnesen mit über 60-Jährigen soll dennoch versucht werden, einige wichtige Aspekte zu benennen. Die im folgendenden genannten Faktoren haben nicht nur im Lebensverlauf eine ausreichende psychische Stabilität gewährleistet, sondern tragen ebenso zur aktuellen Lebenszufriedenheit bei – wahrscheinlich stellen sie damit günstige Voraussetzungen für das Altern dar. Sie beziehen sich dazu – möglicherweise überraschend – auf das Erwachsenenalter. Dieses stellt die Erprobungs- und Bewährungszeit dar, in der immer wieder weitere Lebensstrukturen aufgebaut, durchgehalten und anschließend verändert werden (Levinson 1978; Vaillant/Koury 1993).

- Innere Ablösung von der Kindheitsfamilie.
- Befriedigender, erwachsenengerechter Umgang mit den eigenen libidinösen, aggressiven und narzißtischen Impulsen für sich selbst und für eine gegenseitige, längerfristig ebenfalls befriedigende Gestaltung von intragenerationellen (Partner/Partnerin, Freunde) und von nachfolgenden intergenerationellen Beziehungen (Kinder, Jüngere in Schule, Betrieb, Hochschule etc.).
- Sich immer wieder an die jeweilige Lebenssituation anpassende Gestaltung der ursprünglichen familiären intergenerationellen (Großeltern, Eltern, ältere Verwandte) und intragenerationellen (Geschwister, andere Verwandte) Beziehungen.
- Langfristig erprobte Liebes-, Arbeits- und Interessenfähigkeit.
- Zeitweiliges Erleben von Krisen, Verlusten und Belastungen, die die Fähigkeiten und Möglichkeiten des Ich jedoch nicht auf Dauer beeinträchtigen bzw. schädigen (Schneider et al. 1999).
- Akzeptanz des eigenen Körpers, insbesondere durch notwendige Entspannung/Erholung, adäquate Behandlung von Krankheiten, Annahme von Hilfsmitteln und Nutzung notwendiger Vorsorgeuntersuchungen.
- Sich während der Erwachsenenzeit weiter entwickelnde verlässliche Identität mit Nutzung ›reiferer‹ Abwehrmechanismen (Vaillant 1980) bei in der Gesamtbilanz befriedigendem Lebensrückblick, insbesondere auch auf das bisherige Erwachsenenalter.

Benutzt man jetzt diese Kriterien zur Bestimmung des psychosexuellen und psychosozialen Entwicklungsstandes von über 60-Jährigen, so lassen sich für die drei zur psychoanalytischen Psychotherapie für besonders geeignet angesehenen psychischen Störungsbilder, den repetitiven neurotischen Konflikt, den (dekompensierenden) neurotischen Kernkonflikt und den Aktualkonflikt, sowohl Aussagen über die Startsituation bei Behandlungsbeginn als auch Aussagen über die zu erwartenden generellen Veränderungsmöglichkeiten treffen.

Beim repetitiven neurotischen Konflikt weisen die Patienten im Rückblick eine konfliktträchtige/belastete Kindheit und Jugendzeit auf. Ihre Erwachsenenzeit verläuft bezüglich dieser Kriterien soweit befriedigend und stabil, daß sie ausreichend liebes-, arbeits- und interessenfähig waren. Ungelöste Konflikte (z. B. bei der immer wieder erfolglosen und enttäuschenden Suche nach einem beschützenden sowie in der Konkurrenzsituation gegenüber anderen Frauen und insgesamt bestätigenden (Vater)Mann) können mehrfach im jüngeren und mittleren Erwachsenenalter zu einer psychischen (bei der heutigen Generation Älterer nicht adäquat behandelten) Dekompensation führen; jetzt nach dem 60. Lebensjahr kann sich diese Problematik wiederum anlässlich einer neuen Beziehung zeigen. Diese Patienten bringen in der Regel erprobte und bewährte Ich-Fähigkeiten mit, blicken auf bewältigte Schwierigkeiten zurück und kennen zwischenzeitliche Lebensabschnitte mit ausreichender bis großer Befriedigung und Bestätigung. Ihre jetzige (relativ akute) Dekompensation tritt erst in einer bestimmten Verführungs- oder Bedrohungssituation ein. Unter Rückgriff auf die bestehenden Ich-Fähigkeiten und bei der nur zum Teil neurotischen Lebenserfahrungen kann eine in der Regel ausreichend endgültige Konfliktklärung erreicht werden, die das bisherige Entwicklungsniveau wiederherstellt und häufiger in Konsequenz bessere, weniger eingeengte Lebensmöglichkeiten während des Älterwerdens schafft.

Die Patienten mit einem neurotischen Kernkonflikt hatten lebenslang in Fortführung der konfliktträchtigen/beschädigten Kindheit und Jugendzeit nur wenige kurz dauernde und dazu neurotisch verlaufende Beziehungen. Ihr Leben wies geringe Befriedigungen und Interessen auf. Ihre Identität stützt sich auf die Erfüllung von familiären Delegationen oder in Umkehr auf ihre bewußte Abgrenzung gegenüber der Kindheitsfamilie sowie insbesondere auf den hoch besetzten Beruf (teilweise in altruistischer Ausprägung). Bei einem deutlich eingeschränkten Entwicklungsniveau erreichen sie die Alternssituation. Anläßlich des identitätsvermittelnden und stabilisierenden Wegfalls der Berufstätigkeit (drohend, eingetreten oder jetzt in den Folgen erst bewußt werdend) erfolgt eine weitere langfristig anhaltende

Dekompensation. Die (verständlicherweise langfristige) Behandlung erbringt jetzt die noch mögliche Bearbeitung und Klärung der aus Kindheit/Jugendzeit stammenden Konflikte und den damit verbundenen Abschied von der Kindheitsfamilie, ermöglicht die Trauer über die nicht gelebten (und zu einem größeren Teil nicht mehr erfüllbaren) Lebensmöglichkeiten und eröffnet nach Wegfall der umfangreichen neurotischen Einschränkungen/ Hemmungen neue Lebensperspektiven. Die für ihre Zukunft entscheidende Frage lautet: Kann diese Perspektive aufgrund der noch unsicheren Identität, der zu geringen Zufriedenheit im Lebensrückblic und dem größer werdenden Bewußtwerden eigener Fähigkeiten, Wünsche und Interessen noch genutzt werden?

Die Patienten mit einem Aktualkonflikt weisen mit ihrer akuten psychischen (auch psychosomatischen/funktionellen) Störung darauf hin, daß die Möglichkeiten ihres Ich subjektiv und/oder objektiv nicht ausreichen, um einen erstmals im Lebensablauf auftretenden spezifischen Konflikt oder eine besondere psychische, physische oder soziale Belastung (insbesondere Verlust und Krankheitssituation) zu bewältigen. Bei einem Lebensrückblick zeigen sie ein anhand der aufgezählten Kriterien ausreichendes Entwicklungsniveau, selbst wenn vereinzelte neurotische – aber deutlich nicht lebenseinschränkende – Züge auffallen. Unter Rückgriff auf ihre bisherigen Lebenserfahrungen und Bewältigungsstrategien kann in der Regel eine erneute psychosexuelle und psychosoziale Stabilität erreicht werden – z. T. allerdings (z. B. bei fortbestehender organischer Erkrankung mit nachfolgenden Beeinträchtigungen) auf einem eingeschränkten Entwicklungsniveau.

Entwicklungsförderung: Ein zusätzlich erforderliches Therapieziel bei älteren Erwachsenen?

Vergleicht man die Startsituation nach langfristiger Behandlung bei 60- oder 70-Jährigen insbesondere mit der Diagnose eines neurotischen Kernkonfliktes mit der bei 30-, 40- oder 50-Jährigen, so werden die sich aufgrund des Lebensalters ergebenden Schwierigkeiten deutlich: Die bisherigen (jahrzehntelang in neurotischer Weise eingegangenen und gestalteten, wenn überhaupt vorhandenen) Beziehungserfahrungen erwiesen sich als unbrauchbar – ebenso wie bisherige Abwehrstrukturen und Bewältigungsstile. In der Konsequenz bedeutet dieses:

– bestimmte Möglichkeiten wie z. B. die Gründung einer Familie, das Großziehen von Kindern, ein neuer Beruf oder weitere Berufsausübung stehen nicht mehr zur Verfügung;
– jetzt (endlich) zugelassene Wünsche, Fähigkeiten und Interessen wurden noch nicht ausreichend erprobt – dies gilt auch für neue Beziehungen;
– die eigene erweiterte und sich verändernde Identität z. B. Wegfall von Delegationen und/oder durch die Abgrenzung von der Kindheitsfamilie, erweist sich als noch nicht ausreichend stabil;
– mögliche Bedrohungen, Kränkungen oder Beschämungen durch das eigene Älterwerden sind bereits sichtbar oder vorstellbar;
– Patienten und Behandler verfügen selbst noch über keine sicheren Vorstellungen über eine mögliche weitere Entwicklung.

Dazu treten noch weitere, geschichtlich bedingte Einflüsse, die in ihrer Bedeutung (Radebold 2000) nicht unterschätzt werden dürfen:
– Die nachelterliche Gefährtenschaft (bzw. post-familiale Phase) und Verwitwungszeit stellen kulturgeschichtlich gesehen jetzt erstmals zeitlich relevante reguläre Bestandteile des Lebensablaufs (Imhoff 1981) dar. Wie sich zunehmend nach 1950 zeigte, beruhen sie auf geringerer Kinderzahl und längerer Lebenserwartung. Für die sich damit stellenden psychosozialen Aufgaben der Gestaltung langanhaltender Zweier-Beziehungen (nach dem Weggang der – wenn überhaupt noch – vorhandenen Kinder) und der Verwitwungszeit (insbesondere für die Frauen) stehen in der Regel von Seiten der vorhergehenden Generationen keine Modelle zur Verfügung; bestehende Modelle (z. B. das der Kriegswitwen) erwiesen sich als ungeeignet oder sogar abschreckend.
– Aufgrund von Erziehungsnormen oder -idealen und durch die spätere Identitätsfindung über den Beruf bzw. über mütterliche Aufgaben kennen viele heute über 60-Jährige nur in auffallend geringem Umfang ihre (i. d. R. zumindest schon in Kindheit/Jugendzeit erprobbaren) eigenen Wünsche, Fähigkeiten, Interessen und Bedürfnisse, die jetzt für ein befriedigendes Altern benötigt würden.
– Eine Teilgruppe der sogenannten »Kriegskinder« erlebte aufgrund der damaligen Umstände bei frühzeitiger Parentifizierung praktisch keine unbelastete Kindheit und Jugendzeit mit Phantasien, Kreativität, Spielmöglichkeiten oder Interessenfindung. Im Alter können sie so kaum auf die Möglichkeiten und Erfahrungen der Kindheit oder zumindest der Jugendzeit

zurückgreifen – von der damaligen unterschiedlichen Sozialisation von Jungen und Mädchen ganz abgesehen.

Somit sind die Möglichkeiten der über 60-Jährigen am Ende einer Behandlung unsicher und gefährdet. Diese Situation verlangt ganz eindeutig eine zusätzliche, weiterführende Hilfestellung.
Die von Fürstenau (1992; 1998) eingeforderte Entwicklungsförderung stützt sich auf das

> »primäre Ziel psychoanalytischer Therapie: als Analytiker dazu beizutragen, daß der Patient die bestmöglichen persönlichen, d. h. inneren Bedingungen für die Meisterung des nächsten Lebensabschnittes in sich, d. h. seinem Ich, herstellt (....). Dann ergeben sich für ihn zwei Ansatzpunkte und Richtungen für die Arbeit mit dem Patienten, die er im Prozeß seines Handelns zu integrieren hat: 1. Kann er an den gesunden, also normalen Persönlichkeitsbereichen anknüpfen, sie fördern, verstärken, kurz: ihre weitere Entwicklung anregen, und 2. sich den pathologischen Persönlichkeitsanteilen zuwenden, die aktualisiert wurden« (1994, S. 66).

Aufgrund dieser »Anforderung, den Patienten sowohl hinsichtlich seiner gesunden, normalen Persönlichkeitsanteile wie der pathologischen – und diese als Einschränkung, Behinderungen oder Verzerrung jener – zu verstehen«, ergeben sich für Erstgespräch, Behandlungsverlauf weitreichende Konsequenzen. Diese beziehen sich bei der Psychotherapie über 60-Jähriger aus unserer Sicht (Heuft et al. 2000, S. 240–256) als Ausdruck allgemeiner Entwicklungsförderung auf folgende Aspekte:

– Im Erstgespräch geht es um die bewußte Suche (Querschnittsbestandsaufnahme) von Ich-Stärken, konfliktfreien Bereichen, Ressourcen, Interessen sowie (Längsschnittbetrachtung) von befriedigenden Lebens- und Beziehungserfahrungen und brauchbaren Bewältigungsstrategien (z. B. »reifere« Abwehrmechanismen, aktive Coping-Strategien).
– Während des Behandlungsverlaufs ist ein gezieltes Benennen von für das Altern wichtiger Lebensbereiche (Überprüfung und Gestaltung von intra- und intergenerationellen Beziehungen, Suche nach eigenen Wünschen und Bedürfnissen sowie Interessen, besserer Umgang mit bzw. Akzeptanz des eigenen Körpers etc.) notwendig.

Zudem wirkt das Bewußtmachen und die Reflexion eigener Normsetzungen bezüglich des Alterns sowie bestehender Selbst-, insbesondere Idealbilder entwicklungsfördernd.

Selbstverständlich sind diese individuellen Therapieziele nicht unbekannt. Sie wurden in der Psy-BaDo (Heuft/Senf 1998, S. 40–42) bereits umfassend aufgelistet:

Hauptkategorie 1: intrapsychische Probleme und Konflikte

102 – Versorgung, Geborgenheit und Autonomie
110 – Selbstwerterleben und Kränkungen
112 – Identität
115 – Wahrnehmung eigener Gefühle und Wünsche (Selbstempathie)
117 – Schwierigkeit, Anderen Gefühle und Wünsche mitzuteilen
118 – Schwierigkeit, Entspannung und Erholung zu finden
121 – Inneres Erleben der Eltern, Stiefeltern, Adoptiveltern, Großeltern (Herkunftsfamilie)
122 – Inneres Erleben der Kinder, Stiefkinder, Adoptivkinder, Enkel (nachfolgenden Generation)
125 – Zukunftsperspektive
126 – Trauer und Verlustbewältigung
127 – fehlende Lebenslust und Lebenszufriedenheit
151 – Suche nach »Selbstheilungskräften«, eigener Kompetenz

Hauptkategorie 2: interaktionelle, psychosoziale Probleme und Konflikte

201 – Partnerschaft – ohne sexuelle Probleme
202 – Partnerschaft – mit sexuellen Problemen
206 – Einsamkeit und Kontaktstörungen
214 – Soziale Kompetenz
215 – Veränderter Umgang mit familiären Beziehungen

Hauptkategorie 3: körperbezogene Probleme und Symptome

390 – Allgemein: Körperwahrnehmung und Körperakzeptanz
391 – Körperliche, psychophysische Stabilität
392 – Trainingsbefund des Körpers (Aktivierung)
395 – Körperliche ›Verwöhnung‹/Pflege/Berührung (Massage/Fango)
396 – Vertrauen in den Körper (Wieder-) Finden (›Fit werden bzw. fühlen‹)

Hauptkategorie 4: Medikamente/stoffgebundene und nicht stoffgebundene Sucht

401 – Coping notwendiger Medikamente (z. B. Diabeteseinstellung)

Hauptkategorie 5: sozialmedizinische und Rehabilitationsziele

501 – Krankheitsbewältigung, Leben mit der Krankheit
502 – Förderung des Gesundheitsverhaltens
503 – Veränderung des Risikoverhaltens (Bewegungsmangel, Nikotin usw.)
506 – Stärkung der Fähigkeiten zur Alltagsbewältigung
507 – Sicherung und Wiedergewinnung der sozialen Integration
509 – Befähigung zur selbständigen Organisation sozialer Hilfe
510 – Motivierung zur Freizeitgestaltung
511 – Förderung der Kreativität
512 – Klärung bzw. Organisation der Wohnsituation

Diese individuellen Therapieziele müssen auf Seiten der Behandler in ihrer Bedeutung für die besondere Situation der über 60-Jährigen verstanden werden und gleichzeitig müssen die über 60-Jährigen sie in ihrer Bedeutung für sich selbst akzeptieren. Nach allen Erfahrungen kann dieser wechselseitige Erkenntnisprozeß nicht als selbstverständlich für beide vorausgesetzt werden.

Diese allgemeine Entwicklungsförderung erscheint uns gerade bei über 60-Jährigen dringend erforderlich, um eine erneute psychosexuelle und psychosoziale Stabilisierung, im günstigeren Falle auf einem besseren Entwicklungsniveau, zu erreichen. Sie reicht jedoch – wie mit der beschriebenen Ausgangsposition bei Behandlungsende verdeutlicht – zumindest für bestimmte Teilgruppen nicht aus. Sie bedürfen einer zusätzlichen Entwicklungsförderung, wie ich sie exemplarisch zunächst in der Psychoanalyse einer zu Beginn 65-jährigen Frau (vier Jahre Behandlungsdauer mit 505 Stunden bei drei bis vier Sitzungen pro Woche (Radebold/Schweizer 1996) und bei weiteren Psychoanalysen erprobte.

Diese Erprobung brachte folgende Ergebnisse: Am Ende einer längerfristigen Psychotherapie bzw. Psychoanalyse (schon zentriert auf die beiden Zielsetzungen, nämlich der Arbeit an pathologischen Persönlichkeitsanteilen und der generellen Anregung der Entwicklung der normalen Persönlichkeitsbereiche) ist es sinnvoll, einen abschließenden (selbstfinanzierten) Behandlungsabschnitt anzufügen, um gemeinsam systematisch weitere Lebensmöglichkeiten zu suchen:

– Zusätzliches Kennenlernen der eigenen Person mit ihren Bedürfnissen, Wünschen, Interessen (auch im Unbewußten) und den Phantasien in der heutigen Situation (erneuter oder nach sehr langer Lebenszeit praktisch erstmaliger) psychischer Gesundheit bei innerem und äußerem Wohlbefinden.
– Ermutigung, bestehende Beziehungen nach eigenen Bedürfnissen zu verändern, nach neuen zu suchen und diese längerfristig jetzt unneurotisch zu gestalten.
– Gezielte Unterstützung und längerfristige Begleitung bei dem Versuch der Umsetzung neuer Lösungen, um noch bestehende oder sich in anderer Form zeigende Schwierigkeiten reflexiv zu verstehen und anzugehen.
– Hilfestellung, um sich mit leider manchmal eintretenden Krankheitszuständen und Behinderungen auseinanderzusetzen und auch anders mit sich selbst und damit mit dem eigenen Körper umzugehen.

In dieser Phase wird nicht euphorische Unterstützung, sondern ermutigende Reflexion benötigt, damit auch bewußt bestimmte Phantasien und Wünsche als endlich überprüfbare Interessen aufgegeben werden können. Die jetzige Lebenssituation sollte nicht ständig durch das Gefühl »hätte ich doch nur ...« beeinträchtigt werden.

Art, Ausmaß, Richtung und Stabilität dieser Entwicklungsschritte sind bisher – abgesehen von hoffnungsvoll stimmenden Einzelerfahrungen – unbekannt. Eine klare Beantwortung setzt zahlreiche und dazu aus beidseitiger Sicht gut dokumentierte langfristige Psychotherapien oder Psychoanalysen voraus.

Erst diese auf die Situation über 60 Jähriger bezogene allgemeine und zusätzliche Entwicklungsförderung ermöglicht im Rahmen der geschilderten Möglichkeiten des beim Alterseintritt vorhandenen psychosexuellen und psychosozialen Entwicklungsniveaus, den Behandlungserfolg zu nutzen und langfristig mit der Chance weiterer Entwicklungsschritte zu stabilisieren. Darin sehen wir Präventivmaßnahmen für ein befriedigendes Altern. Diese sind auch deshalb erforderlich, weil die erreichbare Stabilität immer wieder durch – nicht von den Älteren selbst zu verantwortende – Verluste bedroht wird durch:

– Psychische/physische Veränderungen aufgrund von sich verschlechternden organischen (einschließlich hirnorganischen) Krankheiten, die sich insbesondere auf Aktivität, Leistungsfähigkeit, Potenz, Beweglichkeit sowie Hören und Sehen auswirken können.
– Verluste von zentralen, hochbesetzten Bezugspersonen (Partnerin/Partner, Kinder/Enkelkinder, Verwandte/Freunde) durch deren Wegzug, deren psychischer Veränderungen bei hirnorganischer Erkrankung oder durch deren Tod.
– Veränderung der sozialen Umwelt (Umzug, Heimaufnahme).
– Erneute und weitreichende Traumatisierungen (Vertreibung, Heimatver-lust, Überfälle, schwere Unfälle).

Vorgehensweise

Wenn man sich bezüglich der möglichen Therapieziele sowohl auf Seiten des Behandlers als auch auf Seiten des Patienten nicht sicher ist, sollte man zunächst von verabredeten kleineren Zielen ausgehen, die dann gemeinsam erweitert und näher spezifiziert werden können. Zu warnen ist vor utopisch anzusehenden Therapiezielen. Oft wünschen sich interessanterweise gerade über 70-Jährige eine »Aufarbeitung ihres gesamten Lebens«, »eine Versöhnung mit sich selbst und ihrem bisherigen Leben« oder »Klärung jahrzehntelang gestörter Familienbeziehungen«. Diese dann von Seiten der Gutachter abgelehnten Anträge (allerdings auf Seiten der Antragssteller als auf das Alter bezogene Ablehnungen wahrgenommen) drücken vermutlich den gemeinsamen unbewußten Wunsch aus, sich eine lang anhaltende Beziehung und damit auch ein weiteres ›langes‹ Leben zu sichern. Bestimmt ist die Akzeptanz des eigenen Lebens ein wichtiges Ziel, aber ebenso bestimmt nicht zentrales Ziel einer über die Krankenkassen finanzierten Behandlung. Die Frage prinzipiell unerreichbarer bzw. utopischer Therapieziele wird uns auch unter der Perspektive der Qualitätssicherung beschäftigen müssen. Insgesamt sprechen meine Erfahrungen dafür, daß die Ergebnisse fachpsychotherapeutisch durchgeführter Behandlungen besser sind, als dies zu Anfang von beiden Seiten eingeschätzt wurde.

Literatur

Abraham, K. (1919): Zur Prognose psychoanalytischer Behandlungen in vorgeschrittenem Lebensalter. In: Internationale Zeitschrift für Psychoanalyse 6, S. 113–117.

Fürstenau, P. (1992): Entwicklungsförderung durch Therapie: Grundlagen psychoanalytisch-systemischer Therapie. München (Pfeiffer), S. 64–75.

Fürstenau, P. (1998): Esoterische Psychoanalyse, exoterische Psychoanalyse und die Rolle des Therapeuten in der lösungsorientierten psychoanalytisch-systemischen kurz- und mittelfristen Therapie, In: Serge, K. & Sulz, D. (Hg): Kurz-Psychotherapien: Wege in die Zukunft der Psychotherapie. CIP-Medien (München), S. 85–101.

Heuft, G.; Kruse, A. & Radebold, H. (Hg.) (2000): Lehrbuch der Gerontopsychosomatik und Alterspsychotherapie. Reinhardt (München).

Heuft, G. & Senf, W. (1998): Praxis der Qualitätssicherung in der Psychotherapie: Das Manual zur Psy-BaDo. Thieme (Stuttgart).

Imhof, A. E. (1981): Die gewonnenen Jahre. Beck (München).

Levinson, D. J. (1978): Das Leben des Mannes. Kiepenheuer & Witsch (Köln).

Marschner, C. & Heuft, G (1994): Indikationskriterien und Therapieziele. In: Radebold, H. & Hirsch, R. D. (Hg.): Altern und Psychotherapie. Huber (Bern), S. 19–26.

Radebold, H. (1989a): Psychotherapie. In: Kisker, K. P.; Lauter, H., Meyer, J.E.; Müller, C. H. & Strömgren, E. (Hg.): Psychiatrie der Gegenwart. Bd. 8: Alterspsychiatrie. Springer (Berlin), S. 313–396.

Radebold, H. (1989 b): Psycho- und soziotherapeutische Behandlungsverfahren. In: Platt, D. & Oesterreich, K. (Hg.): Handbuch der Gerontologie. Bd. 5: Neurologie, Psychiatrie. Fischer (Stuttgart), S. 418–443.

Radebold, H. (1992): Psychodynamik und Psychotherapie Älterer. Springer (Heidelberg).

Radebold, H. (1994): Freuds Ansichten über die Behandelbarkeit Älterer. In: Zeitschrift für psychoanalytische Theorie und Praxis 9, S. 247–259.

Radebold, H., & Schweizer R. (1996): Der mühselige Aufbruch – eine Psychoanalyse im Alter. Reinhardt (München).

Schneider, G.; Heuft G.; Kruse A. & Nehen H. G. (1999): Risikofaktoren psychogener Erkrankungen im Alter. In: Zeitschrift für Psychosomatische Medizin und Psychotherapie 45, S. 218–232.

Vaillant, G.E. (1980): Werdegänge. Rohwohlt (Reinbek).

Vaillant, G. E. & Koury S. H. (1993): Late Midlife Development. In: Pollock, G. H. & Greenspan, S. I. (Hg.): The Course of Life. Band VI: Late Adulthood. International University Press (Madison) S. 1–22.

Psychoanalyse im Alter: Wiederholung, Ritual, Neubeginn?

Eine Fallstudie

Eike Hinze

Einleitung

Nach wie vor befassen sich Psychoanalytiker nur zögernd und wider-willig mit der Behandlung älterer Patienten. Aber man geht sicher nicht fehl in der Annahme, daß die zu erwartenden demographischen Veränderungen und der nach Einführung des Psychotherapeutengesetzes zu-nehmende Konkurrenzdruck unter den Psychotherapeuten mehr alte Patienten in die Behandlungszimmer spülen wird. Man kann aber auch dann davon ausgehen, daß sie eher in einem niederfrequenten Setting behandelt werden, entsprechend Radebolds (1996, S. 15) Beobachtung, »daß mit ansteigendem Alter Behandlungsfrequenz und -intensität abnehmen«. Psychoanalysen mit über 60-jährigen Patienten scheinen nach wie vor sehr exotische und zweifelhafte Unternehmungen zu sein. Veröffentlichungen darüber bleiben spärlich, wenn auch zu hoffen ist, daß Radebolds bahnbrechendes Buch (1996) andere Analytiker zu solchen Versuchen anregen könnte.

Was passiert nun, wenn ein betagter Patient auf ein ebenfalls nicht mehr junges, fast hundert Jahre altes Verfahren, die Psychoanalyse, stößt? Kämpfen dann Rituale und Wiederholungen auf beiden Seiten miteinander, in unfruchtbarer Material- und Theoriefülle verstrickt? Oder gibt es dabei auch Neues zu entdecken, neue Perspektiven, die Gewohntes in anderem Licht erscheinen lassen? Der amerikanische Analytiker Simburg (1985) machte eine typische Erfahrung, als er seinen Kollegen die Analyse einer über 60-jährigen Patientin vorstellte. Niemand kam auf die Idee, dabei vielleicht etwas Neues lernen zu können, sondern es ging allen vielmehr darum zu prüfen, ob sich mit solchen Patienten überhaupt ›richtige‹ Analysen durchführen ließen.

Der Begriff der Wiederholung wird in den folgenden Überlegungen eine wichtige Rolle spielen. Er hat eine zentrale Bedeutung in der Neurosenlehre und in allen Psychotherapien. Immer wieder werden alte internalisierte Objektbeziehungen wiederholt und den Beziehungspersonen aufgenötigt, bis hin zum scheinbar unbeeinflußbaren Wiederholungszwang. Die Psychoanalyse ist dadurch gekennzeichnet, daß sie dem Analytiker die Möglichkeit eröffnet, diesen ständigen Wiederholungen besonders tiefgründig und intensiv nachzugehen und die Bedingungen für eine größere innere Freiheit zu fördern, die starre Wiederholungen nicht mehr notwendig macht. Andererseits kann man aber auch fragen, ob sich nicht in der Psychoanalyse selbst Wiederholungszwänge etabliert haben, die eine ›klassisch‹ genannte Methode im Ritual erstarren ließen. Eine solche analytische Prokrustes-Couch wäre dann möglicherweise nicht der geeignete Ort, seelisch kranke ältere Menschen gesunden zu lassen.

Eine Beschäftigung mit der Wiederholung bzw. dem Wiederholungszwang führt zur Frage der Veränderbarkeit. Um mich dieser Frage zu nähern, möchte ich einen zunächst vielleicht sehr befremdlich erscheinenden Perspektivenwechsel vornehmen und mich der Welt des Sports und des Trainings zuwenden. Wer eine Sportart betreibt, in der bestimmte komplexe Bewegungsabläufe eine Rolle spielen, weiß, wie schwer es ist, einmal eingeschliffene, falsche Bewegungsmuster im Erwachsenenalter wieder zu verändern. Mit einer großen Kraft scheinen sich die alten Wiederholungsmuster behaupten zu wollen. Besonders im reiferen Erwachsenenalter lernt man diese Widerstände gegen Veränderungen von Bewegungsabläufen mitunter kränkend und schmerzhaft kennen. Psychotherapeuten scheinen hinsichtlich der Veränderbarkeit von seelischen ›Bewegungsabläufen‹ oft viel optimistischer. Mit zeitlich mitunter sehr begrenzten Therapiemodellen wollen sie nicht selten tiefgreifende Veränderungen im Erleben und Verhalten hervorrufen. Im Hinblick auf die relative Stabilität neuronaler Verschaltungen nach der Pubertät wundert sich der Neuropsychologe Pöppel (1999) über diesen Optimismus. Nun kann man versucht sein, der Frage seelischer Veränderbarkeit gegenüber dem Beispiel aus der körperlichen Sphäre eine Sonderstellung einzuräumen. Aber hängt man nicht mehr dem obsolet gewordenen kartesianischen Leib-Seele-Dualismus an, muß man für die Veränderung von seelischen wie auch von körperlichen »Bewegungsabläufen« gleichermaßen eine Veränderung von neuronalen Verschaltungsmustern postulieren. Der Blick hinüber in den somatischen Sportbereich kann zu einer gewissen Bescheidenheit bezüglich rascher und leichter Veränderbarkeit animieren: Bescheidenheit, aber nicht Pessimismus oder gar

Resignation. Die sich häufenden Befunde der modernen Neurowissenschaften zeigen auf eindrucksvolle Weise immer wieder die enorme Neuroplastizität des menschlichen Gehirns (Hüther 1997; Spitzer 1999). Neue neuronale Verbindungen können auch im erwachsenen Gehirn infolge neuer Erfahrungen gebildet werden. Psychoanalysen bieten die Gelegenheit besonders intensiver und lang anhaltender neuer seelischer Erfahrungen und könnten daher im Einklang mit den neurowissenschaftlichen Befunden am ehesten tiefgreifende Veränderungen der neuronalen Verschaltungen hervorrufen. Es gibt bis heute keine Hinweise, daß ältere gesunde Menschen einen stärkeren Abfall in ihrer seelischen Veränderbarkeit bzw. Neuroplastizität erleiden. Die Pubertät bildet den Übergang in eine relative neuronale Stabilität. Später sind dann interindividuelle Variationen der seelischen Flexibilität und Plastizität von größerer Bedeutung als Alterskorrelationen. Dennoch erscheint es sinnvoll, sich zu fragen, ob es Faktoren gibt, die – auch in Psychoanalysen – seelische Veränderungen bei einem älteren Menschen erschweren können.

Altersspezifisches

Bei einem älteren Menschen haben die eingefahrenen Wiederholungen neurotischer Beziehungskonstellationen bzw. spezifischer innerer Objektbeziehungsmuster eine viel längere Geschichte als bei einem jüngeren. Sie haben ihren Anpassungswert während vieler Jahre in einem langen Lebenslauf unter Beweis stellen können. Das könnte auf eine größere Stabilität neurotischer Strukturen bei älteren Patienten hinweisen. Meine klinische Erfahrung läßt mich aber vermuten, daß ein fünfzehn Jahre bestehender neurotischer Wiederholungszwang nicht weniger resistent gegenüber Veränderungen ist als ein etwa doppelt so lange persistierender. Neuere Arbeiten (Plotkin 2000; Valenstein 2000) zeigen auf eindrucksvolle Weise, welche Entwicklungsdynamik auch ältere Analysanden im analytischen Prozeß entfalten können. Valenstein beschreibt die Analyse eines zu Beginn 65-jährigen Mannes, in der dieser zwar in seinen Liebesbeziehungen ein basales Grundmuster wiederholt, dabei aber mit fortschreitendem analytischen Prozeß wachsende Freiheitsgrade und eine tiefere Emotionalität erlebt. Valenstein differenziert zwischen den jüngeren und den älteren Alten, wobei er in den Analysen letzterer eher präödipale Übertragungs-Gegenübertragungs-Konstellationen sowie mehr stützende Elemente zu erkennen glaubt. Meine Fallskizze soll jedoch zeigen, daß man das numerische Alter dabei nicht überschätzen sollte.

Man macht immer wieder die Erfahrung, daß pathologische Beziehungs- und Erlebensmuster nicht nur im jeweils individuellen Leben lange bestehen bleiben, sondern auch von einer Generation zur anderen weitergegeben werden. Das ist nun gewiß keine altersspezifische Beobachtung. Aber bei einem älteren Menschen kann man diese transgenerationelle Weitergabe oft über mehrere Generationen verfolgen. Man beobachtet die Übermittlung von den Großeltern zu den Eltern, von den Eltern weiter zum Patienten, dann aber oft auch weiter zu den eigenen Kindern und eventuell auch zu den Enkeln. Im Zusammenhang damit stellen sich Fragen von Schuld und Schuldgefühl und deren Differenzierung. Denn es geht dann nicht nur um schuldgefühlsbehaftete Phantasien, sondern hier hat ein alter Mensch mit seinen neurotischen Strukturen außer seiner eigenen Entwicklung und seinem eigenem Leben auch das Leben seiner Kinder und Enkelkinder beeinträchtigt und beschädigt. Kann eine solche Schuldthematik in einer Analyse ausreichend durchgearbeitet werden? Stehen angesichts der verglichen mit einem jüngeren Patienten kürzeren Lebenserwartung und der geringeren Gestaltungsmöglichkeit seines äußeren Lebens genügend Wiedergutmachungspotentiale zur Verfügung? Zwar ist das Über-Ich offensichtlich keine Struktur, die den älteren Menschen unter der Last sich akkumulierender Schuld zusammenbrechen läßt (Hinze 1998). Aber diese Fragen stellen dennoch eine grundsätzliche Herausforderung für Psychoanalysen mit älteren Patienten dar.

Valenstein und Plotkin betonen die Probleme in der Endphase von Analysen mit Älteren. Die Ablösung und Trennung kann durch Gegenübertragungsprobleme erschwert sein. Aber auch der alte Analysand kann große, wenn nicht gar unüberwindliche Schwierigkeiten haben, sich von einem Objekt zu trennen, das eine so zentrale Bedeutung in seinem Leben erworben hat. Kann der alte Patient sich wirklich von seinem Analytiker lösen und selbständig ein von Wiederholungen befreiteres Leben führen? Die im Folgenden beschriebene Analyse zeigt diese Fragestellung ebenfalls. Es bedarf sicher noch wesentlich umfangreicherer Erfahrung mit Analysen Älterer, um solche Fragen und Probleme besser beantworten bzw. verstehen zu können.

Eine Analysestunde

Frau A. war am Ende ihrer sieben Jahre dauernden Analyse 75 Jahre alt. Über einen langen Zeitraum fanden vier Wochenstunden statt, gegen Ende wurde die Frequenz auf drei Stunden reduziert. Anlaß für die Behandlung war eine schwere Depression, in die Frau A. nach dem Tod ihres Mannes geraten war, nachdem sie ihn zuvor viele Jahre gepflegt hatte. Der Beginn ihres Lebens war traumatisch. Ihre Mutter sah sich außerstande, ihre neugeborene Tochter zu versorgen (Schwangerschafts- bzw. Wochenbettdepression?). Frau A. wuchs deswegen bei Verwandten auf. Ein Gefühl von Ungeborgenheit und wiederkehrender Depressivität begleitete sie durch das Leben. Geborgenheit und Sicherheit hoffte sie in der Ehe mit einem erfolgreichen älteren Mann zu finden, aber untergründig blieb ihr Erleben von der Phantasie beherrscht, daß man sich von ihr abwenden würde, wenn sie lebendig und begehrend auf andere Menschen zuginge. Es gibt eine Häufung von Suiziden in der Familie. Auch die Patientin hatte zu Beginn der Analyse zwei ernstzunehmende Suizidversuche hinter sich. Eins ihrer Kinder nahm sich das Leben. Durch die ganze Familiengeschichte zieht sich eine düstere Tradition von Ungeborgenheit, Verlassenwerden und Depression. Frau A. hat es aber geschafft, ein sozial erfolgreiches Leben zu führen mit einer Vielzahl von Kontakten, wobei sie immer dann ihre Unsicherheit und Mißtrauen spürt, wenn Bindungen enger werden. Die Übertragungs- und Gegenübertragungsdynamik war über weite Strecken beherrscht von der tiefen Beziehungsstörung der Patientin. Wenn sich die Beziehung zum Analytiker vertiefte, reagierte sie oft depressiv bis hin zur Suizidalität. Die Angst vor einer abhängigen Beziehung wuchs. Ihr lebendiger Anteil schien oft ich-fremd auf den Analytiker projiziert zu sein, der dann das Empfinden hatte, um das Leben und die Entwicklung in der Analyse kämpfen zu müssen.

Die hier wiedergegebene Analysestunde stammt aus dem 6. Jahr der Analyse und ist die Stunde vor dem Wochenende (P. = Patientin, A. = Analytiker).

P.: Ich fühle mich besser. Das Antihistamin hat gewirkt (Sie leidet seit einiger Zeit an einem vasomotorischen Schnupfen mit Bindehautreizung). Und ich war auch bei einem Augenarzt, er hat mir einige Tropfen verschrieben. Aber was seltsam ist: mein Blut wurde doch auf Substanzen, die für allergische Reaktionen typisch sind, untersucht. Der Befund war aber negativ. Gestern besuchte mich Klaus (ihr Sohn), wir sprachen über seine Ehe. Er und seine Frau sprechen

nicht mehr viel miteinander. Seine Frau ist zwar verläßlich und ordentlich, aber so zurückhaltend und wenig lebendig. Es gibt Gründe dafür in ihrer Familie. Ihr Vater beging Suizid. Gestern sah ich zufällig eine Fernsehsendung über einen Schweizer Arzt, der schwer kranken Menschen Sterbehilfe leistet. Auch seelisch Kranken, z. B. Depressiven. Hauptsache, es ist ihre Entscheidung. Er nannte sogar das spezielle Selbstmordmittel. Eine Frau, die auf diese Weise ihren sterbenden Ehemann begleitete, erschien richtig glücklich. Aber im allgemeinen ist dieses Thema ein öffentliches Tabu. Viele Leute würden aber gerne auf diese Weise selber bestimmen wollen, wann sie sterben.
A.: Das mag vielleicht nicht so problematisch sein, wenn jemand körperlich hoffnungslos erkrankt ist. Aber mit seelischen Störungen, z. B. einer Depression, ist das doch etwas anderes.
P.: Da muß man immer den Einfluß der christlichen Religion berücksichtigen. (Und sie beginnt, wie manchmal, auf die Kirche zu schimpfen.)
A.: Ich glaube, darum geht es jetzt nicht so sehr. Es ist doch etwas sehr Persönliches. Was den Selbstmord betrifft, da kennen Sie doch sehr gut beide Seiten.
P.: Wenn der Wunsch, sich umzubringen, so gebieterisch wird, ist man nicht mehr in der Lage, an andere Menschen zu denken. Das war auch so bei Maria (ihre Tochter, die Selbstmord beging). Für mich persönlich ist es sehr wichtig, meine Kinder nicht mit meinem Haushalt zu belasten. Ich möchte ihnen nicht all diese Scheußlichkeiten aufbürden.
A.: Ich glaube, Sie sprechen jetzt mehr von Ihrem inneren, seelischen Haushalt.
P.: Ich kann mir nicht vorstellen, daß meine Kinder mich als Erwachsene noch brauchen. Obwohl Klaus gerne bei mir ist und sich mit mir unterhält. Und ich mag die Unterhaltungen mit ihm auch. Aber gleichzeitig will ich auch kein Muttersöhnchen haben, das immer seine Mama braucht, um Entscheidungen zu treffen.
A.: Aber was Ihre Selbstmordneigung, Ihre Todessehnsucht betrifft: welche Rolle spiele ich denn da?
P.: Würde es Ihnen denn – beruflich – etwas ausmachen, wenn ein Patient von Ihnen Selbstmord beginge? Das kann ich mir nicht vorstellen.
A.: Unpersönlicher konnten Sie das nun wirklich nicht sagen!
P.: Nein, ich kann mir das nicht vorstellen. Die Situation damals mit Maria Sie hatte Wochenendurlaub während ihrer stationären Behandlung. In gewisser Weise tragen ihre Ärzte die Verantwortung. Im Grunde müßten sie eigentlich zur Rechenschaft gezogen werden.

A.: Sie scheinen in dieser Frage sehr zwiespältig zu sein. Einerseits sind die Ärzte verantwortlich und andererseits stellen Sie sich mich völlig desinteressiert vor.
P.: Sie hätten es wissen müssen. Sie hätten sie nicht gehen lassen dürfen.
A.: Ich glaube, Sie sagen mir das jetzt sehr direkt und persönlich. Heute ist Freitag, und das Wochenende beginnt.
P.: Es ist schwierig, mich so ernst zu nehmen, mich im Mittelpunkt zu fühlen. Ich brauche diese Möglichkeit (mich umzubringen). Am besten, man besäße so eine Droge selber. Mein Vater hatte so ein Mittel immer in seinem Safe.
A.: Bei Ihrem Vater war es wohl eher eine panische Kurzschlußreaktion. Wie hätte sich wohl alles entwickelt, wenn ihn jemand am Selbstmord gehindert hätte?
P.: Wenn er gewußt hätte, daß wir noch leben? Aber er war in den Wirren des Kriegsendes in einer verzweifelten Situation, ganz isoliert.
A.: Was meine Haltung anbelangt, scheinen Sie auch recht zwiespältig zu sein. Sie möchten nicht, daß ich ganz unbeteiligt und desinteressiert bin.
P.: Als würde ich Ihnen die ganze Verantwortung geben. Das ist ein abwegiger Gedanke.
A.: Abwegig? Aber Sie denken ihn trotzdem. Sie möchten es, und gleichzeitig lehnen Sie sich dagegen auf.
P.: Aber warum ist das so? Sie sind doch unerreichbar. Außerhalb der Stunden kann ich nicht zu Ihnen kommen.
A.: Ist das so einfach? Einerseits ist die Analyse auf die Stunden beschränkt. Aber andererseits haben Sie nie daran gedacht, mich anzurufen?
P.: Das wäre nicht richtig. Ich würde Sie belasten, nerven. Und außerdem wüßte ich gar nicht, was ich Ihnen sagen sollte. Nur daß ich depressiv sei und nicht mehr länger leben möchte.
A.: So bin ich unerreichbar, und gleichzeitig fürchten Sie, mich zu sehr zu belasten?
P.: Aber was könnten Sie tun, mich beruhigen und beschwichtigen?
A.: Das würde Ihnen nicht helfen. Ich weiß jetzt auch nicht, was ich Ihnen sagen könnte. Aber was Sie betrifft: Mich einfach anzurufen ist für Sie schon ein für mich unzumutbares Anliegen. Es ist Ihre alte Überzeugung, daß Sie niemanden mit Ihrem Elend belasten dürfen.
P.: Wie würde ich reagieren, wenn jemand auf mich zukäme. Marias letzter Abend. Es war so seltsam. Sie schien so hoffnungslos und verzweifelt. Aber ich konnte mir dennoch nicht vorstellen, daß sie es tun würde. Es ist schwierig, sich dann einzufühlen. Sie war mir so nahe. Hätte sie doch nur

darüber gesprochen! Es ist so schwierig, damit umzugehen. Wenn jemand einem nicht so nahe ist, will er gar nicht darauf angesprochen werden. Und ist einem jemand so nahe, kann das Sprechen so schwierig werden.
A.: Ich glaube aber, daß genau das hier so wichtig ist, über Ihren selbstmörderischen Anteil zu sprechen und Ihnen gleichzeitig die Freiheit einzuräumen, es gegebenenfalls doch zu tun.
P.: Ja. Aber dann ist kein Kontakt mehr möglich. In einem solchen Zustand finde ich keinen Zugang mehr zum Anderen.
A.: Wir können darüber sprechen, wenn Sie nicht akut suizidal sind. Oder glauben Sie, daß wir darüber überhaupt nicht sprechen können?
P.: Ich denke oft daran. Im letzten Winter fühlte ich mich so belastet, dunkel, eingesperrt. Da dachte ich, niemals wieder so einen Winter! Nun stelle ich mir oft vor, daß es wieder so unerträglich wird und ich es nicht mehr aushalten kann. Es ist leichter, sein Leben zu beenden, als solche Stimmungen zu ertragen.
Bei Maria spielte die Familie ihres Mannes eine verhängnisvolle Rolle. Man verachtete sie, man nahm ihr alle Hoffnung.
Was mag meinen Vater bewogen haben? Er war in so einer ausweglosen Situation!
A.: Ihr Vater war allein. Hier ist es eine andere Situation.
P.: Selbstmord ist ein Versuch, alle Schwierigkeiten loszuwerden, einfach beiseite zu treten.
Ich glaube, ich beschäftige mich heute so sehr mit Selbstmord, weil ich gestern abend eine Fernsehsendung über den österreichischen Thronfolger Rudolf sah. Er erschoß seine Geliebte und dann sich selbst in einer depressiven Phase. Er hatte wohl den Ungarn etwas versprochen, was er aus politischen Gründen nicht halten konnte. Und er zog es vor zu sterben, weil er kein Lügner sein wollte. Der Film war nicht sehr gut. Aber er hat mich sehr beeindruckt.

Diskussion

Die möglichst getreue Darstellung einer eigenen Analysestunde ruft im Analytiker meist recht gemischte Gefühle hervor. Man zweifelt im nachhinein oft an der Prägnanz der eigenen Interventionen und sieht Inhalte, die in der Stunde unberücksichtigt blieben. Bei einer so alten Patientin fragt man sich darüber hinaus auch leicht, ob dies überhaupt eine richtige Psychoanalyse sei. Ganz grundsätzlich fühlt man sich in Frage gestellt, indem man sich die Skepsis phantasierter kritischer Kollegen zu eigen macht. Ich glaube nicht, daß ich damit ein höchstpersönliches Problem darstelle, sondern eher den Niederschlag der unter Analytikern so weit verbreiteten Abneigung gegen Psychoanalysen mit alten Patienten. Selbst Valenstein schreibt: »In welch einem Ausmaß ist so eine Analyse noch eine richtige Analyse und wann wird die psychoanalytische Behandlung eines älteren Patienten mehr eine psychoanalytisch orientierte Psychotherapie (2000, S.1581; Übersetzung E.H.)?« Mir bleibt aber die Hoffnung, dem Leser den Eindruck einer ›richtigen‹ Analysestunde vermittelt zu haben, wie kritisch er auch meinen Deutungen gegenüberstehen mag.

Es soll nicht versucht werden, den gesamten analytischen Gehalt der Stunde zu untersuchen, sondern ich möchte mich auf einige für meine weiteren Überlegungen wesentliche Linien beschränken.

Ein Leitthema der Stunde ist die Suizidalität der Patientin, ja fast eine Idealisierung des Suizids. Die Identifizierung mit dem suizidierten Vater klingt an, auch mit der Tochter. Der Tagesrest der Stunde, wählt man den Vergleich mit einem Traum, ist die Fernsehsendung über den Kronprinzen Rudolf. Identifiziert sie sich mit dessen Mutter, der ebenfalls depressiven Kaiserin Elisabeth? Es hat den Anschein, daß ihre Tochter, die später Suizid beging, die Verkörperung des Lebendigen der Patientin darstellte. In der Übertragung trete ich ihre Nachfolge an. In Identifizierung mit ihrem selbstmörderischen Anteil kann sie das eigene Lebendige in mir angreifen. Was geschieht, wenn sie dieses Lebendige internalisiert und als zu sich gehörig betrachtet? Um diesen Prozeß geht es in vielen Stunden, die dargestellte Sitzung vermittelt von diesem Prozeß nur eine Andeutung. Eine entscheidende Frage, auch hinsichtlich der weiteren Prognose stellt sich. Kann Frau A. ihre Ambivalenz und die damit verbundenen Schuldgefühle ertragen, wenn sie sich verstärkt damit auseinandersetzt, daß der Lebensweg und spätere Freitod ihrer Tochter durch sie mitgestaltet wurde? Stellen sich solche Fragen in einer Analyse, wird gleichzeitig die Frage nach den Wiedergutmachungsmöglichkeiten laut. Welche Möglichkeiten hat ein Analysand, den in seiner inneren Welt den Objekten zugefügten Schaden wiedergutzumachen? Diese Fragen sind altersinvariant und spielen in allen Analysen eine wichtige Rolle. Bei jüngeren Patienten kann man aber versucht sein, hierbei äußere Faktoren, wie Partnerschaft, Beruf, Kinder etc. über Gebühr mitzuberücksichtigen und den Phantasiecharakter der zugefügten Schäden zu betonen. Bei einem alten Analysanden sind die äußeren Möglichkeiten eingeschränkt, und außerdem spielen vermehrt reale Einflußnahmen und Schädigungen an Realobjekten eine Rolle. Leicht kann daraus eine pessimistische Einschätzung der Reparationsmöglichkeiten eines Analysanden erwachsen. Aber Reparation ist ein innerseelischer Prozeß, und die oben erwähnten Einschätzungen hängen im hohen Maß von der Einstellung des Analytikers zum Alter, auch dem eigenen, ab.

Frau A. hat ihre Analyse inzwischen beendet. In der Endphase ihrer Analyse hat sie die Auseinandersetzung mit ihrer Ambivalenz und ihren Gefühlen von Verantwortung und Schuld vertieft, wobei allerdings der Analyse ihrer Schuldgefühle hinsichtlich des Suizids ihrer Tochter Grenzen gesetzt waren.

Im Zusammenhang mit den geäußerten Überlegungen spielt natürlich die einem Analysanden noch verbleibende Zeit eine wichtige Rolle, besonders auch für die Beendigung einer Analyse. In der Analyse von Frau A. spielte das Thema des Endes und der Trennung von Anfang an eine herausragende Rolle. Sie konnte sich zunächst überhaupt keine erträgliche oder gar gute Trennung vorstellen und sprach oft von Abbruch und Suizid. Mit der langsamen Entwicklung ihrer Fähigkeit, ein gutes inneres Objekt auch während Trennungen aufrechtzuerhalten, rückte ein Analysenende immer mehr in eine vorstellbare Nähe. In einem langen Vorbereitungsprozeß einigten wir uns schließlich auf einen Termin. Zu meiner Überraschung empfand ich nach der letzten Stunde keine Gefühle von Abschiedsschmerz oder Traurigkeit. Ich verstand dies als einen Hinweis darauf, daß Frau A. sich innerlich eben doch nicht von mir getrennt hatte. Einige Monate nach Analysenende suchte sie mich noch einmal auf, um, wie mir schien, sich meiner Existenz und weiteren Verfügbarkeit zu versichern. In der Folgezeit (eine längere Katamnese liegt mir noch nicht vor) habe ich nichts mehr von ihr gehört.

Die idealtypische innere Loslösung vom Analytiker wird sicher auch in Analysen Jüngerer nicht immer erreicht. Und des öfteren bleibt die Vorstellung eines im Notfall erreichbaren realen Analytikers ein wichtiges Element psychischer Stabilität auch nach erfolgreich abgeschlossenen Analysen. Bei älteren Analysanden mag sich dieses Problem aber akzentuieren. In der folgenden groben Modellrechnung gehe ich einmal von einer mittleren Lebenserwartung von 80 Jahren aus. Unterzieht sich nun ein 30-jähriger Patient einer 7-jährigen Psychoanalyse, so verbringt er mit diesem Unternehmen 14% seiner Restlebenszeit. Ein zu Beginn seiner Analyse aber bereits 70jähriger Patient füllt mit einer 7-jährigen Analyse bereits 70% seiner verbleibenden Restlebenszeit aus. Der Analytiker gewinnt damit für sein weiteres Leben als Realobjekt eine größere Bedeutung, als dies bei einem Jüngeren der Fall wäre. Diese einfache Modellrechnung könnte zur Vorsicht gegenüber Analysen mit älteren Patienten mahnen. Nun darf man bei diesen Überlegungen aber nicht übersehen, daß die Zeit der Analyse keine Übergangs- oder Wartezeit auf ein besseres Leben darstellt, sondern daß gerade die Zeitspanne einer längerdauernden Analyse eine auch subjektiv so erlebte fruchtbare Entwicklung darstellen kann. Zum anderen gehört die Vorstellung der Vergangenheit an, daß die Realperson des Analytikers keine wesentliche Rolle in einer Analyse spielt und seine Funktion mit der sog. vollständigen Auflösung der Übertragungsneurose beendet ist. Ob ein Analysand jung oder alt ist, der Analytiker spielt auch als reale Person in seinem Leben eine wichtige Rolle. Das tut der Möglichkeit keinen Abbruch, ihn auch in seiner analytischen Funktion als entwicklungsförderndes Element zu nutzen. Allerdings werfen Analysen, wie die von Frau A., Fragen nach der Beendigung auf. Gibt es vielleicht doch bei älteren Analysanden spezifische Schwierigkeiten, eine Analyse zu beenden? Es könnte sein, daß die größere Nähe zum Tod und zur Hinfälligkeit eine Auflösung der Übertragung und der Bindung an den Analytiker und damit eine Beendigung der Analyse erschwert. Valenstein empfielt deshalb für den älteren Patienten eine offene Tür auch nach Analysenende. An dieser Stelle sind sicher weitere Erfahrungen mit Analysen Älterer unumgänglich.

Frau A.'s innere Welt ist in ihrer langen Analyse reicher und reifer geworden. Eine vergleichbare Entwicklung ohne eine solche Analyse ist nicht recht vorstellbar. Es bleibt zu hoffen, daß die Erfahrungen mit solchen Unternehmungen anwachsen und eine differenziertere Formulierung und auch Beantwortung altersspezifischer Fragestellungen möglich wird.

Psychoanalyse und Ritual

Ich habe versucht darzustellen, daß sich Analysen mit älteren Patienten nicht in einem fruchtlosen Kampf mit perpetuierten neurotischen Wiederholungszwängen erschöpfen müssen. Implizit wurde dabei auch die Psychoanalyse als ein nach wie vor sehr lebendiges entwicklungsförderndes Instrument skizziert. Aber es lohnt sich vielleicht doch, die anfangs gestellte Frage noch einmal aufzugreifen, ob diese inzwischen hundert Jahre alt gewordene Methode selbst das Opfer von Wiederholungen und Ritualen geworden ist. Im Einklang mit den anderen Autoren, die über solche Analysen berichten, kann ich diese Frage guten Gewissens verneinen. Sicher hat die Psychoanalyse in ihrer Geschichte immer wieder mit Erstarrungen und rituellen Verkrustungen zu kämpfen gehabt. Aber in ihrem Kern erweist sich die klassische Analyse mit ihren zentralen Elementen der freien Assoziation und dem Pendant der gleichschwebenden Aufmerksamkeit auch in der Begegnung mit älteren Analysanden als eine nach wie vor lebendige und Lebendigkeit fördernde Methode. Gerade die Begegnung mit älteren Analysanden macht es dem Analytiker dabei schwer, orthodoxen Ritualen anheimzufallen. Ältere Patienten bringen im allgemeinen ein großes Maß an Reife und Lebenserfahrung mit in die Analyse, welches dasjenige des Analytikers oft übersteigt. In einem solchen Dialog kann man nicht den weisen, deutenden Guru spielen, der über einen Königsweg zu den ›facts of life‹ (Money-Kyrle 1968) verfügt. Dazu können jüngere Patienten leichter verführen. Die Begegnung mit älteren Analysanden fördert einen offenen, eher die Symmetrie zwischen Analytiker und Analysand betonenden Dialog (Hinze 1992). Das klassische analytische Setting wird sicher nicht zur Standardmethode der Behandlung über 60-Jähriger. Aber für etliche dieser alten Menschen, und ich zähle Frau A. dazu, wird sie den einzigen Weg zu einem echten seelischen Neubeginn darstellen. Und wenn daraus auch eine Belebung für die Psychoanalyse resultiert, kann das nur zusätzlich zu solchen Versuchen ermuntern.

Literatur

Hinze, E. (1992): Die Symmetrie in der Beziehung zwischen Analytiker und Analysand. In: Jahrbuch der Psychoanalyse 29, S. 9–28.

Hinze, E. (1998): Schuldgefühle im Alter: Zur Problematik von Schuld und Schuldgefühl. In: Teising, M. (Hg.): Altern: Äußere Realität, innere Wirklichkeiten. Westdeutscher Verlag (Opladen).

Hüther, G. (1997): Biologie der Angst: Wie aus Streß Gefühle werden. Vandenhoeck & Ruprecht (Göttingen).

Money-Kyrle, R. E. (1968): Cognitive Development. In: International Journal of Psycho-Analysis 49, S. 691–698.

Plotkin, F. (2000): Treatment of the Older Adult: the Impact on the Psychoanalyst. In: Journal of the American Psychoanalytic Association 48, S. 1591–1616.

Pöppel, E. (1999): Über die allmähliche Verfertigung der Gedanken beim Gehen. Vortrag im Berliner Psychoanalytischen Institut.

Radebold, H. & Schweizer, R. (1996): Der mühselige Aufbruch. Über Psychoanalyse im Alter. Fischer (Frankfurt/M.).

Simburg, E. J. (1985): Psychoanalysis of the Older Patient. In: Journal of the Ameri-

can Psychoanalytic Association 33, S. 117–132.
Spitzer, M. (1999): Zur Bedeutung der Neuroplastizität kortikaler Karten für die Therapie schizophrener Störungen. In: Fortschritte der Neurologie und Psychiatrie 67, Sonderheft 2, S. 53–57.
Valenstein, A. F. (2000): The Older Patient in Psychoanalysis. In: Journal of the American Psychoanlytic Association 48, S. 1563–1589.

»...denn Gefühle altern nicht« – Übertragungsprozesse in der stationären Behandlung Älterer

Meinolf Peters und Annekathrin Fels

Einleitung

».....denn Gefühle altern nicht«, so eine ältere Patientin trotzig, selbstbewußt, sich einem Defizitdenken entgegenstellend, als ob sie sagen würde, auch Ältere haben eine Seele und sind Teil dieser Welt und der sozialen Gemeinschaft. Sie hatte offenbar in dem Moment das Gefühl, auf etwas hinweisen zu müssen, das als selbstverständlich erscheint und es dennoch nicht ist. Die Aussage enthält aber auch den Hinweis, daß Gefühle – verstanden hier vielleicht als Bild für die Seele des Menschen – ein Teil der Persönlichkeit sind, der anders als der Körper, in den sich die Zeichen der Zeit eingraben, keinem Abbauprozeß unterliegt, sondern der Persönlichkeit bis ins hohe Alter Kontinuität verleihen. »...denn Gefühle altern nicht« verweist demnach auf das, was dem Leben einen inneren Zusammenhalt verschafft und eine Verbindung von früher und heute herstellt. Nichts anderes aber umschreibt der Übertragungsprozeß, der zu erfassen versucht, wie wir Gegenwärtiges aufgrund vergangener Erfahrungen zu erkennen versuchen und mit einer Bedeutung versehen. Es sind die Gefühle, die zusammen mit der Wahrnehmung und vor aller Rationalität dem Menschen die Welt öffnen und seine Erfahrungen lenken und kontrollieren. Übertragungsprozesse bei älteren Menschen zu untersuchen heißt demzufolge auch, sich einem Defizitdenken entgegenzustellen.

Von diesen Ausgangsüberlegungen ausgehend sollen in diesem Beitrag Übertragungsprozesse in der stationären Psychotherapie Älterer untersucht werden, also in einer Behandlungsform, die durch die spezifische Rahmensetzung, die Vielfalt der Begegnungen und therapeutischen Angebote als eine Form der Intensivtherapie bezeichnet werden kann, in der Gefühle gewissermaßen verdichtet und zugespitzt in Erscheinung treten. Dabei gehen wir von unseren Erfahrungen in der Abteilung Gerontopsychosomatik und -psychotherapie der Rothaarklinik für Psychosomatische Medizin aus und versuchen darzulegen, wie sich Übertragungsprozesse entwickeln und wie wir damit umzugehen versuchen.

Übertragunsprozesse in der stationären Psychotheapie

Die stationäre Psychotherapie hat in Deutschland in den 70er Jahren einen enormen Aufschwung erfahren, in den 80er Jahren wurde das integrative Behandlungskonzept ausformuliert, das bis heute trotz zahlreicher Modifikationen und Ergänzungen Grundlage der tiefenpsychologisch fundierten stationären Behandlung geblieben ist (Becker/Senf 1988; Janssen 1987). Im Mittelpunkt des Konzeptes steht die Annahme, derzufolge der Patient im Beziehungsfeld der Station die Welt seiner infantilen Objektbeziehungen reinszeniert. Daraus folgt, daß die verschiedenen Behandlungselemente nicht nur methodenspezifisch betrachtet werden, sondern auch als Form einer sozialen Interaktion, in der sich jeweils Facetten des inneren Konfliktes und des pathologischen Beziehungsmusters des Patienten abbilden können. Diese Facetten offenbaren Übertragungsanteile, die an unterschiedlichen Orten und in unterschiedlichen Beziehungen im stationären Setting Eingang finden. Das, was sich in einer ambulanten Behandlung innerhalb eines längeren Prozesses nacheinander entwickeln kann, vermag sich im multiplen Beziehungsnetz der Station simultan darzustellen. Die Mitarbeiter führen dann nicht nur eine bestimmte therapeutische Methode durch, sondern sie sind darüber hinaus angehalten, ihre Interaktionserfahrungen im Team mitzuteilen und dadurch an einem komplexen, therapeutisch reflektierten Prozeß teilzunehmen. Damit wird deutlich, daß im integrativen Konzept das gesamte klinische Feld als ›dynamische Einheit‹ konzipiert wird. Integration besteht dann in dem Bemühen um das Verstehen eines gemeinsamen Sinns, welcher der individuellen Problematik des Patienten zugrundeliegt. Insbesondere diese Form der Analyse und Bearbeitung multipler Übertragungen beschreibt das Spezifische der stationären Therapie.

Das integrative Konzept wurde in kleinen universitären Einrichtungen entwickelt und mit sorgfältig ausgesuchten und gut vorbereiteten Patienten praktiziert, die vorrangig an ich-strukturellen Störungen litten, und die dort meist über eine sehr lange Zeit behandelt wurden. Dies entspricht aber nicht der Realität von Großkliniken. Das klinische Feld dort ist weitaus breiter gefächert und damit unübersichtlicher, die Behandlungszeiten sind erheblich kürzer, es werden viele Patienten behandelt, die fremdmotiviert und somit kaum auf eine solche Behandlung vorbereitet und auch nicht ohne weiteres in der Lage oder willens sind, sich auf eine Form der Psychotherapie einzulassen, deren Wirksamkeit jedoch wesentlich von der Aufnahmebereitschaft und der Fähigkeit zur Selbstreflexion bestimmt wird. Dies scheint im integrativen Konzept bzw. bei dessen Transfer auf Großkliniken nicht ausreichend berücksichtigt worden zu sein. Auch die Gruppe der älteren Patienten gehört zu derjenigen, die nicht ohne weiteres einen Zugang zu einem Angebot findet, das auf Beziehungserfahrungen im Hier-und-Jetzt fokussiert. Ein solches Angebot erscheint ihnen befremdlich und vielen fällt es schwer, ihre Gefühle wahrzunehmen, zu verbalisieren und zu reflektieren, zumal sie oftmals schwere Kränkungen und Verluste erlitten haben, die ihr Vertrauen erschüttert und sie der äußeren Welt entfremdet haben (Peters et al. 2000). Dem in der Arbeit mit Älteren Erfahrenen vermittelt sich unweigerlich, daß man diesen Patienten mit einer Bereitschaft zu einer lebendigen Beziehung und in einer aktiven und natürlichen Weise begegnen muß, zumal auf einer Psychotherapiestation, die von lebendigen Begegnungen in einem entwicklungsfördernden Klima lebt. In der Literatur wird bei behandlungstechnischen Empfehlungen zur Behandlung Älterer durch den Hinweis auf die Notwendigkeit eines höheren Masses an Aktivität dieser Erfahrung Rechnung getragen, ohne daß allerdings genauer gesagt würde, worin diese Aktivität bestehen sollte. Das integrative Konzept allerdings bietet kaum Hinweise für eine solches aktives Beteiligtsein an der Gestaltung der therapeutischen Beziehung, basiert es doch u. E. auf einem Verständnis von Übertragung, das insofern als klassisch zu bezeichnen ist, als es dem Therapeuten auf eine weitgehend passive, außenstehende Rolle festlegt. Zwar wird konzidiert, daß der stationäre Raum gewissermaßen ein Reizklima für bestimmte Übertragungsformen, insbesondere im Sinn von Spaltungsphänomenen bzw. Teilobjektbeziehungen darstellt (Möhlen/Heising 1980), dennoch erscheint das hier entworfene Bild des Therapeuten als leere Porjektionsfläche, dessen Aufgabe sich auf seine interpretative Funktion beschränkt. Dieses Bild des passiven, nur spiegelnden Analytikers hatte Thomä (1981) bereits 1981 in seinem Buch mit dem programmatischen Untertitel *Vom spiegelnden zum aktiven Psychoanalytiker* in überzeugender Weise kritisiert. Angeregt durch die Arbeiten von Thomä (1984a; 1999; 2000) sowie von Gill (1996) ist heute eine lebhafte Diskussion um das Verständnis der Übertragungsprozesse und das Verhalten des Analytikers zu beobachten; zu verweisen ist in diesem Zusammenhang auf das Sonderheft der *Psyche* aus dem Jahre 1999 und eine neue Arbeit von Will (2001), in der dieser die aktuelle Diskussion zusammenfaßt.

Ein solch veränderter Übertragungsbegriff, so unsere These, erleichtert die Behandlung Älterer wesentlich und bietet die Möglichkeit, die geforderte Aktivität innerhalb einer intersubjektiv verstandenen therapeutischen Beziehung zu konkretisieren und mit Inhalt zu füllen. Unter diesen Prämissen möchten wir, ausgehend von der Arbeit von Gill, drei Aspekte des Übertragungsprozesses in der stationären Behandlung Älterer beleuchten:
1. Die Entwicklung eines Behandlungsbündnisses
2. Die eigentliche Entfaltung der multiplen Übertragung.
3. Distanzierung von der Übertragung und der Neubeginn.

Entwicklung einer milden positiven Übertragung

In der Laienanalyse hatte Freud (1926) eine milde positive Übertragung beschrieben, die sich in einem idealtypischen Therapieverlauf am Beginn der Therapie bilde und aus der allmählich die überstarke, feindselige oder liebevolle und damit veränderungswürdige Übertragung heraus entstehe. Eine milde oder ›unanstößige‹ positive Übertragung schafft eine bewußte Bindung an den Arzt, so Freud (1912). Andere Autoren fanden andere Begriffe, so sprach Glover von Arbeitsübertragung (vgl. Gill 1996) und macht durch diese Begriffswahl die enge Verknüpfung mit dem Konzept des Arbeits- oder Behandlungsbündnisses deutlich. In der Psychotherapieforschung sind entsprechende Überlegungen in das Konzept der ›hilfreichen Beziehung‹ eingeflossen. Wendet man dieses Konzept nun auf die stationäre Behandlung an, so ist zu berücksichtigen, daß hier eine solche Übertragungsform nicht allein auf einen einzelnen Therapeuten, sondern auf die Station erfolgt, mit der er sich soweit verbunden fühlen bzw. identifizieren sollte, um Behandlungsvereinbarungen treffen und damit eine hoffnungsvolle Erwartungshaltung verknüpfen zu können. Die Entwicklung einer solchen milden positiven Übertragung als Teil des Arbeitsbündnisses aber ist erforderlich, auch wenn dieses Konzept in neuerer Zeit einer eingehenden Kritik unterzogen wurde (Deserno 1994). Allerdings warnt auch Thomä (2000) davor, das Kind mit dem Bade auszuschütten; selbst wenn die Arbeitsübertragung nicht als etwas von der übrigen Übertragung Unabhängiges zu betrachten ist, das vor jeder Übertragung zu entwickeln ist, so stellt sie doch einen wesentlichen Teil des therapeutischen Prozesses dar, den es kontinuierlich zu entwickeln und zu erhalten gilt.

Freud (1920) hatte dargelegt, daß die milde positive Übertragung von der infantilen Einstellung des Patienten zu seinen Eltern abgeleitet werden und als Ausdruck des tief im unbewußten Elternkomplex begründeten Vertrauens und der Gefügigkeit gegenüber dem Arzt gesehen werden kann. Dieses Vertrauen aber ist bei Älteren nach Kränkungen, Demütigungen oder Verlusterfahrungen oftmals tief erschüttert, so daß dieser erste Schritt bei älteren Patienten oftmals keineswegs automatisch erfolgt. Die Herauslösung aus dem gewohnten Lebensumfeld, auch wenn dieses sehr eingeschränkt ist, kann eine maligne Regression begünstigen, die durch die ›passagere Beziehungslosigkeit‹, die mit der Aufnahme auf eine Psychotherapiestation verbunden ist (Hau et al. 1984), noch verstärkt wird. Wir machten weiterhin die Erfahrung, daß viele Ältere eine Psychotherapiestation als eine solch fremde, ängstigende Welt erleben, daß sie diese nicht ohne weiteres mit einem guten, vertrauensvollen Objekt zu verbinden vermögen. Immer wieder verharrten sie in ihrer Skepsis und ihrem Mißtrauen oder waren enttäuscht, wenn Erwartungen nach einer passiv-rezeptiv-infantilen Arzt-Patient-Beziehung nicht ausreichend erfüllt wurden. Sie zogen sich zurück, verschlossen sich und hielten sich bevorzugt in ihrem Zimmer auf, in dem allein sie Schutz und Geborgenheit zu finden hofften. War Freud davon ausgegangen, daß sich eine milde positive Übertragung am Beginn der Behandlung spontan bildet und sich der Analytiker um sie nicht zu kümmern brauche (Freud 1916/17), lassen seine Behandlungfälle eine oftmals sehr aktive Gestaltung der mild-positiven Übertragung erkennen; er hat seine Patienten aktiv ermuntert und ermutigt, um die positive Übertragung zu erwecken und zur Leistungsfähigkeit zu verstärken, wie er an einer anderen Stelle ausgeführt hat (Freud 1937), eine Äußerung, die gänzlich in Vergessenheit geraten zu sein schien. In der stationären Behandlung skeptischer, zurückgezogener, ja manchmal geradezu verstummter älterer Patienten ist eine solch aktive Handhabung der Übertragung erforderlich, besteht doch sonst die Gefahr, den Patienten in seiner Negativerwartung zu bestätigen, daß das Leben nichts mehr zu bieten hat und die guten Objekte ihn verlassen haben, genau genommen den Patienten der Gefahr einer Retraumatisierung auszusetzen. Um dies zu verhindern, haben wir das Konzept darauf ausgerichtet, einen regressiven Rückzug rasch zu unterbinden, indem wir uns mehr und mehr auf die Vorstellungen, Erwartungen und Schwierigkeiten dieser Patienten einstellen und sie dadurch anregen, die Station positiv zu besetzen, damit sie die Hoffnung zurückerlangen, daß die guten Objekte für sie erreichbar sind; folgt man der

Psychotherapieforschung, ist Hoffnung am Beginn der Behandlung der vermutlich wichtigste Wirkfaktor (Tschuschke 1993). Wir sind der Überzeugung, daß eine regressive Entwicklung nur durch eine solch aktive, zugehende und Interesse bekundende therapeutische Haltung in eine konstruktive Richtung gelenkt werden kann.

Die 69-jährige Patientin, die im nächsten Abschnitt ausführlich dargestellt wird, kam voller Ambivalenz auf die Station. Sie schien es als demütigend zu empfinden, in ihrem Alter und mit ihrer Lebenserfahrung eine solche Hilfe in Anspruch nehmen zu müssen. Den Schwestern gegenüber verhielt sie sich manchmal herablassend, insbesondere den Mitpatienten gegenüber blieb sie sehr distanziert und gab abfällig zu verstehen, daß sie deren Gespräche als banal betrachte und sich von ihnen nicht angesprochen fühle; auch als Kind hatte sie mit den Kindern des Personals und den Kindern aus dem Dorf nichts zu tun gehabt. Diese Ambivalenz verband sich mit erheblichen Problemen bei der Kostenzusage. Sie wurde zunächst als Selbstzahlerin aufgenommen, so daß ständig neu diskutiert wurde, wie lange sie sich den Aufenthalt leisten könne, bzw. wie lange es sich für sie lohne, so hohe Kosten in Kauf zu nehmen. Erst am Ende der zweiten Woche erhielten wir endgültig die Kostenzusage durch die Krankenkasse, zu einem Zeitpunkt, als sie schon zur Abreise entschlossen war. Um einen solch frühzeitigen Abbruch zu verhindern, gingen wir auf sie zu und teilten ihr mit, daß wir uns freuen würden, wenn sie sich nun doch entschließen könne, länger zu bleiben, worauf hin sie tatsächlich dann insgesamt vier Wochen blieb.

Eine wichtige Grundlage in unserer Arbeit bildet die einzeltherapeutische Beziehung, weil diese besonders geeignet ist, in einer neuen und fremden Situation, die zudem durch eine erhebliche Unübersichtlichkeit gekennzeichnet ist, den notwendigen Halt zu vermitteln (Peters 2000). Zweifellos hat diesbezüglich auch das Pflegepersonal eine wesentliche, haltgebende Funktion. Des weiteren kommen uns aber die spezifischen Möglichkeiten der stationären Behandlung zugute, weil etwa Physiotherapie, Gymnastik (Hockergymnastik) oder Entspannungstraining oft vom Patienten spontan positiv besetzt werden und somit eine erweiterte positive Übertragung bahnen können. Besonders Gruppenangeboten gegenüber verhalten sich Ältere oftmals sehr skeptisch, so daß hier weitergehende Modifikationen erforderlich waren. Das seit einiger Zeit eingeführte Gedächtnistraining als strukturiertes Gruppenangebot ermöglicht eine angstfreie, ichstärkende und selbstwertfördernde Gruppenerfahrung und trägt damit wesentlich zur Integration in die therapeutische Gemeinschaft bei und ermutigt die Patienten, sich dem regressiven Stationsklima mehr zu überlassen. Durch eine aktive Förderung des Stationslebens versuchen wir die Kontakte und Beziehungen auf Station zu verbessern, gilt in der stationären Therapie die therapeutische Gemeinschaft doch als wesentlicher Wirkfaktor.

Das Konzept wurde in der Weise ergänzt und modifiziert, daß die Bereitschaft der älteren Patienten gefördert wird, eine positive Übertragung zu entwickeln und sich mit dem stationären Setting und der Sinnhaftigkeit von Psychotherapie zu identifizieren. Der besondere Wert einer stationären Therapie liegt in den vielfältigen Möglichkeiten, eine mild-positive Übertragung zu entwickeln und aktiv zu fördern. Erst mit der Schaffung einer positiven Übertragung auf die Station wird eine stabile Behandlungsmotivation hergestellt und ein gutes inneres Objekt wiedergewonnen, das zu der erforderlichen therapeutischen Regression führt, die eine vertiefende Bearbeitung von Übertragungsphänomenen erlaubt. Die Schaffung einer solchen positiven Übertragung an sich kann bereits als Behandlungsergebnis betrachtet werden, kommt es dadurch doch zu einer Remoralisierung – dies gilt als erster Schritt im Prozeß der stationären Behandlung (Lueger 1995) – und narzißtischen Aufwertung. Eine solche narzißtische Stabilisierung des Patienten ist ja den von Wallerstein (1990) berichteten Befunden der Menninger-Studie zufolge keineswegs als so negativ zu betrachten, wie es in der Psychoanalyse lange Zeit der Fall war.

Entfaltung multipler Übertragungsprozesse

Die stationäre Behandlung kann nicht, wie im integrativen Konzept unterstellt, auf die Analyse multipler Übertragungsbeziehungen reduziert werden, sondern sollte die Entwicklung einer milde-positiven Übertragung i. S. einer Arbeitsübertragung als zentralen Bestandteil einschließen. Es war bereits Freuds Vorstellung, mit der behandlungsfördernden Übertragung an der Übertragung zu arbeiten (vgl. Will 2001), d. h. mit dem Einfluß aus der mild-positiven Übertragung die Gefährdungen aus der triebhaften Übertragung anzugehen, so Freud. Uns scheint, daß dieser Aspekt im integrativen Konzept nicht ausreichend berücksichtigt wurde. Gleichwohl ist in den multiplen Übertragungen das zentrale Element der stationären Behandlung zu sehen. Wie sich dies in der Behandlung Älterer darstellen kann, soll in der folgenden Kasuistik gezeigt werden:

Die 69-jährige Patientin litt an depressiven Verstimmungen, Panikattacken, Herzrhythmusstörungen mit Vorhofflimmern, die ihr große Sorgen bereiteten, sowie unter Konzentrations- und Gedächtnisstörungen, die zu Arbeitsstörungen geführt hatten und die wir aufgrund einer testpsychologischen Untersuchung als leichte kongnitive Beeinträchtigung diagnostizieren konnten. Vor 8 Jahren war sie aufgrund eines Mamma-Karzinoms operiert worden; daß dadurch ihre Weiblichkeit beschädigt worden war, habe ihr nicht viel ausgemacht. Dies hatte schließlich zu ihrer vorzeitigen Berentung geführt; sie war in leitender Position tätig gewesen und befaßte sich intensiv mit deutscher Geschichte. Nach der Pensionierung wollte sie sich ihrem eigentlichen Lebenswerk widmen, nämlich ein Buch über Ostpreußen zu schreiben, über die ›Geschichte des Erbenlandes‹. Sie sei dazu jedoch momentan nicht in der Lage, sie habe es nicht geschafft, sich an den Schreibtisch zu setzen, habe sich nicht konzentrieren können und beschrieb Symptome, die als Arbeitsstörung zu bezeichnen waren.
Sie war auf einem ostpreußischen Gutshof behütet aufgewachsen und verband mit dieser Zeit Erinnerungen an eine glückliche Kindheit. Diese scheinbar heile Welt war durch die Kriegsereignisse und die nachfolgende Vertreibung jäh zerstört worden. Sie hatte schreckliche Szenen miterleben müssen, sie hatte sich auf dem Dachboden versteckt und Vergewaltigungen miterlebt, schließlich sei ihr Vater, den sie sehr verehrte, von angetrunkenen Russen zum Krüppel geschlagen worden und wenige Jahre nach Kriegsende an den Folgen verstorben. Mit dem Vater, den sie als sensibel und gemütvoll erinnerte, habe sie lange und tiefe Gespräche geführt, er habe ihr die historischen Hintergründe erklärt und ihr über die traumatischen Erfahrungen hinweggeholfen. Dadurch habe er in ihr auch das Interesse an politischen und historischen Fragen geweckt. Es schien, daß sich hier persönliches und historisches Schicksal auf untrennbare Weise miteinander verknüpften. Diese enge Verbindung und Identifikation mit dem Vater, die durch dessen frühen Tod noch vertieft worden war, stand offensichtlich im Gegensatz zu der Distanz, die sie zu der als resolut und auf die Familie konzentrierten Mutter empfunden hatte. Sie blieb in einer ödipalen Beziehung verstrickt und eng mit der intellektuellen Welt des Vaters verbunden, ihre eigene Weiblichkeit war kein zentraler Teil ihrer Persönlichkeit geworden, sie hatte in ihrem Leben auch nie eine längere Beziehung zu einem Mann.

Als sie sich nach der Pensionierung ihrem Buch über Ostpreußen widmen wollte, hatte sie sich jedoch zunächst der Pflege einer engen Freundin gewidmet, nach deren Tod schließlich war die Mutter pflegebedürftig geworden, die sie zuletzt zu sich genommen hatte. In dieser Zeit war eine enge Beziehung zur Mutter entstanden, verhielt sich diese jetzt doch weicher und zugewandter. Sie wurde bei der Begrüßung von der Mutter umarmt und in lebhafte Gespräche hineingezogen, in denen die Kindheit in Ostpreußen wieder auflebte. Sie hatte ein Manuskript mit persönlichen Erinnerungen an die Kriegs- und Besatzungszeit verfaßt, was sie der Patientin mit der Bitte übergeben hatte, es für die Kinder und Enkelkinder binden zu lassen. Nach ihrem Tod fand sie schließlich ein zweites Manuskript, in dem die Mutter in emotionaler Weise ihre Jugend beschrieben hatte. Nun, im fortgeschrittenen Alter eine veränderte Mutter erlebt und eine Nähe zu ihr gefunden zu haben, die früher nicht möglich gewesen war, hatte sie in ihrer Identität verunsichert, ja in eine Identitätsdiffusion geführt. Diese Erfahrung verhinderte, sich weiterhin ungebrochen mit dem väterlich geprägten intellektuellen Ichideal zu identifizieren, ein Bruch, der ihrer Arbeitsstörung wesentlich zugrunde lag. Gleichermaßen hatte sie jedoch auch eine Niederlage in der Beziehung zur Mutter erlitten, war ihr diese doch mit ihrem Manuskript zuvorgekommen und hatte ja auch bereits potentielle Leser ins Auge gefaßt, während die Patientin selbst den Nachwuchsmangel des Geschichtsvereins beklagte, deren Vorsitzende sie lange gewesen war. Vielleicht hatte sie aber auch noch eine andere Niederlage erlitten, war doch in dem zweiten Manuskript die emotionale Seite der Mutter zum Ausdruck gekommen, möglicherweise auch die Beziehung zum Vater zur Sprache gebracht worden, wodurch die Mutter als ödipale Rivalin in anderem Licht erschien. Man kann nur vermuten, daß dadurch die unsterbliche Beziehung zum Vater erschüttert und sie mit ihrer eigenen Sterblichkeit konfrontiert wurde.

Im Übertragungsgeschehen auf der Station zeigten sich bald sehr unterschiedliche Facetten des inneren Konfliktes der Patientin. Die jüngere weibliche Therapeutin beschrieb die erste Begegnung mit der Patientin wie folgt: Die Patientin kam sehr aufrecht, mit großer Brille, sorgfältig gepflegter Frisur und elegantem Hosenanzug ins Erstgespräch, mein erster Gedanke: »wie eine pensionierte Lehrerin«. Sie schilderte ihre Beschwerden und ihren Lebensweg sehr anschaulich, ich fühlte mich wie die Enkelin, die gespannt ihrer Großmutter zuhört. Am Ende fragte die Patientin: »Jetzt habe ich so viel erzählt, ist das überhaupt von Interesse?« Ich bestätigte ihr dies mit dem Hinweis darauf, daß es sich ja auch um eine Zeit handelt, die ich nicht miterlebt habe. Daraufhin die Patientin: »Aber ich möchte nicht nur erzählen, ich erwarte auch Hilfe von Ihnen.« Über die Therapeutin beschwerte sich die Patientin bald. Sie fühlte sich von ihr nicht verstanden, in der deutschen

Geschichte kenne sie sich nicht aus, die jungen Leute interessierten sich dafür wohl nicht mehr, wie sie sich beklagte. Die Therapeutin erlebte sich dadurch entwertet, unzulänglich, und zweifelte daran, der Patientin gewachsen zu sein, so, als kehrten die Gefühle der Patientin, die diese nicht in sich dulden kann, nun in der Therapeutin wieder. Sie entwickelte Schuldgefühle angesichts des Bildes ihres kleinen Sohnes, das an der Pinnwand in ihrem Zimmer hing, als ob sie der Patientin damit deren ›Defizit unter die Nase halte‹.

In der Beziehung zum männlichem Abteilungsleiter entfaltete sich ein völlig anderes Beziehungsgeschehen: Ins erste Gespräch kam sie sportlich und geschmackvoll gekleidet, Rollkragenpulli, eng geschnittene sportliche Hose und Leinenschuhe waren einheitlich gehalten und in einem dezenten Beigeton harmonisch aufeinander abgestimmt. Schwungvoll betrat sie mein Zimmer, so daß ich gleich die Phantasie hatte, als habe sie eben eine Bootsfahrt beendet und komme geradewegs von den Seen Ostpreußens zu mir ins Behandlungszimmer, als ob sie bei mir einen Teil einer vergangenen, aber in ihr aufbewahrten, idealisierten Welt ihrer frühen Jugend entstehen lassen wollte. Es gelang ihr ohne weiteres, mich für ihre frühe Geschichte und ihre wissenschaftlichen Interessen einzunehmen, wie sie gleich nach dem Gespräch der Schwester befriedigt rückmeldete; in der Tat ist es nicht schwierig, mich dafür zu gewinnen, was sie sofort registriert haben mußte, was allerdings durch die vielen Bücher in meinem Zimmer auch unschwer zu vermuten ist. Bei mir schien jener Teil ihrer Identität wiederzuentstehen, der eng mit dem idealisierten Vater verbunden war. So wie sie die Mutter als ödipale Rivalin ausgeschaltet hatte, so schien sie nun auch die Therapeutin als Rivalin in der ödipalen Übertragung zum Abteilungsleiter ausschalten zu wollen.

Die Übertragung bei Älteren hat aber neben der ödipalen i. d. R. auch eine narzißtische Dimension, wobei auch hier die Altersrelation von erheblicher Bedeutung ist. Die Therapeutin konfrontierte die Patientin auf schmerzliche Weise mit ihrer ›narzißtischen Wunde‹. Durch das Bild des kleinen Sohnes an der Pinnwand wurde ihr Mutter-Sein deutlich, während die Patientin selbst bis ans Ende ihres Lebens hatte warten müssen, um eine größere Nähe zu ihrer eigenen Mutter erfahren zu dürfen. Die Jugend der Therapeutin schließlich verhieß Zukunft, und diese konnte sich in ihrem Sohn fortsetzen und war dadurch schier unbegrenzt. Für die Patientin aber schmolz die Zukunft dahin und war voller Ungewißheiten, und die Absicht, in dem geplanten Buch etwas Bleibendes zu schaffen, um dem Dahinschwinden der Zeit etwas entgegenzusetzen, wollte einfach nicht gelingen.

Schließlich war die Therapeutin nicht nur junge Mutter, sondern auch junge Frau, die durch das Bild zu erkennen gab, daß sie nicht nur eine intellektuelle, sondern auch eine erotische Beziehung zu einem Mann unterhielt, ein Teil der weiblichen Identität mithin, den die Patientin früh aus ihrem Leben ausgeschlossen hatte. Diese persönlichen Merkmale der Therapeutin mußten somit in der Patientin Phantasien, Wünsche und Ambitionen wecken, die nicht Teil ihrer Persönlichkeit und ihres Lebens hatten werden können, und die nun in ihrer Konflikthaftigkeit wieder in ihr Bewußtsein drängten, aber doch aufgrund ihres Alters keine Zukunft mehr haben konnten. Man könnte auch sagen, daß die Therapeutin sie auf schmerzliche Weise mit Zeitlichkeit, Vergänglichkeit und Tod konfrontierte, eine Konfrontation, die in der heftigen Gegenreaktion abgewehrt wurde. Demgegenüber suchte sie in der Idealisierung des Abteilungsleiters Zeitlosigkeit und Unsterblichkeit herzustellen, ist doch Idealisierung immer auch als Versuch zu verstehen, in einen zeitlosen Zustand zu fliehen. Es war somit kein Wunder, daß die Beziehung zur Therapeutin wesentlich konfliktreicher war. Wahrscheinlich war es einer der wichtigsten Momente in der Behandlung, daß sie im fortgeschrittenen Verlauf mit der Therapeutin darüber sprechen konnte, daß sie als Studentin, um sich Geld zu verdienen, einige Male auf einem Volksfest in der Sektbar gearbeitet hatte, um dort zu fortgeschrittener Stunde von den männlichen Besuchern des öfter zu einem Glas Sekt eingeladen zu werden, was sie jedoch beharrlich abglehnt hatte. Nun aber äußerte sie mit Bedauern ihren Zweifel, ob sie nicht doch besser darauf eingegangen wäre. Hier wurde ein Stück Trauerarbeit möglich über das, was sie in ihrem Leben versäumt hatte und was nicht nachzuholen war.

Entfaltet sich in der ambulanten Behandlung zunächst am Anfang der Behandlung die umgekehrt ödipale Übertragung, der die regelhafte ödipale Übertragung erst im weiteren Verlauf folgt (Radebold 1992), so können sich in der stationären Behandlung beide Übertragungsformen nebeneinander entwickeln; häufig ist dabei eine Verknüpfung oder Vermischung ödipaler und narzißtischer Aspekte zu beobachten. In der Entfaltung eines multiplen Übertragungsgeschehens liegt die besondere Wirksamkeit der stationären Therapie. Indem der Patient auf ein Team trifft, bietet sich ihm die Möglichkeit, unterschiedliche Beziehungen zu entwickeln, die die Mitglieder des Teams durch ihre Person, ihre Funktion sowie ihr Auftreten und Verhalten mit auslösen und im Verlauf aktiv mitgestalten sollten. Von besonderer Bedeutung dabei sind die Altersrelationen, insbesondere bestehende

Altersunterschiede im Team, wodurch wichtige Übertragungsauslöser vorgegeben sind, so daß sich die regelhafte und die umgekehrte Übertragung parallel entwickeln können. Umso wichtiger wird in dieser Situation die Zusammenarbeit im Team, so wie in dem geschilderten Beispiel die Zusammenarbeit und der Austausch zwischen beiden beteiligten Therapeuten – die keineswegs spannungsfrei blieb, fühlte sich die behandelnde Therapeutin zeitweise doch aus der scheinbar idealen Beziehung zum Abteilungsleiter ausgebootet – Voraussetzung dafür war, daß beide Übertragungsanteile allmählich zusammenwachsen konnten. Der therapeutische Fortschritt wird somit getragen vom Verstehensprozeß im Team, in dem das zusammengefügt wird, was der Patient zu trennen versucht.

Distanzierung von der Übertragung und der Neubeginn

Gill (1996) hatte zwei Formen des Übertragungswiderstandes beschrieben, nämlich den Widerstand gegen das Bewußtwerden der Übertragung und den Widerstand gegen die Auflösung der Übertragung; diese Unterscheidung aber ist außerordentlich hilfreich. Fürstenau (1998) kritisiert zu recht, daß in stationären Behandlungen die zweite Widerstandsform, die sich gegen die Distanzierung von der Übertragung richtet, oftmals zu wenig beachtet wird. Gerade das Durcharbeiten der Widerstände gegen die Distanzierung von der Übertragung bezieht sich ja auf die Widerstände, die sich gegen ein angstfreies, vertrauensvolles und argloses Erleben des In-der-Welt-Seins richtet, gegen das ozeanische Gefühl, das bei Älteren so oft zerbrochen ist. Wie aber kann ein solcher Entwicklungsschritt, von Balint (1965) als Neubeginn bezeichnet, erfolgen. Balint – der den berühmten Purzelbaum der Psychoanalyse beschrieben hat – hatte als Voraussetzung für einen Neubeginn die Regression auf die frühe Stufe des harmonischen Verschränktseins mit der Mutter gesehen, was allerdings eher wie eine mythologische Verklärung eines paradiesischen Zustandes am Beginn des Lebens anmutet. Das integrative Konzept fördert die Regression, um frühe Abwehrmechanismen sichtbar zu machen und einen Neubeginn einleiten zu können, der ein ganzheitliches Erleben ermöglicht. Das alleinige Vertrauen darauf, durch die Interpretationen des Therapeuten die erforderlichen Integrationsprozesse zu befördern, stößt auf die Kritik Fürstenaus (1998), der bemängelt, daß es dadurch allein zu keiner ausreichenden Distanzierung von bisherigen pathologischen Beziehungsmustern kommt, die therapeutische Kommunikation defizitorientiert bleibt und der Patient oftmals in einem symptomatisch-regressivem Erleben und Verhalten versinkt. Deswegen plädiert Fürstenau (1998), sich auf Gill beziehend, für eine aktive und zielgerichtete Steuerung des therapeutischen Prozesses, um den Patienten zu einer Distanzierung von der Übertragung zu ermuntern und ihm neue Erfahrungen zu ermöglichen. Es geht um den systematischen Aufbau von Probehandlungen aufgrund gewonnener Einsichten in einer hierfür günstigen Atmosphäre, d. h. der Neubeginn, so Thomä (1984), vollzieht sich nicht in dem regressiven Wiederfinden eines harmonischen Ursprungs, sondern im Hier-und-Jetzt einer entwicklungsfördernden Atmosphäre.

Eine solche aktive Distanzierung von der Übertragung scheint in der Behandlung Älterer besonders förderlich zu sein, stehen diese doch vor der Aufgabe, sich ein neues, bisher eher angstvoll erlebtes Lebensalter sowie eine darauf bezogene Identität aneigenen zu müssen, um die zukünftige Lebensphase gestalten zu können und zu einem sinnerfüllten Leben zurückzufinden. Die Bewältigung dieser Lebensaufgabe verlangt die Förderung von Ressourcen, die in der therapeutischen Regression zutage treten, sowie eine daraus resultierende Orientierung hin auf Zukunft, die es auf der Basis gesunder Ich-Anteile zu antizipieren, narzißtisch zu besetzen und zu gestalten gilt. Thomä (1999) bemängelt, daß die Psychoanalyse kaum ein Vokabular zur Beschreibung des Veränderungsprozesses entwickelt hat, und es ihr an Änderungswissen mangelt, diesen aktiv zu fördern. Somit bietet sich hier eine Ergänzung durch andere, Veränderungsprozesse aktiver fördernder therapeutische Ansätze an. So ergänzen Bautz-Holzherr und Pohlen (1998) die Klärungskompetenz der Psychoanalyse durch die Änderungskompetenz der Verhaltenstherapie, Fürstenau (1992) durch den systemisch-lösungsorientierten Ansatz. Wesentlich ist jedoch, daß die stationäre Behandlung besondere Möglichkeiten bietet, den Patienten zum Probehandeln anzuregen und aktiv eine Distanzierung von pathologischen Beziehungsmustern zu fördern.

Bei der beschriebenen Patientin schien uns einerseits die Trauer um das versäumte Leben und die Auseinandersetzung mit Zeitlichkeit in der Beziehung zur Therapeutin wichtig, andererseits aber auch eine Lockerung der ödipalen Bindung, um die Erfahrungen mit der Mutter integrieren und gewissermaßen eine nachholende Identifikation mit dieser zu ermöglichen. Um eine solche Modifikation aktiv herbeizuführen, empfahl ich ihr in einem unserer Gespräche das Buch von S. Gräfin Schönfeld mit dem Titel

›...die Jahre, die uns bleiben‹. Die Autorin ist ebenfalls eine ältere Frau, die in dem Buch von Beispielen aus der Weltliteratur ausgeht und diese zum Anlaß nimmt, auf sehr einfühlsame und persönliche Weise über ihr eigenes Älterwerden zu reflektieren. Ich verband damit die Hoffnung, ihre Identifikationsbereitschaft mit einer Frau zu erhöhen, die in emotionaler Weise über Möglichkeiten der Bewältigung des Alters schreibt, ohne die mit dem Vater verknüpften wissenschaftlichen Prinzipien aufgeben zu müssen. Ich wollte ihr zeigen, daß auch ältere Frauen aus weiblicher Perspektive erfolgreich Bücher schreiben können und ich das Ergebnis schätze, um ihre eigene Identität als ältere Frau, die um ihre Endlichkeit weiß, zu festigen. Eine solche Distanzierung schien vorsichtig zu gelingen, hielt sie doch einerseits durchaus an ihrem Buchprojekt fest, andererseits hatte sie die Idee, sich einer Hospizgruppe anzuschließen, darin habe sie doch jetzt viel Erfahrung.

In einer Nachbefragung einige Wochen nach der Entlassung teilte sie mir erfreut mit, daß sie wieder arbeiten könne, sie dies aber mit mehr Geduld und Gelassenheit tue, um auch für anderes Zeit zu haben, darüber war sie außerordentlich erleichtert.

Die Orientierung des Patienten auf seine zukünftige Lebenssituation ist nicht nur Thema der therapeutischen Gespräche und des Probehandelns auf Station. In sehr konkreter Weise erfolgt dies im Rahmen einer Gruppe zur Alltagsgestaltung, die von einer Sozialarbeiterin durchgeführt wird. In dieser Gruppe, an der jeder Patient mindestens einmal teilnehmen sollte, geht es darum, Erfahrungen darüber auszutauschen, welche Möglichkeiten Ältere haben, ihre Freizeit zu gestalten, sich zu engagieren oder produktiv und kreativ tätig zu werden sowie vorhandene Schwellenängste zu verringern. Es geht also um Möglichkeiten der konstruktiven Lebensgestaltung im Alter, wozu konkrete Informationen vermittelt werden; in nachfolgenden Einzelkontakten können konkrete Kontakte vor Ort bereits angebahnt werden.

Wenn somit in unserer Arbeit der Aspekt des Neubeginns i. S. der Orientierung auf Zukunft stärker betont wird – und wir sind in der stationären Behandlung auch aufgrund verkürzter Behandlungszeiten darauf angewiesen – dann kann dies nicht in einem Nacheinander in der Weise erfolgen, daß zunächst die therapeutische Reflexion und Einsicht gefördert und gewissermaßen als Abschluß der Behandlung die Frage nach dem ›Danach‹ aufgeworfen wird. Vielmehr ist der Schritt des angstfreien Neubeginns bereits in der Gegenwart der Station, die vielfältige Handlungsmöglichkeiten bietet, zu erproben und somit als fortlaufender Prozeß zu verstehen, der die Arbeit an den pathologischen Beziehungsmustern begleitet. Beides tritt in ein dialektisches Spannungsverhältnis, aus dem heraus sich ein konstruktiver therapeutischer Prozeß entfalten kann (Fischer 1998).

Abschließende Bemerkungen

Das Spezifische der multiplen Übertragung läßt die stationäre Behandlung zu einer Intensivtherapie werden, in der es gelingen kann, unter der Last des Alters zerbrochene seelische Zusammenhänge wieder zusammenzufügen. Dieser Integrationsprozeß ist aber auf eine aktive therapeutische Einflußnahme angewiesen, damit daraus Neues erwachsen kann. Die positivistische Auffassung der Übertragung, die den Analytiker gewissermaßen als objektiven Beobachter des Patienten betrachtet, der dessen Äußerungen quasi von außen interpretiert, weicht zunehmend einem interaktionellen Verständnis von Übertragung. Das Gespenst des indifferenten, inhumanen Analytikers zu erledigen, war das Ziel P. Heimanns, als sie die Bedeutung der Gegenübertragung herausstellte, wie sie erst später bekannte (vgl. Thomä 1999). Thomä (2000) zufolge strebt die Psychoanalyse nach neuen Ufern und ist dabei, die intersubjektive Basis der Erfahrung anzuerkennen. Das Ideal des anonymen Analytikers wird zunehmend kritisch gesehen, scheinbar etablierte Begriffe wie Neutralität und Abstinenz, diese ›einschüchternden Begriffe‹, wie Thomä (2000) bemerkt, werden neu diskutiert. In den Vordergrund rückt das Bild eines Analytikers, der in eine soziale Beziehung involviert ist und an deren Gestaltung mitwirkt. Thomä (1999) zitiert Ergebnisse eines amerikanischen Autors, denen zufolge Therapeuten, die technische Neutralität und Einsicht sehr hoch schätzen, aber von Meisterung, Unterstützung, Freundlichkeit und Offenheit wenig halten, zumindest in niederfrequenten Therapien erfolglos sind. Wir meinen, daß hier eine Entwicklung erkennbar wird, die die Psychoanalyse öffnet, sie bereichert und die Chancen, ältere Menschen erfolgreich zu behandeln, wesentlich verbessert. Älteren in einer indifferenten, abstinenten und distanzierten Haltung zu begegnen, birgt die Gefahr, daß sie darin eine Bestätigung ihrer Angst entdecken, infolge ihres Alters keine Attraktivität mehr zu besitzen, keine soziale Resonanz mehr erzeugen zu können und nunmehr endgültig das gefürchtete Schicksal zu erleiden, zurückzubleiben, während die anderen weitergehen, wie es N. Bobbio (1997) beschrieben hat, um in ein Nirgendwo abzusteigen, in dem es keine guten, haltgebenden

Objekte und keine lebendigen Beziehungen mehr gibt, sondern allenfalls noch nachsichtiges Mitleid und Bedauern. Eine abstinente, schweigende Haltung erlebt der Patient rasch als Bestätigung dieser Angst und als Zurückweisung, wodurch wir den Kontakt zum Älteren vollends zu verlieren drohen. Wir sollten uns in der Therapie als antwortendes, entwicklungsförderndes Objekt ins Spiel bringen und dabei auch als Subjekt zu erkennen geben. Die sich darin abzeichnende Auffassung der therapeutischen Beziehung eröffnet die Chance zu ›heilenden Interaktionen‹ (Renik 1999), in denen der ältere Patient seine Subjekthaftigkeit wiederfinden und ein Gefühl des ›In-der-Welt-Seins‹ zurückgewinnen kann. So kann er sich als soziales Subjekt mit einer altersentsprechenden Identität neu konstituieren.

Literatur

Balint, M. (1965): Die Urformen der Liebe und die Technik der Psychoanalyse. Ullstein (Frankfurt/M.).
Bautz-Holzherr, M. & Pohlen, M. (1998): Das Marburger Psychotherapie-Programm. In: Fundamenta Psychiatrica 12, S. 174–184.
Becker, H. & Senf, W. (1988): Praxis der stationären Psychotherapie. Thieme (Stuttgart).
Bobbio, N. (1997): Vom Alter – De Senectute. Wagenbach (Berlin).
Deserno, H. (1994): Die Analyse und das Arbeitsbündnis. Verlag Internationale Psychoanalyse (München).
Janssen, P. L. (1987): Psychoanalytische Therapie in der Klinik. Klett-Cotta (Stuttgart).
Fischer, G. (1998): Konflikt, Paradox und Widerspruch. Fischer (Frankfurt/M.).
Freud, S. (1912): Zur Dynamik der Übertragung. GW VIII. Fischer (Frankfurt/M.).
Freud, S. (1916/1917): Vorlesungen zur Einführung in die Psychoanalyse. GW XI. Fischer (Frankfurt/M.).
Freud, S. (1920): Jenseits des Lustprinzips. GW XIII. Fischer (Frankfurt/M).
Freud, S. (1926): Die Frage der Laienanalyse. GW XIV. Fischer (Frankfurt/M.).
Freud, S. (1937): Die endliche und die unendliche Analyse. GW Ergänzungsband. Fischer (Frankfurt/M.).
Fürstenau, P. (1992): Entwicklungsförderung durch Therapie. Pfeiffer(München).
Fürstenau, P. (1998): Stationäre Psychotherapie psychoanalytisch-systemischer Orientierung. In: Psychotherapeut 43, S. 277–281.
Gill, M. (1996): Die Übertragungsanalyse. Fischer (Frankfurt).
Hau, T. F.; Niklaus, B.; Muhs, A.; Brüggemann, L. & Hildemann, R. (1984): Die Initialphase in der klinischen Psychotherapie. In: Praxis der Psychotherapie und Psychosomatik 29, S. 271–281.
Lueger, R. H. (1995): Ein Phasenmodell der Veränderung in der Psychotherapie. In: Psychotherapeut 40, S. 267–278.

Möhlen, K. & Heising, G. (1980): Integrative stationäre Psychotherapie. In: Gruppenpsychotherapie und Gruppendynamik 15, S. 16–31.
Peters, M. (2000): Zum Stellenwert von Einzel- und Gruppentherapie in der tiefenpsychologischen stationären Behandlung Älterer. In: Bäurle, P. et al. (Hg.): Klinische Psychotherapie mit älteren Menschen. Huber (Bern), S. 116–123.
Peters, M.; Lange, C. & Radebold, H. (2000): Psychotherapiemotivation älterer Patienten in der Rehabilitationsklinik. In: Zeitschrift für Psychosomatische Medizin und Psychotherapie 46, S. 259–273.
Radebold, H. (1992): Psychodynamik und Psychotherapie Älterer. Springer (Berlin).
Renik, O. (1999): Das Ideal des anonymen Analytikers und das Problem der Selbstenthüllung. In: Psyche 53, S. 929–958.
Thomä, H. (1981): Schriften zur Praxis der Psychoanalyse: Vom spiegelnden zum aktiven Psychoanalytiker. Suhrkamp (Frankfurt/M.).
Thomä, H. (1984): Der ›Neubeginn‹ Michael Balints (1932) aus heutiger Sicht. In: Psyche 38, S. 516–543.
Thomä, H. (1984): Der Beitrag des Psychoanalytikers zur Übertragung. In: Psyche 38, S. 29–62.
Thomä, H. (1999): Zur Theorie und Praxis von Übertragung und Gegenübertragung. In: Psyche 53, S. 820–873.
Thomä, H. (2000): Gemeinsamkeiten und Widersprüche zwischen vier Psychoanalytikern. In: Psyche 54, S. 172–190.
Tschuschke, V. (1993): Wirkfaktoren stationärer Gruppenpsychotherapie. Vandenhoeck & Ruprecht (Göttingen).
Wallerstein, R. S. (1990): Zum Verhältnis von Psychoanalyse und Psychotherapie. In: Psyche 44, S. 967–994.
Will, H. (2001): Die Handhabung der Übertragung. In: Forum der Psychoanalyse 17, S. 207–234.

Über die Veränderung von Stereotypien in der Musiktherapie mit Dementen

Barbara Dehm-Gauwerky

Stereotypien gehören zu den quälenden und störenden Symptomen der Demenzerkrankung. In der Musiktherapie können sie sich in eindrucksvoller Weise verändern. Anhand des Vergleichs zweier Fallvignetten möchte ich solche Veränderungssituationen und deren Bedingungen einer Reflexion unterziehen.

Eine zentrale Stellung für Theorie und Vorgehensweise der vorgestellten Praxis nimmt der Begriff des »Szenischen Verstehens« ein, wie ihn A. Lorenzer (vgl. 1970; 1973; 1983) in seiner Interaktionstheorie entwickelt hat. Damit ist ein Symbolbildungsprozeß gemeint, dessen zentrales Anliegen die Deutung der Inszenierung von Übertragung und Gegenübertragung ist. Mit Hilfe von sprachlichen und musikalischen Deutungen und von deutenden Handlungen kann ein therapeutischer Raum[1] entstehen, in dem die Dementen sich gehalten fühlen können. Musik als Kommunikations- und Ausdrucksmittel spielt hierbei eine besondere Rolle, die auf ihrer Zwischenstellung als »sinnlich-symbolischer Interaktionsform« beruht. Mit diesem Begriff bezeichnet A. Lorenzer (1983) einen Bereich der Symbolbildung, den D. W. Winnicott (1987) als Übergangsphänomen und Bildung von Übergangsobjekten auf einer konkreten Ebene beschreibt. Musikalische Improvisationen, die auch das Zitieren von Liedern beinhalten, stellen alle Eigenschaften der sinnlich-symbolischen Interaktionsformen zur Verfügung. Zwar sind hier die Repräsentanzen noch nicht ausdifferenziert und Wunscherfüllung und die Formulierung von Wünschen liegen noch ineinander. Dennoch bildet eine »gelungene Improvisation als Produkt einer

---

[1] Als therapeutischen Raum bezeichne ich mit T. H. Ogden einen Erfahrungsbereich zwischen Patientin und Therapeutin, in dem Bedeutungen entstehen und der durch Deutungen transformiert wird. Er liegt wie der von D. W. Winnicott benannte »potentielle Raum« in einem Zwischenbereich zwischen der äußeren und der inneren Realität und basiert auf einem Spannungsfeld, welches in der Entwicklung des Kindes entsteht in einer Phase, in der das Kind erstmals das Objekt als »Nicht-Ich« ablehnt.

Einigung« (vgl. D. Niedecken 1988) bereits ein Drittes in der Beziehungsgestaltung. In der kindlichen Entwick-lung nun eröffnen die sinnlich-symbolischen Interaktionsformen die Mutter-Kind-Dyade zur Außenwelt hin. In der Musiktherapie mit Dementen scheint sich diese Symbolfunktion umzukehren.

Die beiden alten Menschen, von denen ich hier erzählen möchte, litten an einer irreversiblen Demenz im fortgeschrittenen Stadium. Insofern betrachte ich ihre Situation als einen langsamen Sterbensprozeß. Dies konnte ich nicht von Anfang an sehen. Erst als ich begann, mir dieser Tatsache bewußt zu werden, konnte ich mich auf einen vertieften Verstehensprozeß in der Musiktherapie mit den Dementen einlassen. Beide, eine Patientin und ein Patient, ähnelten sich hinsichtlich der Art ihrer stereotypen Symptome: Sie schrien laut und anhaltend in regelmäßigen Abständen. Anhand der Darstellung und Interpretation von Szenen, in denen sich diese Stereotypien veränderten, möchte ich zu klären versuchen, welche Bedeutung und Funktion ihre Schreie haben könnten. Mit Hilfe des Vergleichs ihrer Inszenierungen werden Möglichkeiten und Schwierigkeiten, ihnen in der Musiktherapie zu helfen, deutlich werden.

Herrn K., von dem ich zuerst berichten werde, lernte ich während zweier kurzer Episoden nur beiläufig kennen. Im Gegensatz dazu handelt es sich bei meiner zweiten Fallgeschichte um die Darstellung eines 11-stündigen Verlaufs aus der längerfristigen einzelmusiktherapeutischen Behandlung von Frau M., die zwei- bis dreimal pro Woche stattfand.

Die Begegnung mit Herrn K.

Herr K., ein 80-jähriger, kräftiger Mann, der an einer Multiinfarktdemenz litt, war seit einigen Tagen Patient auf einer geschlossenen gerontopsychiatrischen Station. Er saß im Rollstuhl, da er kaum noch gehen konnte, er sprach nicht mehr und schrie zeitweise in regelmäßigen Abständen – insbesondere zu den Schlafenszeiten – erbärmlich und durchdringend. Damals bot ich einmal pro Woche eine Singstunde auf dieser Station an, die allen Patienten offen stand. Wie von den meisten lag mir auch von Herrn K. keine Anamnese vor, geschweige denn die Kenntnis seiner Biographie. Für die Gruppensingstunde hatte sich ein Ritual entwickelt: Zu Beginn und am Ende der Sitzung wurde immer dasselbe Eingangs- bzw. Abschiedslied gesungen. Nach dem Eingangslied begrüßte ich jede Patientin und jeden

Patienten persönlich mit Namen. Dann begannen wir mit dem Singen. Dabei überließ ich es den Alten, Lieder auszusuchen. Falls einmal kein Liedwunsch artikuliert werden konnte, nannte ich Lieder, die mir zur bereits aufgetauchten Thematik und Stimmung in der Gruppe zu passen schienen. So geschah es auch in dieser Stunde, in der Herr K. anwesend war.

Die erste Episode

Herr K. saß in seinem Rollstuhl in der Runde zwar etwas unruhig, schrie aber nicht. Er hörte vielmehr dem Gesang der anderen zu. Gegen Ende der Sitzung wurde das Lied »Weißt Du wieviel Sternlein stehen« vorgeschlagen. Schon nach wenigen Tönen begann Herr K. herzzerreißend zu weinen. Er tat mir sehr leid und am liebsten hätte ich ihn selber getröstet. Da ich mich aber um die unruhige Gesamtgruppe kümmern mußte, blieb mir außer ein paar freundlichen Worten nichts anderes übrig, als meine Praktikantin zu bitten, sich neben ihn zu setzen. Herr K. wurde nun zwar etwas ruhiger, weinte aber auch nach Stundenende noch bitterlich. Deshalb nahm ich mir noch etwas Zeit und setzte mich nun auch selber zu ihm. So, mit uns beiden Frauen an seiner rechten und linken Seite ließen allmählich seine Tränen nach. Eine sehr liebevolle und mütterliche Krankenschwester hatte diese Szene bemerkt, kam nun ihrerseits, umarmte Herrn K. und löste uns Musiktherapeutinnen ab.

Zufällig begegnete ich kurz darauf einer Angehörigen von Herrn K.. Ich war gerade im Begriff, die Station zu verlassen, als seine Tochter hereingelassen werden wollte. Sie erzählte mir im Vorübergehen, daß Herr K. seit seiner Erkrankung von ihr und seiner Schwägerin zuhause versorgt worden sei. Sie sagte mir auch, daß seine Frau, von der er geschieden wäre, schon lange verstorben sei. Die Pflege sei bis jetzt gut gegangen. Nur seine zunehmende Verwirrtheit und seine Unruhezustände hätten den Krankenhausaufenthalt notwendig gemacht. Sie würden Herrn K. auch weiterhin zuhause pflegen.

Die zweite Episode

Am folgenden Tag kam ich zur Mittagszeit auf die Station. Schon von weitem hörte ich Herrn K. laut schreien. Die meisten Patienten ruhten oder schliefen. Herr K. war in den Aufenthaltsraum, in dem auch die Singstunde stattgefunden hatte, geschoben worden, damit er nicht alle anderen Mitpatienten aus dem Schlaf schrecke.

Er tat mir wieder sehr leid. Deshalb ging ich zu ihm und setzte mich wie in der Singstunde neben ihn. Spontan fiel mir ein Lied ein: »Wie schön leuchtet der Morgenstern!«. Das sang ich nun leise vor mich hin. Herr K. wurde sehr schnell ruhig und schlief ein. Die diensthabenden Krankenschwestern waren hocherfreut und machten Witze über diese dramatische Veränderung.

Wie läßt sich diese Szenerie verstehen? Kann man tatsächlich stereotyp schreiende Demente einfach mit Singen beruhigen?

Ganz offensichtlich hatte das Singen in der ritualisierten Gruppensitzung Herrn K. entlastet, so daß er schon von Beginn der Singstunde an nicht schreien mußte. Der szenische Kontext der Gruppe hatte ihm einen ersten Halt gewährt. Beim Singen des Liedes *Weißt Du wieviel Sternlein stehen* nun war er sehr berührt. Dies Lied hat eine kindliche Konnotation und einen religiösen Inhalt. Es wird in der Regel im Kindergarten, in der Grundschule und im Kindergottesdienst gesungen. Woher Herr K. es kannte, wissen wir nicht. Der Text des Liedes handelt davon, daß jeder Wertschätzung erfährt dadurch, daß er nicht übersehen wird. Für diese Aussage wählt der Dichter eine Metapher: das Bild des Himmels mit den Sternen, die alle von Gott gezählt wurden. Vergleichen wir den Inhalt dieses Liedtextes mit dem Anfangsritual der Singstunde, dann wird deutlich, daß hier das Singen dieses Liedes dazu diente, diese Eingangsszene zu benennen. Ich hatte ja auch jedes Gruppenmitglied persönlich mit Namen begrüßt und damit meine Wertschätzung zum Ausdruck gebracht. Die emotionale Erfahrung im Benennen dieser Szene aber war für Herrn K. so mit unerfüllten Sehnsüchten verbunden, daß er in große Traurigkeit geriet. Er weinte herzzerreißend. Mit seinem Weinen wiederum verführte er mich und mit mir die Praktikantin, später die Krankenschwester, in einer von ihm erwünschten Art und Weise ›mitzuagieren‹ [2] und uns tröstend neben ihn zu setzen. Hierbei schien es sich um ein angenehmes Wiederholungsmuster zu handeln, denn auch Tochter und Schwägerin standen ihm ja zuhause hilfreich zur Seite. Herr K. war also in der Lage, Frauen dazu zu bewegen, eine mütterliche Rolle zu übernehmen und ihm Trost und Hilfe zu spenden.

Auch in der zweiten Szene, als Herr K. mittags schrie, ließ ich mich von meinem Mitleid leiten und nahm ihm gegenüber mütterliche Funktionen

---

[2] Ich setze den Begriff ›Mitagieren‹ hier in Anführungszeichen, um zu signalisieren, daß ich damit nicht ein blindes Agieren, vorbei am Bewußtsein meine, sondern ein Handeln ›um zu verstehen‹

an. Diese Szene hatte durchaus Ähnlichkeit mit derjenigen am Ende der Singstunde. Auch hier saß ich wieder neben ihm. Mir fiel das Lied vom Morgenstern ein. Mit meinem Singen versuchte ich, die Atmosphäre, die sich einstellte, aufzugreifen, und setzte es so probeweise als Bedeutungsträger ein. *Wie schön leuchtet der Morgenstern* ist ein bekanntes Lied aus dem evangelischen Kirchengesangbuch. Genau wie das Lied von den Sternlein kommt es also aus einem religiösen Kontext. Gemeinsam haben die Lieder auch die Konnotation von einer Einbindung ins Universum. Im Text des Morgensternliedes nun verbinden sich zusätzlich christlich-religiöse Elemente mit einem Liebeslied. Der Morgenstern, die Venus, wird in ihm idealisiert und dient zugleich als Metapher für die Erfüllung einer uralten Prophezeihung vom Erscheinen des Erlösers. Insofern betont dieser Text – vor allem vor dem Hintergrund des Liedes von den Sternlein – noch einmal die Einzigartigkeit eines Einzelnen. Im Gegensatz zu diesem Lied aber kommt in ihm auch der Wunsch nach Verschmelzung und Erlösung zum Ausdruck. Offensichtlich hatte dieses Liedzitat[3] in diesem szenischen Zusammenhang genau das formuliert und erfüllt, was Herr K. entbehrte. Es hatte also von Anfang an eine Übertragung bestanden und ich hatte mich verwickeln lassen. Schon in der Gruppensitzung war ich in die Rolle eines entbehrten, wertschätzenden und in der zweiten Szene eines erlösenden, idealisierten subjektiven Objekts geraten. Indem ich mit meinem Handlungsangebot und mit dem Lied dem eine Bedeutung gab, konnte er in einem Gefühl von Gehaltensein aufhören zu schreien und einschlafen. Wie aber läßt sich vor diesem Hintergrund eben dieses stereotype Schreien verstehen?

Wie bereits erwähnt, stellten die Szenen mit den Liedern den Bereich der sinnlich-symbolischen Interaktionsformen zur Verfügung. Es ist bekannt, daß allererste Übergangshandlungen beim Säugling schon mit wenigen Monaten auftreten. Ein Säugling, der zufrieden ist, beginnt z. B. lallend auch in Abwesenheit der Mutter mit seiner Stimme zu spielen. In diesem autoerotischen Spiel vollzieht er allmählich Schritte, die eine Differenzierung von Selbst und Objekt einleiten. Diese gelingt, wenn sich die Mutter in ausreichendem Maße an die Bedürfnisse des Kindes anpaßt. Stimmlaute eignen sich besonders für diese Übergangshandlungen, weil sie im Produzieren sowohl

[3] Nicht das Lied selber ist hier also das Produkt einer Einigung über das Beziehungsgeschehen anzusehen, sondern der im Zitieren gefundene, intersubjektive Erlebnisgehalt.

als zum Selbst des Kindes gehörig erlebt werden, als auch als Produkt von außen und von ihm getrennt. Insofern nehmen sie allmählich die Position eines zwischen Innen und Außen vermittelnden Dritten an, das dem Kind die Illusion verschafft, die Mutter sei bei ihm, obwohl es sich allmählich von ihr löst. Damit kann diese Handlung der Beschwichtigung tiefer depressiver Ängste dienen.

Winnicott (1987) beschreibt auch das Mißlingen dieses Vorgangs. So berichtet er davon, wie ein 7-jähriger Junge wegen vieler eigenartiger Zwangssymptome zu ihm gebracht wurde. Vor allem war das Kind von allem, was mit Bindfäden zu tun hatte, besessen und verband in zwanghafter Weise Gegenstände miteinander. Es stellte sich heraus, daß das Kind, als es noch sehr klein war, mehrmals von seiner Mutter getrennt worden war. Diese war außerdem wegen einer eigenen depressiven Erkrankung zeitweise emotional unerreichbar für den Jungen gewesen. Winnicott deutet diese Zwangshandlungen als Akt der Verleugnung, mit dem das Kind seine Trennung von der Mutter ungeschehen machen wollte.

Im zwanghaften Charakter der Übergangshandlung stellt sich also eine gescheiterte Interaktion, mit einem nicht ausreichend zur Verfügung stehenden subjektiven Objekt dar.

Wenn wir das Symptom des Kindes vergleichen mit den Schreien von Herrn K., dann wird zwar deutlich, daß die Schreie auf einem wesentlich regressiveren Niveau anzusiedeln sind als das zwanghafte Hantieren mit einem Bindfaden. In einer Skala von Übergangshandlungen stehen Laute eher am Beginn, das Hantieren mit Gegenständen an einem reiferen Punkt der Entwicklung. Außerdem dürfen wir nicht vergessen, daß Herr K. ein lebenserfahrener, alter Mann war. Die Symptome ähneln sich aber hinsichtlich ihrer Struktur. Beide sind von mißlungenen Interaktionserfahrungen mit einem subjektiven Objekt isolierte Figuren, die der Abwehr der Wahrnehmung einer unerträglichen Trennungssituation dienen. Und in einer solchen befand sich auch Herr K.. Er war dabei, sich von der Welt zu verabschieden. Ich verstehe seine Schreie deshalb als verzweifelte Selbstvergewisserungsversuche in einer Situation archaischer Ängste vor Fragmentierung, denen er im Sterbensprozeß ausgesetzt war. Mit der Verleugnung der unerträglichen Interaktionserfahrung eines existentiellen Verlassenseins versuchte er auch, den dazugehörigen Affekt aus seiner Wahrnehmung zu verbannen. Dieser verwandelte sich im Benennen der haltenden, wertschätzenden Gruppenszene zuerst in Trauer und schlug sich dann nieder als komplementäre Gegenübertragung – in Form eines zur Tröstung bewegenden Mitleids –

bei mir und bei den Pflegenden. Durch das Singen des Morgensternliedes vor dem Hintergrund der Tröstungsszene nun konnten genügend gute Repräsentanzen eines haltenden, subjektiven Objektes aktiviert werden, so daß er sich Unintegriertheit und ein Auseinanderfallen seiner Ich-Funktionen erlauben konnte. Das bedeutet aber auch, daß es in diesem Moment zu einer Umwandlung von Objektlibido in narzißtische Libido kam, also eine regressive Entwicklung eingeleitet wurde. Dies ist die umgekehrte Entwicklungsrichtung, wie wir sie vom Kind kennen. Dort dienen die Übergangshandlungen dem Kind dazu, sich die Außenwelt zu erschließen. Hier konnte sich Herr K. ein ›seliges Einschlafen‹ im Sterbensprozeß erlauben.

Wie aber konnte sich diese Aktivierung eines guten, haltenden subjektiven Objekts mit seiner tröstenden Funktion so plötzlich einstellen?

Um einer Antwort näher zu kommen, möchte ich eine zweite Fallvignette zum Vergleich heranziehen. Ausführlicher werde ich die erste und die elfte Sitzung beschreiben. Die Stunden zwischen diesen Sitzungen sollen zusammenfassend geschildert werden.

Musiktherapie mit Frau M.

Die 69-jährige Frau M. litt an einer Demenz vom Alzheimer-Typ. In die Klinik wurde sie eingewiesen, weil ihr Ehemann, der sie bisher versorgt hatte, nun mit der Pflege nicht mehr zurechtkam.

Über die Biographie von Frau M. konnte ich ein wenig, wenn auch nicht viel erfahren. Sie hatte ihren jetzigen Mann mit 19 Jahren geheiratet. Zuvor hatte sie ein Handwerk erlernt. Ihren Beruf hatte sie aber nie ausgeübt, sondern seit Beginn ihrer Ehe den Haushalt und ihre zwei jetzt erwachsenen Kinder versorgt. Zu ihrem Sohn hatte sie eine besonders gute Beziehung. Ihre Tochter mochte sie nicht so gern. Sie war erkrankt, nachdem ihr Ehemann vor zehn Jahren wegen eines Unfalls vorzeitig in den Ruhestand getreten war. Damals war sie vergeßlich geworden. Seit vier Jahren war sie zeitlich und räumlich erheblich desorientiert und litt unter Sprachstörungen. Diese bestanden darin, daß sie immer weniger redete. Bei ihrer Aufnahme ins Krankenhaus sagte sie nur noch ›ja‹ und ›nein‹, weigerte sich gegen jede Art von Berührung und ließ keinerlei körperliche Untersuchung zu. Auf der Station schrie sie unaufhörlich laut wie ein großer Vogel und lief ständig umher. Ich wurde von der Stationsärztin gebeten, ihre Behandlung zu übernehmen.

Mein erster Versuch, einen Kontakt zu Frau M. herzustellen, mißlang. Als ich mich ihr als Musiktherapeutin vorstellte, hörte sie zwar einen Augenblick lang auf zu schreien. Doch als ich sie fragte, ob sie sich den Musiktherapieraum anschauen wolle, sagte sie ganz klar »Nein!« und wendete sich ab. Am nächsten Tag hatte sie Besuch von ihrem Ehemann und gemeinsam mit ihm mochte sie nun mit mir kommen.

Im Musiktherapieraum lag ein Teppich, der an ein Wohnzimmer erinnerte. Es gab Stühle und einige Musikinstrumente: Ein Klavier, eine Pauke, Metallophon und Xylophon, ein Monochord[4], eine Zither und einige kleinere Schlaginstrumente aus dem Orffschen Instrumentarium. Neben dem Eingang befand sich mein Schreibtisch.

Die erste Sitzung

Zu dritt betraten wir nun diesen Raum. Ich bot dem Paar an, Platz zu nehmen, was Herr M. auch gerne tat. Frau M. jedoch blieb stehen und begann, schreiend im Zimmer hin und herzuwandern. »Nun schrei mal nicht so!« reagierte Herr M. und »Setz Dich!«. Frau M. gehorchte, wippte aber unruhig auf ihrem Stuhl hin und her. Jetzt fing Herr M. an, sich bei mir über seine Frau zu beklagen und äußerte dabei die Vermutung, daß sie eifersüchtig sei. Frau M. beantwortete seine Schilderung mit lautem Geschrei, stand auf und wanderte mit deutlich verärgertem Gesicht wieder umher. Die Atmosphäre wurde immer angespannter. Da entdeckte sie die Pauke. Ich stellte mich zu ihr, reichte ihr einen Schlegel und nun begann sie immer heftiger auf das Instrument einzuschlagen. Einen Augenblick lang bekam ich Angst, sie würde überhaupt kein Ende finden. »Nun laß mal Deine Wut raus!« kommentierte Herr M. ihr Paukenspiel. Mir verschlug es fast die Sprache. Ich fühlte mich hilflos eingeengt. »Gib den Schlegel her!« war seine nächste Reaktion. Dann erklärte er mir, daß seine Frau auch aggressiv sei. »Meins!« erwiderte Frau M. und hielt den Schlegel fest in der Hand.

---

[4] Ein Monochord ist ein Saiteninstrument, welches aus einem rechteckigen Resonanzkasten mit ursprünglich einer längs darübergespannten Saite besteht. Angeblich von Pythagoras erfunden, diente es in der Antike vor allem zur mathematischen Bestimmung und Erklärung der musikalischen Tonverhältnisse. In der Musiktherapie kommt häufig eine Variante dieses Instruments zum Einsatz, bei dem durch die Überspannung mit mehreren gleichlangen Saiten ein besonders reichhaltiges Obertonspektrum erzielt wird.

Da mir die Situation so festgefahren erschien, schlug ich dem Paar vor, einen Spaziergang durch den Garten zu machen. Beide waren damit einverstanden. Draußen entspannte sich die Atmosphäre zusehends. Herr M. entfernte sich beim Gehen ein Stückchen und Frau M. ging nun ganz ruhig, ohne zu schreien, neben mir her.

Nach der Erfahrung aus dieser ersten Sitzung war das Paar in eine kollusive Beziehung der analen Struktur verstrickt (Willi 1975). Machtausübung und hilflose Abhängigkeit der beiden Partner bedingten sich gegenseitig. Je hilfloser Frau M. wurde, umso mehr hatte Herr M. das Bedürfnis, alles für sie zu regeln und über sie zu bestimmen. Sie wiederum verlor dadurch immer mehr an Eigenständigkeit und bewirkte mit ihrer Hilflosigkeit, ihrem Geschrei und ihrem Widerstand seine Übergriffe. In diesem circulus vitiosus, in dem jeder Partner den anderen als subjektives Objekt benutzte, das die abgewehrten Vorstellungen vom eigenen Selbst verkörperte[5], versuchten beide, mich zur Unterstützung ihrer Macht zu gebrauchen. Ihre Gefühle der Einengung, der Hilflosigkeit und Empörung überließen sie mir in projektiver Identifizierung.

Von Frau M. ließ ich mich funktionalisieren, indem ich mich zu ihr an die Pauke stellte und ihr den Schlegel reichte. Damit kam ich in die Rolle einer frühen Mutter, die einerseits dem Kind zur Befriedigung seiner Bedürfnisse zur Verfügung steht, ihm andererseits zu einem Ablösungsschritt verhilft. Denn mit der Impulsentladung im Paukenspiel und dem Festhalten des Schlegels begann Frau M., sich ihres Eigenen zu vergewissern und ihre Autonomie offen einzufordern. Im Zusammenhang hiermit entdeckte sie Bruchstücke einer bereits fast völlig verlorenen Ich-Funktion, der Sprache. »Meins!« sagte sie und trennte damit die Welt in eine Subjekt- und Objektwelt, in Eigenes und Anderes. Auch damit versuchte sie, sich aus ihrer Hilflosigkeit und Abhängigkeit zu befreien und sich gegen die Übergriffe ihres Mannes zu wehren. Indem ich dem Paar in einer festgefahrenen Situation eine Veränderung des äußeren Rahmens – den Spaziergang – anbot, setzte ich handelnd meine eigenen Bedeutungen ein, um Frau S. zu

[5] J. Willi (1975, S.168) zitiert R. D. Laing (*Das Selbst und die anderen*, 1973, S. 117) »Der eine benützt den anderen nicht einfach als einen Haken, an dem sich seine Projektionen aufhängen lassen. Er ist bestrebt, im Anderen die eigentliche Verkörperung der Projektion zu finden, oder ihn zu veranlassen, diese Verkörperung zu werden«.

verstehen. Diese Handlung gewann eine protosymbolische Qualität, denn es kam hinsichtlich der Bedeutung dieser Geste zu einer Einigung zwischen Frau M. und mir. Ich hatte ihr damit signalisiert, daß ich ihr Bedürfnis nach Selbstbestimmung in einem erweiterten Spielraum anerkannte. Sie nahm mein Handlungsangebot an. Dies brachte eine erste Erleichterung. Im Spazierengehen konnte sie selber nun handelnderweise Nähe und Distanz in einer ihr angemessenen Form regulieren. Jetzt war sie nicht mehr auf ihre Schreie angewiesen.

Wieder stellt sich an diesem Punkt die Frage, welche Bedeutung und Funktion diese Schreie haben könnten.

Von ihrer Struktur her betrachte ich auch die Schreie von Frau M. als Laute, die – von gescheiterten Interaktionserfahrungen mit einem subjektiven Objekt isoliert – diese Erfahrungen enthalten und gleichzeitig der Abwehr ihrer Wahrnehmung dienen. Der Zusammenhang, in dem sie sich veränderten, gibt jedoch einen weiteren, genaueren Hinweis auf ihre Bedeutung und Funktion. Sie veränderten sich im Zuge einer Vorform von Bedeutung, die im Prozeß konkreten Handelns entstand, wodurch Frau M. eine geringfügige Autonomie wiedererlangte. Sie konnte nun beim Spazierengehen Nähe und Distanz zu ihrem Mann und zu mir vorübergehend selber bestimmen, indem sie den räumlichen Abstand zu uns regulierte. Diese Konkretheit im Protosymbol läßt uns die Abwehrfunktion der Schreie besser verstehen. Sie dienten nicht nur der Verleugnung ihrer langsamen, unerträglichen Trennung von der Welt, sondern auch ihrer damit verbundenen konkreten, zunehmenden Abhängigkeit von ihrer Umgebung. Hier werden die Schreie von Frau M. verständlich als verzweifelter, bewußtloser Versuch einer Vergewisserung ihrer Eigenständigkeit, die sie in ihrem Zerfallssprozeß aufrechterhalten mußte. Damit versuchte sie, sich Gefühlen von überwältigender Angst, Hilflosigkeit und Wut zu entledigen, die mit ihrem Abschied von der Welt und ihrer zunehmenden Pflegebedürftigkeit einhergingen.

Zwischen der ersten und elften Sitzung

In den nächsten Stunden eroberte sich Frau M. allmählich einen Spielraum: z. B. probierte sie im Musiktherapiezimmer sämtliche Musikinstrumente aus oder ging wieder mit mir spazieren. Dabei begann sie zu sprechen und wies mich mit ihren Bemerkungen auf das hin, was sie gerade sah. Wichtig bei unseren Spaziergängen war, daß ich es ihr überließ, die Richtung anzugeben, in die wir gehen sollten. Allmählich konnte sie einen Wunsch formulieren: Sie wollte ›nach Hause‹ .

Bei unseren Spaziergängen war sie meist ruhig. Dennoch schrie sie immer noch viel auf der Station. Ich gewann den Eindruck, daß sie insbesondere vor den Türen derjenigen Zimmer schrie, in denen ich gerade verweilte. Eine Woche lang war es ganz schlimm. Frau M. schrie schon, wenn ich nur in ihrer Nähe auftauchte, suchte diese Nähe, um sie gleich darauf wieder zu meiden. Ja sogar ihre Möglichkeit ›ja‹ und ›nein‹ zu unterscheiden, schien verlorengegangen. Auf der Station erregten wir allmählich wegen ihres Geschreis erheblichen Ärger. Meine gelegentlichen Versuche, etwas zu singen, stellte ich sofort wieder ein, da ich den Eindruck gewann, damit nicht das geringste auszurichten. Ich war verwirrt, fühlte mich verzweifelt hilflos und peinlich unfähig. Sie jedoch signalisierte mir immer weiter – durch Gesten und Worte – daß sie meine Besuche wünschte. So besuchte ich sie weiterhin regelmäßig. Unsere kurzen Spaziergänge und gelegentliche sprachliche Deutungen schienen sie zu entlasten.

Allmählich nahmen die Sitzungen eine zweiteilige Form an. Mein erstes Kontaktangebot am Tag schlug Frau M. meist schreiend aus, aber etwas später wollte sie doch gern meinen Besuch. Besonders interessiert war sie in dieser Zeit an meinen Händen. »Schön!« fand sie sie. Die ihrigen zeigte sie mir mit dem Kommentar: »Ich kann nichts!« Als ich eine Formulierung für ihre Ambivalenz fand, indem ich ihr sagte: »Sie brauchen jetzt immer jemanden, der Ihnen hilft, aber Sie wollen doch selber bestimmen!« stimmte sie mit Erleichterung zu.

Die deutende Handlung des Spazierengehens am Ende der ersten Sitzung hatte für die nächsten Stunden einen konkreten Spielraum eröffnet: Frau M. mochte weiter mit mir spazierengehen und fing sogar an, die Musikinstrumente auszuprobieren. Es bestätigte sich aber auch ihre protosymbolische Qualität: Frau M. befreite sich ein wenig aus ihrer Sprachlosigkeit, benannte die Gegenstände, die sie sah, und teilte mir während eines gemeinsamen Spaziergangs ihren Wunsch mit, ›nach Hause‹ zu gehen. Die Äußerung dieses Wunsches verstand ich als Behandlungsauftrag, nämlich, sie in ihrem Sterbensprozeß bis zum Ende zu begleiten. Damit gewann der bis jetzt nur andeutungsweise sichtbare therapeutische Raum zwischen uns etwas mehr an Kontur. Doch die aus dem Verstehen entstandene Nähe stieß sie vorübergehend noch tiefer in eine ambivalente Übertragung. Ihre Annäherungen und Ablehnungen, ihr Beschatten und wieder Weglaufen erinnern an die von M. Mahler (1980) so eindrücklich beschriebene Wiederannäherungsphase bzw. -krise des Kleinkindes. Während dieser Periode war Frau M. so verwirrt, daß der symbolische Ausdruck fast völlig zusammenbrach. Selbst ihr ›Ja‹ war kaum noch vom ›Nein‹ zu unterscheiden. Auch ich fand keinen musikalischen Ausdruck für das, was sich ereignete. In dieser Zerreißprobe, die sich auch zwischen dem ärgerlichen Pflegepersonal und Frau M. mit mir inszenierte, konnte sie mich dennoch weiterhin als Container für ihre unerträglichen Gefühle, ihre Hilflosigkeit, Verzweiflung und Scham benutzen und mir durch Worte und Gesten signalisieren, daß sie an ihrem Behandlungauftrag festhielt. Allmählich nahm die Aufmerksamkeit, die sie unseren Händen widmete, eine besondere Bedeutung an. Über diese brachte sie sowohl ihr Leiden an der Einschränkung ihrer Handlungsfreiheit als auch ihre Idealisierungen und das Gefühl ihrer eigenen Hilflosigkeit und Entwertung zum Ausdruck. Dadurch, daß ich ihre Ambivalenz aushielt und ihr mit deutenden Handlungen und sprachlichen Deutungen einen therapeutischen Raum offenhielt, konnte Frau M. sich allmählich aus ihrer Verwirrung befreien. Diese Befreiung bestand in einer zunehmenden Spaltungstendenz, die sich auch in der Zweiteilung der täglichen Sitzungen zeigte.

Die elfte Sitzung

Nachdem Frau M. wieder meinen ersten Kontaktversuch schreiend abgelehnt hatte, war sie bei unserer zweiten Begegnung völlig verändert. Wir gingen ruhig nebeneinander in den Musiktherapieraum. Dort angekommen schaute sie sich um, lächelte und zupfte ein paar Monochordtöne. Dann setzte sie sich auf meinen Platz am Schreibtisch. Mit der rechten Hand begann sie über das glatte Holz der Tischplatte zu wischen. Ich setzte mich neben sie und tat es ihr nach. Frau M.'s Augenlieder wurden schwer. In diese Atmosphäre hinein fielen mir Melodien ein. Leise fing ich an zu summen. Es entstand ein verhalten schwebendes Ineinander von eng beieinanderliegenden Tönen. Frau M. schlief ein und ruhte so eine Weile aus. Allmählich erwachend fing sie wieder an, auf der Tischfläche zu reiben bis sie ganz wach war. Dann wanderte sie noch einmal durch den Raum, ohne einen Gegenstand zu berühren und beendete die Sitzung, indem sie den Raum verließ.

In dieser Sitzung deutet sich eine vorläufige Lösungsmöglichkeit an. Durch ihre Ablehnung meines ersten Kontaktangebots hatte Frau M. sich vergewissert, daß sie ihrer Autonomie sicher und ich nicht übergriffig geworden war. Ich ging und kam wieder. Mit meinem zweiten Kontaktangebot hatte ich ihr gezeigt, daß ich trotz ihrer ersten Ablehnung weiter zur Verfügung stand. Jetzt konnte sie sich sicherer fühlen. Dadurch erweiterte sich der Spielraum zwischen uns. Diese Erweiterung begann konkret und nahm zunehmend symbolische Qualität an. Frau M. mochte nun mit mir kommen und im Musiktherapiezimmer ein paar Töne auf dem Monochord zupfen. Dann fand sie endlich einen körperlich-gestischen Ausdruck für ihre Ambivalenz. Sie kam in einer Haltung zur Ruhe, in der sie sich an meinem Schreibtisch sitzend ganz autonom ›als Frau der Lage‹ fühlen konnte. Gleichzeitig war sie in dieser Position mit mir identifiziert. Diese Haltung verband also ihre Wünsche nach Autonomie und nach Nähe zu mir in der Rolle einer Mutter der Wiederannäherungsphase in einem einzigen Körperausdruck. Dies befreite sie weiter aus ihrer inneren Spannung und erweiterte ihren Spielraum wieder etwas mehr. Nun konnte Frau M. eine Übergangshandlung für sich finden: das Reiben auf der glatten Schreibtischfläche. Mein frei improvisiertes Singen fügte sich in diese Situation. In der schwebenden Melodieführung eng beieinanderliegender Töne entsprach es ihrer augenblicklichen Inszenierung, wie sie sich schon im Nebeneinander-Gehen und im Miteinander-auf-der-Tischfläche-Reiben gezeigt hatte. Diese Melodie wurde zu einer Formulierung auf einer musikalischen Ebene, denn es entstand eine Einigung zwischen uns hinsichtlich ihrer Bedeutung. Wir teilten miteinander eine sinnliche Erkenntnis darüber, welche emotionale Erfahrung Frau M. gefehlt hatte, so daß sie jetzt ihre Eigenständigkeit mit stereotypen Schreien verteidigen mußte. Da endlich ein symbolischer Ausdruck für ihre unerfüllten Bedürfnisse aus gescheiterten frühen Interaktionen gefunden war, mußte Frau M. sich in diesem Moment nicht mehr gegen ihre zunehmende Abhängigkeit und ihre unerträgliche Angst im Sterbensprozeß wehren. Sie konnte die Sorge um ihre Selbstregulation nun einen Augenblick lang mir überlassen und mit mir in der Rolle eines guten, haltenden subjektiven Objekts verschmelzen. Sie schlief ein. Allerdings signalisierten ihre Körperhaltung beim Einschlafen und ihre Initiative bei der Beendigung der Sitzung auch, daß sie sich Passivität nicht ungebrochen erlauben konnte.

In dieser Geschichte stand der Übergangsbereich nur sehr rudimentär, zeitweilig gar nicht zur Verfügung. Zur Aktivierung eines guten subjektiven

Objekts führte der Weg durch Verwirrung und Krisen. Worauf ist dieser Unterschied zurückzuführen?

Vergleich der Vignetten

In beiden Geschichten war alles, was sich ereignete, von Anfang nur als Übertragung zu verstehen und ergab ausschließlich von hieraus einen Sinn. Das stereotype Schreien der beiden Patienten aber beinhaltete, trotz seiner Ansiedelung im gleichen Spektrum des Übergangsbereichs, deutlich unterschiedliche szenische Interaktionserfahrungen. Darum riefen die Schreie auch jeweils verschiedene Gegenübertragungsreaktionen hervor. Während die Schreie von Herrn K. einem direkten Hilferuf gleichkamen und mich (und andere) dazu veranlaßten, tröstend einzugreifen, brachte das Geschrei von Frau M. zur Verzweiflung, machte hilflos und aggressiv. Aufgrund dessen war Abhilfe auch nicht mit den gleichen Mitteln zu schaffen.

Es erstaunt, wie schnell Herr K. zu trösten war, nachdem einmal das ›Zauberwort‹ gefunden war. Offensichtlich beinhaltete die Szene mit dem Morgensternlied genau jene Antwort und Formulierung, die er benötigte, um seine Selbstvergewisserungsversuche einstellen zu können. Dies heißt aber auch, daß es für ihn im Prinzip genügend Repräsentanzen eines guten subjektiven Objekts gab, die aktiviert werden konnten. Diese waren nur vorübergehend verschüttet. Die Unmittelbarkeit der Veränderung signalisiert allerdings auch, daß er diese Aktivierung im Sterbensprozeß dringend benötigte.

Im Gegensatz dazu kam Frau M. erst sehr viel später in einer Position, in der ihre Ambivalenz in einer einzigen Körperhaltung ausgedrückt war, zur Ruhe. Nur zeitweilig konnte sie aufhören zu schreien, eben in jenen Phasen, in denen sie sich vergewissert hatte, daß ich zur Verfügung stand, ohne ihr zu nahe zu kommen. Erleichterung brachten deutende Handlungsabläufe und seltener sprachliche Deutungen. Insbesondere war die in der Musik enthaltene Sinnlichkeit und Atmosphäre des Bedeutungsfeldes – die ja berührt – mit Ausnahme der ersten und letzten Stunde negativ besetzt. Entsprechend gab es nicht die Möglichkeit auf das Singen von Liedern zurückzugreifen. Bezeichnenderweise half ihr aber innerhalb ihrer Spaltung mein frei improvisiertes Singen, sich einen Augenblick lang gehalten zu fühlen, ebenso wie sie einen dringenden Wunsch nach Befreiung durch ihre Reaktionen zum Ausdruck gebracht hatte. Dies aber bedeutet, daß Frau M. nur sehr wenig genügend gute frühe Bemutterungserfahrungen hatte. Die Vermutung liegt nahe, daß Frau M. in einer Phase der zunehmenden Entwicklung ihrer Ich-Funktionen nicht den nötigen Halt und Unterstützung für ihre Bestrebungen nach Eigenständigkeit bekommen hatte. Dies hatte auch ihre Symbolisierungfähigkeit beeinträchtigt. Es drängt sich der Gedanke auf, daß sie ihr ganzes Leben über eine frühe Störung hatte kompensieren können, z. B. dadurch, daß sie ihre Beziehungen wie zum Sohn und zur Tochter spaltete oder Nähe vermied. Zu dem Zeitpunkt aber, zu dem ihr Ehemann durch seine Pensionierung ihr konkret näher kam, brachen diese Bewältigungsstrategien zunehmend zusammen.

Martin Wangh (1989) entwickelt in seinem Aufsatz *Die genetischen Ursprünge der Meinungsverschiedenheit zwischen Freud und Romain Rolland über religiöse Gefühle* die Hypothese, daß es von den frühen Erfahrungen mit der Mutter, die als subjektives Objekt wahrgenommen wird, abhängt, ob das Sterben als ein friedliches Verschmelzen mit dem Universum erlebt werden kann oder als Verwirrung, Verschlungenwerden, Zerstörung oder Fallengelassenwerden. Die beiden Fallvignetten scheinen diese Hypothese zu bestätigen. Darauf deuten die Unterschiede in den Veränderungen der Stereotypien zwischen Herrn K. und Frau M. hin.

Entsprechend gelang die Veränderung der verzweifelten Selbstvergewisserungsversuche der beiden mit unterschiedlichen Deutungsformen. Bei Herrn K. reichten die Szenen aus, in denen die Lieder von den Sternlein und dem Morgenstern gesungen wurden, um Gefühle von Halt und Verschmelzung zu aktivieren. Bei Frau M. war ein längerer Prozeß notwendig, in dem sie das Gefühl von Halt durch die Erfahrung meiner Unzerstörbarkeit und Zurückhaltung in der Übertragung erwerben konnte und in dem sie Handlungen als bedeutsam anerkennen und sprachliche Deutungen annehmen konnte. Musik spielte als Möglichkeit zur Impulsentladung im Erstkontakt eine Rolle. Nur das Singen in der zuletzt beschriebenen Sitzung hatte die Qualität als sinnlich-symbolische Interaktionsform. Damit beantwortet sich die Frage, ob man stereotyp schreiende Demente einfach durch Singen von Liedern beruhigen kann, negativ.

Da aber bei hochgradig altersdementen Menschen – aufgrund ihrer Abschiedssituation – offensichtlich alles Material ausschließlich als Übertragungsangebot verstanden werden muß und nicht alle in einer so extremen Ambivalenz gefangen sind wie Frau M., kann man dennoch mit einiger Wahrscheinlichkeit davon ausgehen, daß durch das Singen von Liedern auch spontan frühe Repräsentanzen eines guten subjektiven Objekts aktiviert werden. Weil Musik aufgrund ihrer Eigenschaften in hervorragender Weise zur Bildung sinnlich-symbolischer Interktionsformen geeignet ist, ist sie auch der Übergangssituation der Sterbenden vom Leben zum Tod in besonderer Weise angepaßt. Voraussetzung dafür, daß dieser Prozeß gelingt, ist neben der psychischen Struktur der Patienten, daß die Therapeutin die Dementen nicht für eigene Wünsche und Bedürfnisse benutzt, sondern als Person mit ihrem Repertoire und ihrem Reflexionsprozeß einen Spielraum zur Verfügung stellt.

Literatur

Dehm-Gauwerky, B. (1997): Übergänge, Tod und Sterben in der Musiktherapie mit Dementen. In: Musiktherapeutische Umschau 2, S.103–113.

Dehm-Gauwerky, B. (2000): Die Erleichterung. Edition diskord (Tübingen), S.65–108.

Freud, S. (1900): Die Traumdeutug. GW II/III. Fischer (Frankfurt/M.), S. 1–642.

Freud, S. (1920): Jenseits des Lustprinzips In: Freud, S.: Das Ich und das Es. GW III. Fischer (Frankfurt/M.), S.1–69.

Lorenzer, A. (1970): Kritik des psychoanalytischen Symbolbegriffs. Suhrkamp (Frankfurt/M.).

Lorenzer, A. (1973): Sprachzerstörung und Rekonstruktion. Suhrkamp (Frankfurt/M.).

Lorenzer, A. (1983): Sprache, Lebenspraxis und szenisches Verstehen. In: Psyche 38, S.97–115.

Mahler, M. (1980): Die psychische Geburt des Menschen. Fischer (Frankfurt/M.).

Niedecken, N. (1988): Einsätze. VSA-Verlag (Hamburg).

Ogden, T. H. (1994): The concept of interpretive action. In: Psychoanalytic Quarterly LXIII, S.219–245.

Ogden, T. H. (1997) : Über den potentiellen Raum. In: Forum der Psychoanalyse 13, S.1–18.

Wangh, M. (1989): Die genetischen Ursprünge der Meinungsverschiedenheit zwischen Freud und Romain Rolland über religiöse Gefühle. In: Psyche 43, S. 40–66.

Willi, J. (1975): Die Zweierbeziehung. Rowohlt (Reinbeck).

Winnicott, D. W. (1987): Vom Spiel zur Kreativität. Klett-Cotta (Stuttgart).

Autorinnen und Autoren

Gertrud Maria Backes

geb. 1955, Prof. Dr. phil., Diplom-Soziologin, Professorin für Soziale Gerontologie an der Universität Kassel. Studierte von 1974–1979 an den Universitäten Trier und Bielefeld Soziologie, Sozialpolitik und Psychologie, Diplom in Soziologie 1979 an der Universität Bielefeld, Promotion in Soziologie 1987 an der Freien Universität Berlin und Habilitation in Soziologie 1997 an der Universität Dortmund. Seit 1979 wissenschaftliche Mitarbeiterin in außeruniversitären Forschungsinstituten in Köln, Bonn und Berlin, 1991–1993 wissenschaftliche Mitarbeiterin am Aufbaustudiengang Soziale Gerontologie der Universität Kassel, 1993–1998 Professorin für Soziologie an der Fachhochschule Lausitz, Fachbereich Sozialwesen in Cottbus, 1998–2000 Professorin für Gerontologie, Soziologie und Sozialpolitik an der Hochschule Vechta, seit 2000 Lehrstuhl für Soziale Gerontologie am Fachbereich Sozialwesen der Universität Kassel. Arbeitsschwerpunkte: Altern und Gesellschaft, Lebenslauf und Lebenslagen, Frauenarbeit, Geschlecht und Alter(n), Vergesellschaftungsweisen des Alter(n)s.

Eberhard Beetz

geb. 1964, Dr. med., Internist, internistischer Funktionsoberarzt in der Rothaarklinik für Psychosomatische Medizin. Von 1992–1999 internistische Weiterbildung in Frankfurter Lehrkrankenhäusern. Seit 1997 in Weiterbildung zum Facharzt für Psychotherapeutische Medizin zunächst in Frankfurt/M., ab 1999 in der Rothaarklinik für Psychosomatische Medizin, Bad Berleburg. Schwerpunktmäßige Arbeit im Bereich der internistischen Geriatrie und Gerontopsychosomatik.

Doris Bolk-Weischedel

geb. 1935, Dr. med., Nervenärztin und Psychoanalytikerin, psychiatrisch-klinische Tätigkeit und psychoanalytische Praxis, KBV- und BVO-Gutachterin. Veröffentlichungen über analytische Kindertherapie, zur Wirkung analytischer Verfahren auf die Partnerschaft, über Psychotherapie in der Neurologie, zu Fragen der psychiatrisch-psychotherapeutischen Weiterbildung, zu Reifungskrisen und der frühen Mutter-Kind-Beziehung. In der letzten Zeit Beschäftigung mit Problemen der Behandlung von frühgestörten und traumatisierten Patienten.

Babara Dehm-Gauwerky
geb. 1944, Diplom-Musiktherapeutin, Forschungsschwerpunkte: psychoanalytische Musiktherapie mit Altersdementen, klinische Tätigkeit mit alten und jüngeren Menschen mit frühen Störungen, Lehrmusiktherapeutin am Institut für Musiktherapie der Musikhochschule Hamburg, Supervision, Mitbegründerin des Norddeutschen Arbeitskreises für Psychodynamische Psychiatrie (NAPP).

Annekathrin Fels
geb. 1967, Ärztin, Assistenzärztin in der Abteilung Gerontopsychosomatik und -psychotherapie in der Rothaarklinik für Psychosomatische Medizin in Bad Berleburg, in fortgeschrittener psychoanalytischer Weiterbildung. Interessenschwerpunkte: Psychotherapie Älterer, bes. Übertragungskonstellationen.

Insa Fooken
geb. 1947, Prof. Dr. phil., Diplom-Psychologin; langjährige wissenschaftliche Mitarbeiterin am Psychologischen Institut der Universität Bonn; Mitarbeit in der Bonner gerontologischen Längsschnittstudie (BOLSA); seit 1992 Professur für Psychologie (mit dem Schwerpunkt Entwicklungspsychologie) an der Universität Siegen; Forschungsschwerpunkte u. a.: Alternsprozesse unter geschlechtsspezifischen Aspekten, Auseinandersetzung mit Verlusten (Verwitwung, Scheidung).

Gereon Heuft
geb. 1954, Univ.-Prof., Dr. med., Facharzt für Psychotherapeutische Medizin, Facharzt für Neurologie und Psychiatrie, Psychoanalyse, Klinische Geriatrie. Lehr- und Kontrollanalytiker der DGPT. Lehrstuhl für Psychosomatische Medizin und Psychotherapie an der Westfälischen Wilhelms-Universität Münster, verbunden mit der Direktion der Klinik und Poliklinik für Psychosomatik und Psychotherapie am Universitätsklinikum Münster. Arbeitsschwerpunkte: Alternsforschung (*Lehrbuch der Gerontopsychosomatik und Alterspsychotherapie*, 2000), Qualitätssicherung/ Basisdokumentation, chronische Dyspepsie, Operationalisierte Psychodynamische Diagnostik.

Eike Hinze

geb. 1940, Dr. med., Nervenarzt und Psychoanalytiker in eigener Praxis, Lehranalytiker am Berliner Psychoanalytischen Institut (Karl-Abraham-Institut). Veröffentlichungen zur psychoanalytischen Behandlung Älterer und zur Praxis der Psychoanalyse. Seit einigen Jahren Beschäftigung mit dem Einfluß von Säuglingsforschung, Evolutionstheorie und Neurowissenschaften auf die psychoanalytische Theorienbildung und Praxis.

Johannes Kipp

geb. 1942, Dr. med., Arzt für Neurologie und Psychiatrie, Psychotherapie, Psychoanalyse; Direktor der Klinik für Psychiatrie und Psychotherapie, Ludwig-Noll-Krankenhaus, Klinikum Kassel. Autor gemeinsam mit G. Jüngling: *Einführung in die praktische Gerontopsychiatrie* (2000) und gemeinsam mit Unger u. Wehmeier: *Beziehung und Psychose* (1996).

Andreas Kruse

geb. 1955, Univ.-Prof., Dr. phil., Diplom-Psychologe; Direktor des Instituts für Gerontologie der Universität Heidelberg; Vorsitzender der dritten Altenberichtskomission der Bundesregierung; Mitglied des Kommitees der Vereinten Nationen zur Erstellung des Weltaltenplans; verantwortlich für den Themenbereich ›Gesundheit im Alter‹ im Kontext der Gesundheitsberichterstattung der Bundesregierung durch das Robert-Koch-Institut.

Hans Georg Nehen

geb. 1948, Dr.med., Internist, Rheumatologe, Psychotherapeut, Chefarzt des Geriatrie-Zentrums Haus-Berge am Elisabeth-Krankenhaus Essen, Honorarprofessor für Sozialmedizin an der Universität Gesamthochschule Essen Fachbereich I, Hauptarbeitsgebiet: Alterskrankheiten und Demenzdiagnostik.

Meinolf Peters

geb. 1952, Dr. phil., Diplom-Psychologe, Psychoanalytiker (DPG, DGPT). 1981–1987 wissenschaftlicher Mitarbeiter in der Abteilung Entwicklungspsychologie der Universität Giessen, seit 1988 in der Rothaarklinik für Psychosomatische Medizin. Seit 1999 Leiter der Abteilung Gerontopsychosomatik und -psychotherapie. Forschungsschwerpunkte: Entwicklungspsychologie des Alters, Gerontopsychosomatik und Psychotherapieforschung.

Holdger Platta
geb. 1944, Wissenschaftsjournalist und Buchautor (auch Belletristik). Studium der Germanistik, Geschichte, Pädagogik und Politologie in Göttingen und Marburg. Arbeitsschwerpunkte: Zeitgeschichte, Psychoanalyse und Sozialpsychologie, Kreativitätsförderung. Letztes Rundfunk-Feature (HR 2001): *Die Geheimnisse einer Winternacht. Neue Wege zur Förderung der literarischen Kreativität*; letzte Buchveröffentlichung: *New-Age-Therapien* (Rowohlt-Verlag 1997), *Identitäts-Ideen. Zur gesellschaftlichen Vernichtung unseres Selbstbewußtseins* (Psychosozial-Verlag 1998), *Gedichte. Mitlesebuch 37* (Aphiaia-Verlag 2000).

Hartmut Radebold
geb. 1935, Prof. Dr. med., Facharzt für Nervenheilkunde mit Zusatzbezeichnung Psychoanalyse, Facharzt für Psychotherapeutische Medizin, Lehranalytiker der DPV am Alexander-Mitscherlich-Institut in Kassel. 1976–1997 Lehrstuhl für Klinische Psychologie am FB 04 der Universität Kassel sowie langjähriger Sprecher der Interdisziplinären Arbeitsgruppe für angewandte Soziale Gerontologie (ASG). 1998 Gründung des Lehrinstitutes für Alternspsychotherapie in Kassel. Forschungsschwerpunkte: Psychoanalystische Entwicklungspsychologie, Psychodynamik, Psychotherapie/ Psychoanalyse sowie Psychosomatik über 60-Jähriger, geriatrische und gerontopsychiatrische Versorgung/Rehabilitation, Aus- und Weiterbildung im Altersbereich.

Jürgen Reulecke
geb. 1940, Prof. Dr., Studium der Geschichte, Germanistik und Philosophie; 1972 Promotion und 1979 Habilitation an der Ruhr-Universität Bochum, seit 1984 Universitätsprofessor für Neuere und Neueste Geschichte an der Universität Siegen; 2000/2001 Stipendiat am Historischen Kolleg in München. Forschungsschwerpunkte: Geschichte der Urbanisierung, Geschichte von Sozialpolitik, sozialen Bewegungen und Sozialreform, Generationengeschichte und Jugendgeschichte im 19. und 20. Jahrhundert.

Gudrun Schneider
geb. 1964, Dr. med., Fachärztin für Psychotherapeutische Medizin; leitende Oberärztin der Klinik und Poliklinik für Psychosomatik und Psychotherapie am Universitätsklinikum Münster; Erstantragstellerin der

DFG-geförderten »ELDERMEN-Study II«; 2001 Verleihung des Förderpreises ›Neue Aspekte in der Erforschung und/oder Behandlung der Depressionen im höheren Lebensalter‹ an die Arbeitsgruppe für die Arbeiten aus der »ELDERMEN-Studie«; Forschungsschwerpunkte: Gerontopsychosomatik, Operationalisierte Psychodynamische Diagnostik (OPD), Psychosomatische Dermatologie.

Margit Venner
geb. 1937, Dr. med., Fachärztin für Innere Medizin, Fachärztin für Psychotherapeutische Medizin, Psychoanalyse (Lehranalytikerin, DGPT), Abteilungsleiterin der Abteilung Internistische Psychotherapie der Klinik Innere Medizin I der Friedrich-Schiller-Universität Jena. Forschungsschwerpunkte und Veröffentlichungen: Psychosomatik in der Inneren Medizin, analytisch orientierte Gruppenpsychotherapie psychosomatisch Kranker mit Organdestruktion, ›Wende‹ -Problematik, Eßstörungen, Lebendorganspende und Lebendnierenspende.

Uwe Wutzler
geb. 1968, Dr. med., Psychotherapeutische Medizin, wissenschaftlicher Mitarbeiter der Abteilung für Internistische Psychotherapie der Klinik für Innere Medizin I der Friedrich-Schiller-Universität Jena. Dissertation: *Therapieeffekte monoklonaler Antikörper auf Autoimmunprozesse bei der rheumatoiden Arthritis*. Forschungsschwerpunkte: Psychologische Aspekte der Lebendnierenspende und der Lebendorgantransplantation.